El laberinto

Matthew Reilly

Traducción de María Otero González

LA FACTORIA
DE IDEAS

Libros publicados de Matthew Reilly

1. El templo
2. Antártida: Estación polar
3. Área 7
4. La lista de los doce
5. El laberinto

Título original: *Contest*
Primera edición

© Matthew Reilly, 2003

Ilustración de portada: © Opalworks

Diseño de colección: Alonso Esteban y Dinamic Duo

Derechos exclusivos de la edición en español:
© 2013, La Factoría de Ideas. C/Pico Mulhacén, 24. Pol. Industrial «El Alquitón».
28500 Arganda del Rey. Madrid. Teléfono: 91 870 45 85

informacion@lafactoriadeideas.es
www.lafactoriadeideas.es

ISBN: 978-84-9018-278-9   Depósito legal: M-22680-2013

Impreso por Blackprint CPI

Con mucho gusto te remitiremos información periódica y detallada sobre nuestras publicaciones, planes editoriales, etc. Por favor, envía una carta a «La Factoría de Ideas», C/ Pico Mulhacén, 24. Polígono Industrial El Alquitón 28500, Arganda del Rey, Madrid; o un correo electrónico a informacion@lafactoriadeideas.es, que indique claramente:
INFORMACIÓN DE LA FACTORÍA DE IDEAS

Para mamá y papá.

Agradecimientos

Quiero dar especialmente las gracias a Stephen Reilly, mi hermano, genio del márketing, escritor atormentado (¿acaso no lo somos todos?) y fiel amigo. A Natalie Freer, que siempre es la primera en leer mis obras y la persona más paciente y generosa sobre la faz de la Tierra. A mis padres, por dejarme ver demasiada televisión de pequeño y por su inquebrantable apoyo. Y a Peter Kozlina por su monumental fe en este libro antes incluso de haber leído una palabra.

Y, por supuesto, gracias de nuevo a todos los que trabajan en Pan Macmillan y St. Martin's Press: a Cate Paterson y Pete Wolverton, por ser unos editores brillantes; a Jane Novak, por ser una agente fantástica (¡y por ser la única persona capaz de leer *Voss* y a continuación coger *Antártida: Estación polar* y disfrutar de ambos!); a Julie Nekich, por ser una correctora comprensiva (hay que serlo para trabajar conmigo); y, por último, una vez más, gracias a todos los comerciales de Pan y St. Martin's por las incontables horas que se pasan en la carretera entre librería y librería. Gracias.

A todo aquel que conozca a un escritor, que jamás infravalore el poder de sus ánimos y apoyo.

BIBLIOTECA PÚBLICA DE NUEVA YORK: VISTA LATERAL

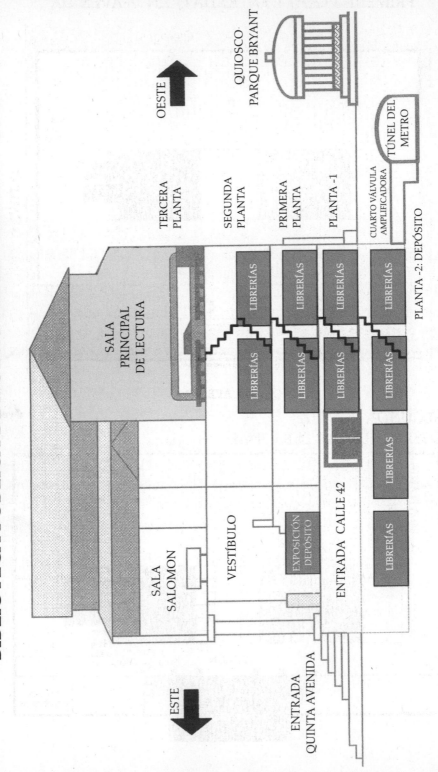

OESTE

QUIOSCO.
PARQUE BRYANT

TÚNEL DEL
METRO

TERCERA
PLANTA

SEGUNDA
PLANTA

PRIMERA
PLANTA

PLANTA -1

CUARTO VÁLVULA
AMPLIFICADORA

PLANTA -2: DEPÓSITO

SALA
PRINCIPAL
DE LECTURA

LIBRERÍAS

LIBRERÍAS

LIBRERÍAS

LIBRERÍAS

LIBRERÍAS

LIBRERÍAS

LIBRERÍAS

LIBRERÍAS

LIBRERÍAS

LIBRERÍAS

SALA
SALOMON

VESTÍBULO

EXPOSICIÓN
DEPÓSITO

ENTRADA CALLE 42

ESTE

ENTRADA
QUINTA AVENIDA

PRIMERA PLANTA: ENTRADA QUINTA AVENIDA

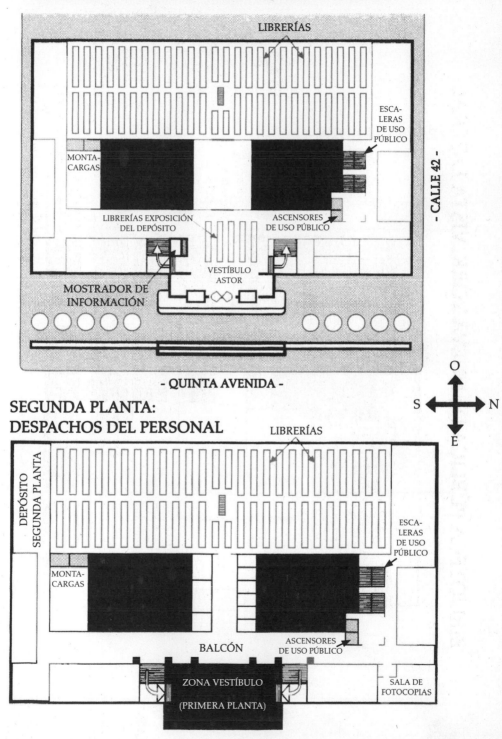

LIBRERÍAS

ESCA-
LERAS
DE USO
PÚBLICO

MONTA-
CARGAS

LIBRERÍAS EXPOSICIÓN
DEL DEPÓSITO

ASCENSORES
DE USO PÚBLICO

VESTÍBULO
ASTOR

MOSTRADOR DE
INFORMACIÓN

- CALLE 42 -

- QUINTA AVENIDA -

SEGUNDA PLANTA:
DESPACHOS DEL PERSONAL

LIBRERÍAS

O

S — N

E

DEPÓSITO
SEGUNDA PLANTA

ESCA-
LERAS
DE USO
PÚBLICO

MONTA-
CARGAS

ASCENSORES
DE USO PÚBLICO

BALCÓN

ZONA VESTÍBULO

(PRIMERA PLANTA)

SALA DE
FOTOCOPIAS

TERCERA PLANTA:
SALA PRINCIPAL DE LECTURA

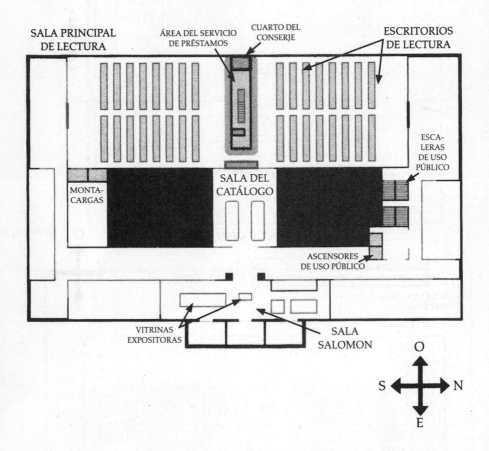

SALA PRINCIPAL
DE LECTURA

ÁREA DEL SERVICIO
DE PRÉSTAMOS

CUARTO DEL
CONSERJE

ESCRITORIOS
DE LECTURA

ESCA-
LERAS
DE USO
PÚBLICO

MONTA-
CARGAS

SALA DEL
CATÁLOGO

ASCENSORES
DE USO PÚBLICO

VITRINAS
EXPOSITORAS

SALA
SALOMON

O · S · N · E

PLANTA -1: ACCESO CALLE 42

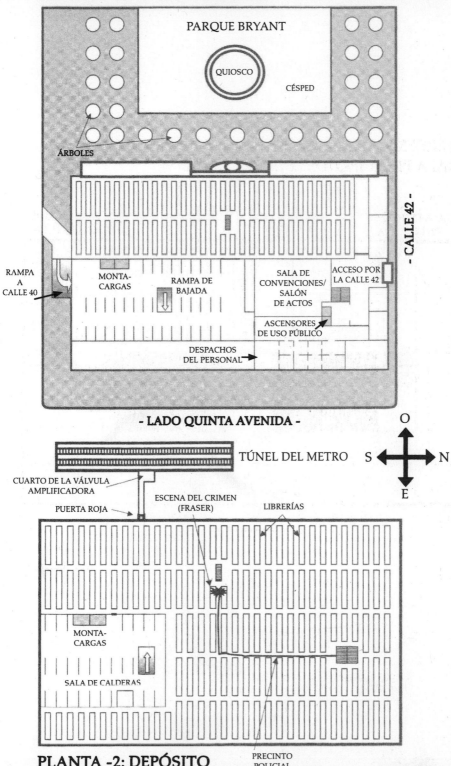

PARQUE BRYANT

QUIOSCO

CÉSPED

ÁRBOLES

RAMPA A CALLE 40

MONTA-CARGAS

RAMPA DE BAJADA

SALA DE CONVENCIONES/ SALÓN DE ACTOS

ACCESO POR LA CALLE 42

ASCENSORES DE USO PÚBLICO

DESPACHOS DEL PERSONAL

- CALLE 42 -

- LADO QUINTA AVENIDA -

TÚNEL DEL METRO

O
S — N
E

CUARTO DE LA VÁLVULA AMPLIFICADORA

PUERTA ROJA

ESCENA DEL CRIMEN (FRASER)

LIBRERÍAS

MONTA-CARGAS

SALA DE CALDERAS

PLANTA -2: DEPÓSITO

PRECINTO POLICIAL

¿Me aventuro yo acaso
a perturbar el universo?
—T. S. Eliot

Introducción

De: Hoare, Shane:
Suetonio: un retrato de Roma (Advantage Press, Nueva York, 1979)

CAPÍTULO VII: EL SIGLO I D. C.

«...Sin embargo, es en última instancia la obra clásica de Suetonio, *Vidas de los doce césares*, la que nos proporciona el mejor retrato de la vida en la corte imperial romana. Esta obra de Suetonio bien podría tratarse de una telenovela de nuestros días, pues retrata la lujuria, la crueldad, las intrigas y las numerosas *insidiae* (conspiraciones) que rodeaban la vida del emperador...» [pág. 98]

«...entre los que figuraba el no menos importante Domiciano que, si bien conocido por sus ejecuciones *ex tempore* de cortesanas maquinadoras, nos proporciona quizá el ejemplo más brutal de las intrigas romanas: la de Quinto Aurelio.

Aurelio, otrora centurión del ejército romano que adquirió gran relevancia en el Senado bajo la protección de Domiciano, al parecer perdió el favor de su emperador en el año 87 d. C. Aunque en un principio fue reclutado por Domiciano para que le ayudara en asuntos militares, Aurelio fue asimismo un escritor prolífico que no solo instruyó a Domiciano en estrategia militar, sino que también se rigió por tales preceptos en sus escritos personales. Gran parte de su obra se ha conservado, intacta y fechada, hasta nuestros días.

Sin embargo, Quinto Aurelio dejó de escribir repentinamente en el año 87 d. C.

Toda correspondencia entre el senador y el emperador cesó. Los escritos personales de Aurelio no registraron más entradas. De ese año en adelante no volvió a citarse a Aurelio en los documentos del Senado.

Quinto Aurelio había desaparecido.

Algunos historiadores han especulado con que Aurelio (que, según cuentan, hacía acto de presencia en el Senado vestido de militar) sencillamente perdiera el favor de Domiciano, mientras que otros sopesan la posibilidad de que fuera descubierto conspirando...» [pág. 103]

De: Freer, Donald
De Medieval a Moderna: Europa 1010-1810
(W. M. Lawry & Co., Londres, 1963)

«Las algaradas por el trigo en Cornwall no fueron sino una nimiedad comparadas con la confusión que reinó en una pequeña comunidad agraria de West Hampshire durante la primavera de 1092.

Los historiadores han reflexionado largo y tendido sobre la suerte de sir Alfred Hayes, señor de Palmerston, cuya desaparición en 1092 desestabilizó el equilibrio feudal de su pequeña comunidad agraria de West Hampshire...» [pág. 45]

«...No obstante, lo más desconcertante de todo este asunto es que, si efectivamente Hayes murió de manera repentina (bien de cólera o de lo que quiera que fuera), ¿por qué su muerte no se hizo constar en el registro de la iglesia local tal y como se acostumbraba? Un hombre tan conocido por su glorioso pasado en el campo de batalla y de tanta relevancia en la comunidad no sería omitido en el registro de defunciones. La triste realidad es que, puesto que nunca se llegó a encontrar su cuerpo, su muerte jamás figuró en el registro.

El abad local, en un escrito sobre la desaparición de su señor, hizo especial hincapié en que, salvo por ineludibles incursiones militares, sir Alfred jamás había salido de West Hampshire, y que en los días inmediatamente anteriores a su desaparición había sido visto por la zona dedicándose a sus quehaceres, tal como habituaba. Resultaba extraño pues, escribió el abad, que aquel fuera un hombre cuyo nacimiento podía certificarse pero que, oficialmente, no había llegado a morir.

Dejando a un lado todo tipo de mitos medievales sobre brujería e intervenciones demoníacas, los hechos son bastante simples: en la primavera de 1092, sir Alfred Hayes, señor de Palmerston, West Hampshire, desapareció de la faz de la Tierra.» [pág. 46]

Prólogo

Ciudad de Nueva York
1 de diciembre, 2:01 a. m.

Mike Fraser se pegó contra la negra pared del túnel. Cerró con fuerza los ojos para intentar ahuyentar el rugido de los vagones de metro que se sucedían vertiginosamente ante él. La suciedad y el polvo que levantaba el tren subterráneo en movimiento golpeaban su rostro como si de mil alfileres se tratara. Dolía, pero le daba igual. Ya casi estaba allí.

Y entonces, tan pronto como había llegado, el tren se marchó, y su atronador estruendo fue desapareciendo lentamente en la oscuridad del túnel. Fraser abrió los ojos. Apoyado contra la oscura pared, el blanco de sus ojos era lo único que podía verse. Se apartó de ella y se sacudió el polvo y la mugre de su ropa. Ropa negra.

Eran las dos de la mañana y, mientras el resto de Nueva York dormía, Mike Fraser se disponía a acometer un trabajo. Veloz y sigiloso, recorrió el túnel del metro hasta dar con lo que estaba buscando.

Una vieja puerta de madera en la pared del túnel, cerrada por un solo candado. Había un letrero pegado a la puerta:

Prohibida la entrada — Válvula amplificadora
Zona de alto voltaje
Solo personal de Consolidated Edison

Fraser echó un vistazo al candado. Acero inoxidable, combinación numérica, bastante nuevo. Comprobó las bisagras de la vieja puerta de madera. Sí, eso sería mucho más sencillo.

La palanca encajó sin problemas tras las bisagras.

¡Crac!

Comprobación de estado: inicializar sistemas del programa.
Oficiales a cargo del tercer elemento confirmen envío.

La puerta se separó del marco y, colgando del candado, se balanceó silenciosamente hasta la mano expectante de Fraser.

Este escudriñó el interior, se guardó de nuevo la palanca en el cinturón y entró.

Contadores eléctricos de forma rectangular flanqueaban las paredes del cuarto de la válvula amplificadora y cables gruesos y negros serpenteaban por el techo. Había una puerta al otro extremo. Fraser fue directo a ella.

Una vez hubo atravesado el cuarto de la válvula amplificadora, recorrió un estrecho y tenuemente iluminado pasillo hasta llegar a una pequeña puerta roja. Esta se abrió sin oponer resistencia y, cuando Fraser asomó la cabeza por entre la puerta, sonrió al ver lo que tenía ante sí.

Filas y filas interminables de librerías que llegaban hasta el techo y que se extendían hasta donde alcanzaban sus ojos. Había tubos fluorescentes, desvaídos y viejos, en todos y cada uno de los pasillos, pero por la noche solo uno de cada tres estaba encendido. Las luces eran tan antiguas que el blanco de los tubos fluorescentes se había tornado en enmohecido marfil y el polvo fluorescente se había asentado en su interior. Su lastimoso estado confería a la planta subterránea de la Biblioteca Pública de Nueva York (conocida por todo aquel que la frecuentaba como el «depósito») un inquietante fulgor amarillento.

La Biblioteca Pública de Nueva York. Custodiada durante casi un siglo por sus dos famosos leones de piedra, era un silente santuario de historia y conocimiento: y también la propietaria de doce flamantes servidores NEC X-300 que pronto estarían en el cuarto trasero del apartamento de Mike Fraser.

Este estudió el cierre de la puerta.

Cerradura de seguridad.

Desde el cuarto de la válvula amplificadora no se necesitaba llave, pero sí desde el lado de la biblioteca. Era una de esas puertas de cierre automático diseñadas para mantener a los curiosos a raya, pero no para que los operarios de electricidad se quedaran encerrados de manera accidental.

Fraser reflexionó unos instantes. Si tenía que salir pitando, no le daría tiempo a forzar el cierre. Miró a su alrededor.

Esto servirá, pensó cuando su mirada se posó en la estantería más cercana. Cogió el libro que tenía más a mano y lo colocó en el suelo, entre la puerta roja y el marco.

Ya con la puerta entreabierta, Fraser se apresuró a recorrer el pasillo más cercano. Pronto la puerta roja con el cartel «Válvula amplificadora.

Prohibido acceso al personal» no fue ya sino un diminuto recuadro a sus espaldas. Mike Fraser ni se fijó, sabía exactamente adónde se dirigía.

Terry Ryan miró su reloj. De nuevo.

Eran las 2:15 a. m. Habían transcurrido cuatro minutos desde que lo había mirado por última vez. Suspiró. Dios, lo lento que pasaba el tiempo en ese trabajo.

Comprobación de estado: los oficiales a cargo del Tercer elemento confirman que el envío se ha completado.

Ryan observó despreocupado la espléndida sala principal de lectura de la Biblioteca Pública, con su multitud de escritorios, sus ventanas en forma de arco y su imponente área de préstamos, que parecía una estructura independiente dentro de la enorme y tenebrosa sala de lectura. El silencio era total.

Tocó la pistola que llevaba en el costado y gruñó algo parecido a una risa. Vigilantes de seguridad en una biblioteca, ¡en una biblioteca, por todos los santos! El salario era el mismo, suponía, así que mientras este siguiera llegando, a Terry Ryan le daba igual lo que le pidieran vigilar.

Se dio la vuelta y se alejó de la sala de lectura, silbando silenciosamente para sí mismo…

Clinc-clinc.

Frenó en seco.

Un ruido.

Otra vez: clinc-clinc.

Ryan contuvo la respiración. Provenía del área del servicio de préstamos. Sacó el arma.

Mike Fraser, detrás del mostrador de préstamos, soltó una palabrota mientras cogía el destornillador del suelo. Se asomó por el mostrador.

Nadie a la izquierda. Nadie a la derecha. Suspiró aliviado. No lo habían…

—¡Quieto!

Fraser se giró. Asimiló la escena a toda velocidad. Vigilante de seguridad. Pistola. Quince metros quizá, veinte como mucho. Como si tuviera alguna opción.

—¡He dicho que quieto! —gritó Terry Ryan. Pero el ladrón ya había echado a correr. Ryan fue tras él.

Fraser corrió hacia unas estrechas escaleras de uso exclusivo para el personal situadas a su vez al lado de las escaleras del área de préstamos, que conducían a la salida en el depósito que tenía prevista para su huida.

Llegó a las estrechas escaleras a la carrera y bajó el primer tramo casi sin rozarlas. El vigilante de seguridad, Ryan, accedió a ellas dos segundos después, bajando los peldaños de tres en tres.

Fraser siguió bajando y bajando, aferrado a la barandilla, propulsándose con ella en cada rellano en curva. Vio la puerta al final. Bajó al vuelo el último tramo de escaleras y golpeó la puerta a toda velocidad. Esta se abrió con facilidad, con demasiada, y Fraser se dio de morros contra el duro suelo de madera.

Oyó a sus espaldas fuertes pisadas que bajaban los peldaños a la carrera.

Fraser se apoyó en la estantería más cercana para levantarse y sintió al instante un dolor punzante que le recorrió el brazo derecho. Fue entonces cuando se vio la muñeca. Se había llevado todo el peso de la caída y en esos momentos se hallaba grotescamente doblada hacia atrás. Rota, sin lugar a dudas.

Fraser apretó con fuerza los dientes y se dispuso a incorporarse con ayuda del brazo bueno. Ya casi se había puesto en pie cuando…

—Quédese donde está.

La voz no era muy potente, pero sí segura.

Fraser se giró lentamente.

En la puerta, tras él, estaba el vigilante de seguridad, con la pistola apuntando a la cabeza de Mike Fraser.

Ryan sacó las esposas y se las lanzó al ladrón herido.

—Póngaselas.

Fraser hizo una mueca de asco.

—¿Por qué no —comenzó a decir— me besas… el culo? —Y entonces, cual animal herido, se abalanzó sobre el vigilante.

Ryan, sin parpadear siquiera, levantó el arma y disparó al techo, justo encima de la cabeza del ladrón.

El disparo resonó en el silencio del depósito.

Fraser se tiró de nuevo al suelo cuando pequeños trozos blancos de escayola empezaron a caerle encima.

Ryan dio un paso adelante, agarró con más fuerza la pistola y volvió a apuntar a la cabeza de Fraser.

—He dicho que se las ponga. Así que pon… —Los ojos de Ryan se desviaron hacia la izquierda—. ¿Qué ha sido eso?

Fraser también lo había oído.

Y entonces se oyó de nuevo.

Un gruñido, largo y lento. Como el bufido de un cerdo. Solo que más fuerte. Mucho más fuerte.

—¿Qué demonios ha sido eso? —dijo rápidamente Fraser.

Bum. Un golpe sordo, fuerte.

El suelo se estremeció.

—Hay algo aquí abajo… —susurró Fraser.

Bum. Otra vez.

Los dos se quedaron inmóviles.

Ryan miró al tramo de pasillo tras Fraser. Se extendía interminablemente hasta desaparecer en la oscuridad.

Silencio.

Silencio sepulcral.

El suelo de madera estaba quieto de nuevo.

—Salgamos de aquí cagando leches —susurró Fraser.

—¡Shh!

—¡Hay algo aquí abajo, tío! —Fraser elevó la voz.

Bum.

El suelo se estremeció de nuevo.

Un libro que asomaba por el borde de una de las librerías cayó al suelo.

—¡Vamos! —gritó Fraser.

Bum. Bum. Bum.

Los libros empezaron a caer a montones de los estantes.

Ryan se inclinó hacia delante, agarró al ladrón del cuello de la camisa y lo alzó hasta que sus rostros estuvieron a la misma altura.

—Por el amor de Dios, cállese —susurró—. Sea lo que sea eso, está oyendo su voz. Y si sigue hablando…

Ryan paró de hablar y frunció el ceño al ver el gesto de Fraser. Al joven ladrón estaban a punto de salírsele los ojos de sus órbitas, el labio inferior le temblaba sin parar y su gesto era de total incredulidad.

Ryan sintió cómo se le helaba la sangre.

Fraser estaba viendo algo, tras él.

Fuera lo que fuera aquello, volvió a bufar y, cuando lo hizo, Ryan notó una corriente de aire caliente en la nuca.

Estaba detrás.

¡Justo detrás de él!

El arma se disparó sola cuando Ryan fue levantado a la fuerza. Fraser cayó al suelo y solo pudo contemplar la descomunal masa oscura que tenía ante sí.

El vigilante gritó mientras intentaba zafarse inútilmente de los poderosos brazos de aquel ente parduzco. Y entonces, de repente, la criatura bramó y lo arrojó hacia la librería más cercana. Los volúmenes cayeron por todas partes cuando el cuerpo de Ryan se combó y atravesó la vieja estantería de madera.

La enorme forma negra rodeó torpemente la librería para coger el cuerpo, que yacía al otro lado. Con aquella tenue luz amarillenta, Fraser pudo ver unas cerdas largas y negras agitándose sobre un lomo elevado y arqueado, demoníacas orejas puntiagudas y extremidades musculosas y poderosas, pelaje oscuro y apelmazado y unas enormes garras semejantes a guadañas.

Fuera lo que fuera aquella cosa, levantó a Ryan como si de una muñeca de trapo se tratara y lo arrastró de vuelta al pasillo donde se encontraba el ladrón.

El golpe tenía que haberle partido la espalda, pero el vigilante de seguridad no estaba muerto aún. Fraser pudo oírlo gemir cuando la criatura lo levantó hasta el techo.

Fue entonces cuando Ryan gritó.

Un grito estridente, penetrante, inhumano.

Fraser, horrorizado, supo entonces lo que iba a ocurrir a continuación y se tapó la cara con la mano en el mismo y preciso instante en que se oyó un crujido escalofriante y, segundos después, sintió que un torrente de calidez bañaba la mitad delantera de su cuerpo.

El grito de Ryan cesó bruscamente y Fraser oyó el rugido de la bestia una última vez, seguido del estruendoso crujido de las tablas de madera.

Y luego nada.

Silencio.

Silencio total.

Fraser apartó lentamente la mano de su cara.

La bestia se había ido. El cuerpo del vigilante de seguridad estaba en el suelo ante él, combado, destrozado, inerte. Una de las librerías cercanas yacía en esos momentos inclinada, arrancada de uno de los soportes del techo. Había sangre por todas partes.

Fraser no se movió. No podía moverse.

Así que siguió allí, sentado, solo, en el gélido vacío de la Biblioteca Pública de Nueva York, aguardando a que amaneciera.

Primer movimiento
Domingo, 1 de diciembre, 1:27 p. m.

El sol brillaba con fuerza. Aunque era domingo, varios grupos de alumnos jugaban en el enorme y verde patio del colegio de enseñanza primaria Norwood.

Comprobación de estado: inicializar sistemas de electrificación.

Norwood era uno de los mejores colegios privados de Brooklyn Heights. Con un impresionante expediente académico, y uno de los mayores presupuestos de todo Estados Unidos, se había convertido en un centro muy deseado por la gente de posibles. La feria de ese día era uno de los eventos que se celebraban a lo largo del año para recaudar fondos.

En la esquina posterior del patio se había congregado un grupo de niños. Y en medio de ese grupo estaba Holly Swain, mirando cara a cara a Thomas Jacobs.

—No lo es, Tommy.

—Claro que sí. ¡Es un asesino!

Los niños que rodeaban a los dos combatientes soltaron un grito ahogado al oír la palabra.

Holly intentó mantener la compostura. El cuello blanco de su uniforme estaba empezando a ahogarla y no quería que se le notara. Negó con la cabeza con gesto triste y alzó un poco más la barbilla.

—Eres tan infantil, Tommy. Tan crío.

Las niñas que estaban a su espalda respaldaron entre risas su comentario.

—¿Cómo puedes decirme que soy un crío si tú solo estás en tercero? —le replicó Tommy. El grupillo congregado tras él mostró su conformidad.

—No seas tan inmaduro —dijo Holly. *Buena palabra,* pensó.

Tommy vaciló.

—Sí, bueno. Aun así sigue siendo un asesino.

—No lo es.

—Mató a un hombre, ¿no?

—Sí, bueno, pero…

—Entonces es un asesino. —Tommy miró a su alrededor en busca de apoyo—. ¡Asesino! ¡Asesino! ¡Asesino!

El grupo de niños se unió a él.

—¡Asesino! ¡Asesino! ¡Asesino!

Holly sintió que se le cerraban los puños y que el cuello de su uniforme se estrechaba aún más. Recordó las palabras de su padre. *Sé una señorita. Tienes que comportarte como una señorita.*

Se dio la vuelta y su rubia coleta le bailó sobre los hombros. Las niñas a su alrededor estaban negando con la cabeza, reprobando las mofas de los chicos. Holly respiró profundamente. Sonrió a sus amigas. *Tienes que comportarte como una señorita.*

A sus espaldas, los cánticos de los niños prosiguieron.

—¡Asesino! ¡Asesino! ¡Asesino!

Finalmente, Tommy dijo por encima de los gritos:

—Si su padre es un asesino, ¡entonces cuando Holly Swain crezca probablemente también lo será!

—¡Sí! ¡Sí! ¡Lo será! —lo alentó su grupo.

A Holly se le heló la sonrisa.

Lenta, muy lentamente, se volvió para mirar a Tommy. Se hizo el silencio entre los allí presentes.

Holly dio un paso al frente. Tommy reía mientras miraba a sus amigos. Pero en ese momento todos estaban callados.

—Ahora sí que me has cabreado —dijo Holly con un tono desprovisto de emoción alguna—. Será mejor que te retractes de todo lo que has dicho.

Tommy sonrió con suficiencia y se inclinó hacia delante.

—No.

—Muy bien —dijo ella con una sonrisa amable. Se miró el uniforme y se estiró la falda.

Y entonces lo golpeó.

Con fuerza.

La clínica se había convertido en un campo de batalla.

Fragmentos de cristal volaron por todas partes cuando las probetas reventaron contra las paredes. Las enfermeras corrieron a ponerse a salvo mientras se apresuraban a sacar los costosísimos equipos médicos de la línea de fuego.

El doctor Stephen Swain salió de la sala de observación adyacente e inmediatamente se dispuso a aplacar el origen de la tormenta: una mujer de cincuenta y siete años de edad, más de cien kilos de peso y pechos generosos llamada Rosemary Pederman, paciente del Hospital Universitario de Nueva York, que estaba ingresada por un aneurisma cerebral.

—¡Señora Pederman! ¡Señora Pederman! —la llamó Swain levantando la voz—. No pasa nada, no pasa nada. Tranquilícese —le dijo ahora con delicadeza—. ¿Qué ocurre?

—¿Que qué ocurre? —le espetó Rose Pederman—. ¡Lo que ocurre, joven, es que no meteré mi cabeza en esa… esa cosa… hasta que alguien me diga qué es exactamente lo que hace!

Señaló con la barbilla el enorme equipo de imagen por resonancia magnética, o IRM, instalado en el centro de la habitación.

—Vamos, señora Pederman —dijo Swain con voz seria—. Ya hemos pasado por esto.

La paciente hizo un mohín infantil.

—Una tomografía no le hará daño alguno.

—Joven, ¿cómo funciona?

Swain frunció el ceño.

Con treinta y nueve años de edad, Swain era el miembro más joven de Borman & White, el colectivo de radiólogos, y por un sencillo motivo: era bueno en su trabajo. Podía ver cosas en una radiografía o en un escáner que nadie más podía y, en más de una ocasión, había salvado vidas gracias a ello.

Ese hecho, sin embargo, no conseguía impresionar a pacientes mayores que él, pues Swain (de cabello rubio casi al ras, ojos azules como el cielo y constitución esbelta) parecía diez años más joven que su edad real. Salvo por la reciente cicatriz roja que recorría verticalmente su labio inferior, podría haber pasado por un residente de tercer año.

—¿Quiere saber cómo funciona? —le preguntó Swain con total seriedad. Contuvo las ganas de mirar el reloj. Tenía que estar en otra parte. Pero Rose Pederman ya había pasado por seis radiólogos y aquello tenía que terminar.

—Sí —respondió ella con cabezonería.

—Muy bien, señora Pederman. El proceso por el que va a pasar se conoce como imagen por resonancia magnética. No es muy diferente de una tomografía axial computarizada, en el sentido de que genera un corte transversal tomográfico de su cráneo. Solo que, en vez de emplear métodos fotovoltaicos, nos valemos de energía magnética controlada para realinear la conductividad electroestática ambiental en su cabeza y crear así una sección transversal compuesta y tridimensional de su cráneo.

—¿Qué?

—El campo magnético del equipo de IRM afecta a la electricidad natural de su cuerpo, señora Pederman, lo que nos proporciona una imagen perfecta del interior de su cabeza.

—Oh, bueno… —El letal ceño de la señora Pederman se transformó al instante en una sonrisa resplandeciente y maternal—. Vale entonces. Eso era todo lo que tenía que decirme, cielo.

Una hora después, Swain abrió de un empellón las puertas de los vestuarios de los médicos.

—¿Es muy tarde? —preguntó.

El doctor James Wilson (un pediatra pelirrojo que, diez años antes, había ejercido de padrino en la boda de Swain) ya se había puesto en pie. Fue hacia su amigo y le lanzó su maletín.

—Los Giants van ganando catorce a trece. Si nos damos prisa, podremos ver los dos últimos cuartos en McCafferty. Vamos, por aquí. Saldremos por Urgencias.

—Gracias por esperar. —Swain apretó el paso para seguir las rápidas zancadas de Wilson.

—Oye, es tu partido —le dijo este mientras caminaba.

Los Giants jugaban contra los Redskins y Wilson sabía que Swain llevaba mucho tiempo aguardando ese encuentro. Tenía algo que ver con el hecho de que Swain viviera en Nueva York y su padre en Washington D. C.

—Dime —le dijo Wilson—, ¿cómo va el labio?

—Bien. —Swain se tocó la cicatriz vertical de su labio inferior—. La cicatriz aún está un poco tierna. Me quitaron los puntos la semana pasada.

Wilson se volvió mientras caminaba y sonrió.

—Te hace más feo de lo que ya eres.

—Gracias.

Llegaron a la puerta de Urgencias, la abrieron… Y se toparon con el bonito rostro de Emma Johnson, una de las enfermeras de retén del hospital.

Los dos hombres se detuvieron al instante.

—Hola, Steve. ¿Cómo te encuentras? —Emma miró solamente a Swain.

—Ahí voy —respondió este—. ¿Y tú?

Emma ladeó con coquetería la cabeza.

—Bien.

—Yo también estoy bien —intervino Jim Wilson—. Aunque a nadie parezca importarle…

Emma le dijo a Swain:

—Me dijiste que te recordara que tenías que ir a ver al detective Dickson por lo del… incidente. No olvides que tienes que estar allí a las cinco.

—Vale —asintió Swain mientras se tocaba distraídamente el corte de su labio inferior—. No hay problema. Puedo ir después del partido.

—Oh, casi me olvidaba —añadió Emma—. Han llamado hace diez minutos de Norwood. Querían saber si podrías ir ahora mismo. Holly se ha peleado de nuevo.

Swain suspiró.

—Otra vez no. ¿Ahora mismo?

—Ahora mismo.

Swain se giró hacia Wilson.

—¿Por qué hoy?

—¿Por qué no? —le respondió con ironía.

—¿Lo retransmiten en diferido por la noche?

—Eso creo, sí —dijo Wilson.

Swain suspiró de nuevo.

—Te llamaré.

Stephen Swain se inclinó sobre el volante de su Range Rover cuando se detuvo en el semáforo. Miró de reojo al asiento del copiloto. Holly estaba sentada con las manos sobre el regazo y la cabeza gacha. Sus pies, incapaces de alcanzar el suelo, sobresalían horizontalmente del asiento sin balancearse frenéticamente, tal como acostumbraban.

El coche estaba en completo silencio.

—¿Estás bien? —le preguntó sin alzar la voz.

—Mmm.

Swain se inclinó hacia ella para mirarla.

—Oh, no hagas eso —le dijo con dulzura mientras cogía un pañuelo—. Ten. —Le enjugó las lágrimas que le caían por las mejillas.

Su padre había llegado al colegio justo cuando Holly estaba saliendo del despacho de la subdirectora. Tenía las orejas rojas y había estado llorando. Le parecía tremendo que una niña de ocho años tuviera que recibir tal reprimenda.

—Oye —dijo—, no pasa nada.

Holly levantó la cabeza. Tenía los ojos rojos y vidriosos.

Tragó saliva.

—Lo siento, papa. Lo intenté.

—¿Lo intentaste?

—Comportarme como una señorita. De veras que lo intenté. Con todas mis fuerzas.

Swain sonrió.

—¿De veras? —Cogió otro pañuelo—. La señorita Tickner no me ha contado por qué lo hiciste. Todo lo que me dijo fue que un profesor que vigilaba la feria te encontró a horcajadas sobre otro niño, dándole una buena tunda.

—La señorita Tickner no ha querido escucharme. Solo me ha repetido una y otra vez que daba igual por qué lo había hecho, que estaba mal que una señorita se peleara.

El semáforo se puso en verde. El coche echó a andar.

—¿Qué pasó entonces?

Holly vaciló y a continuación dijo:

—Tommy Jacobs estaba diciendo que eres un asesino.

Swain cerró un instante los ojos.

—¿Eso decía?

—Sí.

—¿Y le placaste y pegaste por eso?

—No, le pegué primero.

—¿Pero por eso? ¿Por llamarme asesino?

—Ajá.

Swain se volvió para mirar a Holly y asintió con la cabeza.

—Gracias —dijo con gesto serio.

Holly sonrió levemente. Swain volvió a mirar al frente.

—¿Cuántas veces tienes que escribirlo?

—Cien veces: «No debo pelearme porque no es propio de señoritas».

—Bueno, dado que en parte ha sido culpa mía, ¿qué te parece si haces cincuenta y yo hago las otras cincuenta con tu letra?

Holly sonrió.

—Eso estaría bien, papi. —Sus ojos empezaron a brillar.

—Bien —asintió Swain—. Pero la próxima vez, intenta no pelearte. Si puedes, prueba a salir de la situación usando la cabeza. Te sorprendería el daño que se puede hacer con el cerebro, mucho más que con los puños. Y sin tener que dejar de comportarte como una señorita. —Swain aminoró el coche y miró a su hija—. Pelearse no es una opción. Únicamente cuando es la última que se tiene.

—¿Como hiciste tú, papá?

—Sí —dijo Swain—. Como hice yo.

Holly levantó la cabeza y miró por la ventanilla. No le sonaba la zona.

—¿Adónde vamos? —dijo.

—Tengo que ir a la comisaría.

—Papá, ¿te has metido en un lío otra vez?

—No, cielo, no me he metido en ningún lío.

—¿Puedo ayudarlo? —gritó la recepcionista, con gesto agobiado, por encima del caos.

Swain y Holly estaban en el vestíbulo de la comisaría del decimocuarto distrito policial de Nueva York. El lugar era un hervidero de actividad: policías llevándose a rastras a camellos, teléfonos sonando, gente chillando. Una prostituta apostada en una esquina le guiñó con coquetería el ojo a Swain cuando este se acercó al mostrador de la recepción.

—Esto… sí, me llamo Stephen Swain. Vengo a ver al detective Wilson. Se suponía que tenía que estar aquí a las cinco, pero he venido un poco antes…

—No hay problema. Pueden subir. Despacho 209.

Comprobación de estado: sistemas de electrificación preparados.

Swain se dirigió a la escalera situada en la parte posterior de la planta abierta. Holly iba dando saltitos a su lado. Le cogió la mano. Swain bajó la vista y vio cómo la coleta rubia de su hija se movía frenéticamente de un lado a otro. Estaba observando el caos de la comisaría con los ojos como platos, llenos de curiosidad, con el interés propio de un científico. Era una niña muy fuerte, eso seguro, y con su cabello rubio, sus avispados ojos azules y aquella nariz chata, cada día se parecía más a su madre…

Para, pensó Swain. *No sigas por ahí. Ahora no…*

Apartó de su cabeza esos pensamientos mientras subían por las escaleras.

Ya en la segunda planta, llegaron a una puerta con una placa en la que podía leerse: «209: Homicidios». Swain oyó una voz familiar gritando en el interior.

—¡Me da igual cuál sea tu problema! ¡Quiero ese edificio cerrado! ¿De acuerdo?

—Pero, señor…

—No me vengas con esas, John. Tan solo escúchame un momento, ¿puedes? Bien. Esto es lo que tenemos. Han encontrado a un vigilante de seguridad en el suelo, en «dos partes», además de a un ladrón de medio pelo a su lado. Sí, así es, estaba allí sentado cuando llegamos. Y ese ladrón tiene sangre por toda la cara y la parte delantera de su cuerpo, pero la sangre no es suya, es del vigilante. No sé qué es lo que está pasando, tú me dirás. ¿Crees que ese ladrón pertenece a una de esas sectas que van por ahí cortando en cachitos a vigilantes de seguridad para frotarse con su sangre y, a continuación, tumbar un par de estanterías de más de tres metros de altura?

La voz cesó un instante para escuchar lo que el otro hombre murmuraba.

—John, no sabemos una mierda. Y, hasta que no averigüemos algo más, voy a cerrar esa biblioteca. ¿De acuerdo?

—De acuerdo, capitán —cedió la otra voz.

—Por fin. —La primera voz volvía a estar calmada—. Ahora ve a la biblioteca, precinta todas las entradas y salidas y que dos de tus hombres pasen allí la noche.

La puerta se abrió. Swain se echó a un lado cuando un agente de corta estatura salió del despacho, le sonrió brevemente y a continuación echó a andar por el pasillo en dirección a las escaleras.

Comprobación de estado: la electrificación se iniciará en dos horas.
Hora de la tierra: sexta hora posmeridiana.

Swain golpeó flojito la puerta con los nudillos y se asomó.

La enorme habitación estaba vacía, salvo por un escritorio que había junto a la ventana. Allí, Swain vio a un hombre grande y de torso grueso sentado en una silla giratoria, de espaldas a la puerta. Estaba mirando por la ventana mientras daba sorbos a una taza de café, saboreando lo que parecía un bien escaso en ese lugar: un momento de silencio.

Swain llamó de nuevo.

—Sí, adelante. —El hombre no levantó la vista.

Swain vaciló.

—Detective, eh…

El capitán Henry Dickson se volvió en la silla giratoria.

—Oh, lo siento, esperaba a otra persona. —Se levantó rápidamente, cruzó la habitación y le estrechó la mano a Swain.

—¿Cómo se encuentra hoy, doctor?

—Ahí voy —asintió Swain—. Tenía un momento libre, así que pensé en pasarme y quitarnos ya este tema, si le parece bien.

Dickson fue hasta el escritorio, abrió un cajón y sacó una carpeta.

—Claro, no hay problema. —Dickson rebuscó entre los folios de la carpeta—. No debería llevarnos más de unos minutos. Deme un segundo.

Swain y Holly aguardaron.

—Vale —dijo finalmente Dickson con una hoja en la mano—. Esta es su declaración de la noche del incidente. Nos gustaría incluirla en el informe del juez de instrucción, pero quería asegurarme de que estuviera todo. ¿Le parece bien?

—Sí, claro.

—Bien, entonces se la leeré para asegurarnos de que es correcta y luego podrá firmar el informe y olvidarse de todo esto.

Comprobación de estado: los oficiales de cada sistema informan de que los teletransportes están preparados. Aguardando transmisión de la cuadrícula de coordenadas del laberinto.

Dickson se irguió en la silla.

—Muy bien —empezó a leer la declaración—. «A aproximadamente las 8:30 p. m. del 2 de octubre de 2002 me encontraba trabajando en las Urgencias del Hospital Universitario de Nueva York. Me habían requerido para una consulta radiológica con relación a un policía herido de bala. Le habían realizado diversas radiografías y escáneres y yo acababa de regresar a Urgencias con los resultados cuando cinco jóvenes pandilleros latinoamericanos irrumpieron en la entrada principal de Urgencias disparando con armas automáticas.

»Los allí presentes se tiraron al suelo cuando la ráfaga de disparos alcanzó a todo lo que se interpuso en su camino: pantallas de ordenador, pizarras, todo.

»Los miembros de la banda se dispersaron al momento y empezaron a gritar: "¡Encontradlo y matadlo!". Dos de ellos llevaban fusiles automáticos y los otros tres, pistolas.»

Swain escuchó en silencio mientras Dickson relataba los sucesos de aquella noche. Recordó que posteriormente le habían dicho que el policía herido pertenecía a la brigada antidroga. Al parecer, se había infiltrado en una banda de Queens que traficaba con crac y lo habían desenmascarado en el transcurso de una desastrosa redada. Había resultado herido durante el tiroteo y los miembros de la banda, enfurecidos por su participación en la emboscada, se habían presentado en el hospital para rematarlo.

Dickson siguió leyendo:

—«Estaba justo fuera de la habitación del policía herido cuando los cinco hombres irrumpieron en Urgencias. Había ruido por todas partes: la gente gritaba, las pistolas resonaban…, así que me agazapé tras la pared más cercana. Entonces, de repente, vi que uno de los que llevaban pistolas corría hacia la habitación del policía herido. No sé qué me llevó a hacerlo, pero cuando lo vi llegar a la puerta de la habitación y sonreír al ver al agente dentro, me abalancé sobre él por detrás y lo plaqué.

»Los dos nos dimos contra el marco de la puerta, pero el chico me soltó un codazo en la boca, abriéndome el labio, y nos separamos. Y entonces, antes de que me diera cuenta de qué estaba ocurriendo, lo tenía apuntándome con su pistola.

»Le sujeté la muñeca, apartando la pistola de mi cuerpo, en el preciso momento en que otro de los miembros de la banda entraba en la habitación.

»Ese segundo chico vio que estábamos forcejeando y al momento me apuntó con su arma pero yo, que seguía sujetándole la muñeca al otro, me volví y, con la otra mano, le solté un puñetazo en la muñeca de la mano del arma, haciendo que sus dedos se abrieran por acto reflejo y soltaran la pistola. En el movimiento de retorno, me valí del mismo puño para golpearle de revés en la mandíbula, dejándolo inconsciente.

»Fue en ese momento cuando el primer pandillero empezó a apretar indiscriminadamente el gatillo de su pistola, a pesar de que yo le tenía inmovilizada la muñeca. Los disparos resonaron por toda la habitación y las balas agujerearon las paredes.

»Tenía que hacer algo, así que tomé impulso con los pies y, valiéndome del marco de la puerta, nos arrojé a los dos al suelo. Chocamos contra el suelo de cualquier manera, con tan mala suerte que la pistola del chico acabó presionada contra su mandíbula y entonces…».

Y entonces, de repente, de manera totalmente inesperada, la pistola se disparó y la cabeza del chaval estalló.

A Swain no le hacía falta seguir escuchando a Dickson. Lo tenía todo en su cabeza, como si él aún estuviera allí. Recordaba cómo la sangre había salpicado la puerta. Todavía podía sentir el cuerpo inerte del joven contra el suyo.

Dickson siguió leyendo la declaración:

—«Tan pronto como los otros miembros de la banda vieron a su compañero muerto, huyeron. Creo que fue entonces cuando me desmayé.» La declaración está fechada el 03/10/02, a la 1:55 a. m. Firmado: Stephen Swain, doctor en Medicina.

Dickson levantó la vista del folio.

Swain suspiró.

—Esa es mi declaración, sí. Úsenla como consideren oportuno.

—Bien. —Dickson le pasó la declaración escrita a ordenador a Swain—. Si es tan amable de firmar ahí, con eso bastará, doctor Swain. Oh, y permítame que, en nombre de todo el Departamento de Policía de Nueva York, le dé una vez más las gracias.

Comprobación de estado: las coordenadas del laberinto serán transmitidas a todos los sistemas tras la electrificación.

—Nos vemos por la mañana, pues —dijo el agente Paul Hawkins desde la entrada de mármol de la Biblioteca Pública de Nueva York.

—Hasta mañana —dijo el teniente, cerrándole las puertas casi en las narices.

Hawkins se apartó de las puertas y asintió a su compañera, Parker, que se acercó con un enorme manojo de llaves. Cuando Parker comenzó a meter la primera de las llaves en las cuatro cerraduras de las enormes puertas de hierro, Hawkins pudo oír cómo el teniente colocaba de nuevo la cinta amarilla en la entrada: «Precinto policial. Prohibido el paso».

Miró el reloj.

Las 5:15 p. m.

No está mal, pensó. Solo les había llevado veinte minutos bordear el edificio y sellar todas las entradas y salidas.

Parker echó la última llave y se volvió.

—Listo —dijo.

Hawkins pensó en lo que otros policías le habían dicho de Christine Parker. Con tres años más de servicio que él, no era muy guapa, ni tampoco demasiado menuda. Manos grandes, rasgos duros, hombruna. Su imagen, desafortunadamente, no la había ayudado, ni tampoco los informes sobre su falta de tacto: en el departamento era conocida por sus maneras más bien bruscas. Hawkins se encogió de hombros. Si sabía cuidar de sí misma, eso era lo único que le importaba.

Se volvió para contemplar el enorme vestíbulo de mármol de la biblioteca.

—¿Sabes qué sucedió? Me han llamado esta tarde.

—Alguien se coló y se cargó al de seguridad. Una carnicería —respondió Parker como si nada.

—¿Que se coló? —Hawkins frunció el ceño—. No he visto ninguna entrada forzada de todas las que hemos sellado.

Comprobación de estado: 0:44:16 para la electrificación.

Parker se guardó las llaves en el bolsillo y se encogió de hombros.

—A mí no me preguntes. Todo lo que sé es que aún no han determinado el punto de entrada. Los de la científica vienen mañana por la mañana para ocuparse de ello. El tipo probablemente rompiera el candado de alguna de las puertas de mantenimiento. Esas cosas deben de tener al menos sesenta años. —Ladeó la cabeza con indiferencia—. Larry, el de Comunicaciones, me dijo que se habían pasado la mayor parte del día intentando limpiarlo todo.

Parker fue hasta el mostrador de información y se sentó.

—Fuere como fuere —puso los pies encima del mostrador—, esto no está tan mal. No me importa que me paguen horas extra por pasarme toda la noche sentada en una biblioteca.

—¡Vamos, papá! —dijo Holly con impaciencia—. ¡Que me estoy perdiendo *Pokemon*!

—Voy, voy. —Swain abrió la puerta. Holly lo rebasó a la carrera y entró en su casa de Brooklyn Heights.

Su padre le gritó:

—¡No derrapes en la alfombra!

Entró en casa y vio que Holly salía corriendo de la cocina con la lata de galletas en una mano y una Coca-Cola en la otra. Swain frenó en seco cuando su hija, que se dirigía en línea recta hacia la televisión, le cortó el paso.

Dejó el maletín en el suelo, se cruzó de brazos y se apoyó contra la pared. Desde allí observó cómo, tal y como era de esperar, Holly se tiraba al suelo y aterrizaba grácilmente en la alfombra, frenando a escasos centímetros del televisor.

—¡Oye!

Holly esbozó una sonrisa fugaz.

—Perdóooon. —Encendió la tele.

Swain negó con la cabeza mientras se dirigía a la cocina. Siempre le decía que no hiciera eso y Holly lo hacía de todas maneras. Era como un ritual. Además, pensó, Helen también se lo decía y Holly nunca le había hecho ni caso tampoco. Era una buena manera de que ambos la recordaran.

Habían pasado dos años desde que la mujer de Swain fuera atropellada por un conductor ebrio que se había intentado saltar un semáforo en rojo a ochenta por hora. Había ocurrido una noche de agosto, alrededor de las once y media. Se habían quedado sin leche, así que Helen había decidido ir andando hasta un 7-Eleven que había a pocas calles de allí.

Jamás regresó.

Más tarde, esa misma noche, Swain había tenido que reconocer el cuerpo en el depósito de cadáveres. Al verla, ensangrentada y destrozada, a punto había estado de perder el conocimiento. Toda la vida que había en ella (su esencia, su personalidad, todo lo que hacía que Helen fuera Helen) le había sido succionada. Tenía los ojos abiertos de par en par, contemplando la nada, inertes.

La muerte los había golpeado de una manera brutal, totalmente inesperada. Había ido a comprar leche y de repente ya no estaba. Y jamás volvería.

Y ahora solo quedaban Holly y él, intentando de alguna manera continuar con sus vidas. Incluso entonces, dos años después, Swain en ocasiones se sorprendía a sí mismo mirando por la ventana, pensando en ella, con lágrimas en los ojos.

Abrió la nevera y se sacó una Coca-Cola para él. Entonces sonó el teléfono. Era Jim Wilson.

—Te has perdido un gran partido.

Swain suspiró.

—Oh, sí…

—Tío, tenías que haberlo visto. Han acabado…

—¡No! ¡Para! ¡No me lo digas!

Wilson rompió a reír sonoramente al otro lado del teléfono.

—¿Y por qué iba a hacerte caso?

—Lo harás si quieres seguir con vida. ¿Quieres venirte y verlo otra vez?

—Claro, ¿por qué no? Estaré allí en diez minutos —dijo Wilson y colgó.

Comprobación de estado: 0:14:38 para la electrificación.

Swain echó un vistazo al microondas. El reloj led verde marcaba las 5:45 p. m.

Miró a Holly, acampada a menos de treinta centímetros de la pantalla de televisión. En ella, criaturas multicolores danzaban sin parar.

Swain cogió su refresco y fue al salón.

—¿Qué estás viendo?

Holly no apartó la mirada de la tele.

—*Pokemon* —dijo mientras palpaba por detrás de su espalda hasta dar con la lata de galletas y cogía una.

—¿Y qué tal está el capítulo?

Se giró rápidamente y arrugó la nariz.

—Bah. Mew no sale hoy. Veré qué ponen en otros canales.

—¡No, espera! —Swain fue a coger el mando—. Ahora estarán los deportes…

Holly cambió de canal y un presentador apareció en la pantalla.

—… Mientras que en fútbol americano, el equipo de la capital no ha defraudado a sus seguidores, pues los Redskins le han arrancado la cabellera a los Giants con un resultado de veinticuatro frente a veintiuno en un frenético tiempo de descuento. Mientras tanto, en Dallas…

Swain cerró los ojos y se dejó caer de nuevo en el sofá.

—¿Has oído eso, papá? Ha ganado Washington. El abuelo estará contento. Vive en Washington.

Swain rió levemente.

—Sí, cielo. Lo he oído. Lo he oído.

Comprobación de estado: los oficiales que asistirán al contendiente de la tierra aguardan instrucciones especiales relativas a su teletransportación.

Paul Hawkins paseaba distraídamente por el vestíbulo de la Biblioteca Pública de Nueva York. Sus pisadas resonaban de manera inquietante en el espacio abierto del atrio.

Se detuvo para contemplar el espacio a su alrededor.

El vestíbulo Astor, así se llamaba, era enorme, de altos techos, prácticamente todo él de mármol blanco. Dos escaleras en ángulo recto lo flanqueaban a ambos lados, escaleras que terminaban en un balcón situado en la segunda planta. Contando con el balcón desde el que se divisaba la entrada de la biblioteca, la altura del vestíbulo era de dos plantas.

En ese momento, el vestíbulo albergaba una exposición que mostraba cómo era el depósito de la biblioteca: una docena de librerías de tres metros de altura llenas de libros polvorientos que destacaban en mitad de la zona abierta.

Las elevadas estanterías se cernían inquietantes en la taciturna semioscuridad. Es más, con el arranque de la noche, salvo por la fría luz blanca proveniente del mostrador de información donde Parker estaba leyendo, la única luz que penetraba en el gigantesco espacio era la luz oblicua y azulada de la calle.

Comprobación de estado: 0:03:04 para la electrificación.
Oficiales del teletransporte a la espera.

Hawkins miró a Parker. Seguía sentada tras el mostrador de información, con los pies en alto, leyendo un libro en latín que según ella había leído en el instituto.

Qué silencio hay aquí, pensó.

Comprobación de estado: 0:01:41 para la electrificación.
Comprobación de estado: los oficiales de la tierra confirman la recepción de las instrucciones.
A la espera.

El teléfono sonó de nuevo. Holly se puso en pie de un brinco y cogió el auricular.

—Hola, Holly Swain al aparato —dijo—. Sí, está aquí. —Se puso el auricular en el pecho y gritó a pleno pulmón—. ¡Papáaaaaa! ¡Teléfono!

Swain salió de su habitación, situada al final del pasillo, abrochándose los botones de una camisa limpia. El cinturón le colgaba de la cinturilla de los vaqueros y el pelo todavía le goteaba de la ducha.

Le regaló a Holly una mueca mientras le cogía el teléfono.

—¿Crees que algún vecino no se habrá enterado de que tengo una llamada?

La niña se encogió de hombros y fue bailando hasta la nevera.

—Hola —dijo Swain.

—Soy yo otra vez. —Era Wilson.

Swain miró de nuevo el reloj del microondas.

—Oye, ¿qué haces? Si son casi las seis. ¿Dónde estás?

—Sigo en casa.

Comprobación de estado: 0:00:46 para la electrificación.

—¿En casa?

—El coche no arranca. Para variar —dijo Wilson con voz inexpresiva.

Swain se rió.

Hawkins estaba aburrido.

Echó a andar por un pasillo, asomó la cabeza por la caja de la escalera principal de la biblioteca y encendió su pesada linterna de policía. Las escaleras, de mármol blanco y flanqueadas por pasamanos de roble macizo, se elevaban y descendían en la oscuridad.

Hawkins asintió con la cabeza. Había que reconocer que esos edificios antiguos habían sido construidos para perdurar.

Comprobación de estado: 0:00:15 para la electrificación.

Parker se levantó de la silla tras el mostrador de información. Miró distraídamente hacia los alrededores del atrio y al pasillo donde Hawkins estaba escudriñando la oscuridad.

—¿Qué haces? —le gritó a su compañero.

—Estoy echando un vistazo.

Comprobación de estado: 0:00:09 para la electrificación.
A la espera.

Parker fue junto a Hawkins. Este se encontraba en la puerta por la que se accedía a la caja de la escalera con la linterna encendida, intentando distinguir algo en la oscuridad.

:06

Se detuvo a su lado.

—Bonito lugar —dijo Hawkins.

—Sí —asintió Parker—. Bonito.

:04
:03
:02
:01

Modo de espera...
Electrificación iniciada.

En ese momento, mientras Hawkins y Parker se hallaban en la escalera, unas brillantes chispas azules relampaguearon en la entrada principal de la biblioteca. Una corriente eléctrica azulada comenzó a extenderse por entre las enormes puertas de hierro mientras garras chisporroteantes de electricidad rodeaban los extremos de la puerta.

Todas y cada una de las ventanas de la biblioteca se estremecieron cuando unos diminutos rayos azules emergieron de sus cristales. En las entradas laterales de la biblioteca, de menor dimensión, el precinto policial empezó a burbujear y chamuscarse lentamente por el intenso calor de la electricidad que en esos instantes fluía por entre las puertas.

Y entonces, de repente, cesó.

Todas las puertas y ventanas por las que se podía acceder a la biblioteca dejaron de vibrar.

El lugar volvió a quedar sumido en el más completo silencio.

La biblioteca, sombría y antigua, se levantaba inquietante sobre la oscuridad de la ciudad de Nueva York, y sus esplendorosas puertas relucían grises con la luz de la luna. Para los transeúntes de la zona parecerían igual de austeras y regias que cualquier otro día.

Solamente si se acercaran podrían ver el destello intermitente de minúsculos rayos que emanaban de entre las dos enormes puertas cada pocos segundos.

Al igual que ocurría con los demás accesos de la biblioteca.

Comprobación de estado: electrificación completada.
Envío de coordenadas del laberinto.
Comenzar teletransportación.

Holly se agarró a la pierna de su padre. Él intentó zafarse juguetonamente de ella mientras seguía hablando por teléfono.

—Tampoco es que tenga mucha emoción. Ya me he enterado de quién ha ganado.

—¿Qué dices?

Swain miró con el ceño fruncido a Holly mientras esta le metía la mano en el bolsillo.

—Sí, por desgracia sí.

Holly le sacó la mano del bolsillo y miró con gesto extraño el objeto que tenía en la mano.

—Papá, ¿qué es esto?

Swain la miró y ladeó la cabeza, sorprendido.

—¿Me lo dejas un segundo? —le preguntó.

Holly le dio un pequeño objeto de plata.

—¿Qué ocurre? —preguntó Wilson.

Swain lo giró sobre su mano.

—Bueno… Doctor Wilson, quizá tú puedas decírmelo. Quizá me puedas explicar por qué mi hija acaba de sacar un Zippo de mis vaqueros. Los vaqueros que me cogiste prestados para esa cosa de cowboys que tenías el fin de semana.

Wilson vaciló.

—No tengo ni idea de cómo ha ido a parar allí.

—¿Por qué no me lo trago?

—Vale, vale, no empieces —dijo Wilson—. ¿Qué probabilidades tengo de recuperar mi mechero?

Swain se lo volvió a guardar en el bolsillo.

—No lo sé. Un sesenta por ciento.

Comprobación de estado: secuencia de teletransportación inicializada.

—¿¡Sesenta!?

Holly sacó otro refresco de la nevera. Swain sujetó el teléfono con el hombro y se agachó para cogerla en brazos. Gruñó.

—Cómo pesas.

Inicializar teletransporte: Tierra.

—Papá… Vamos, que ya tengo ocho años…

—Demasiado mayor para que te coja en brazos, ¿eh? Vale…

En ese instante, la habitación comenzó a brillar. Un misterioso resplandor blanco iluminó la cocina.

—Papá… —Holly se agarró con fuerza a su hombro.

Swain giró lentamente sobre sí mientras contemplaba, estupefacto, la tenue luz blanquecina que brillaba a su alrededor y que iba creciendo más y más.

La cocina estaba cada vez más iluminada. La luz iba ganando intensidad.

Swain se volvió. A su alrededor, la tenue luz blanca se había tornado en cegadora. Allá donde mirara, sus ojos se perdían en ese brillo fulgurante. Parecía provenir de todas direcciones.

Levantó el brazo para protegerse la vista.

—Papá, ¿qué está pasando?

Swain la abrazó con fuerza y le pegó la cabeza al pecho para protegerla de aquel resplandor.

Con los ojos entrecerrados intentó penetrar el cegador muro luminoso que los rodeaba, buscando el origen del fulgor.

Retrocedió y de repente se miró a los pies y vio un círculo perfecto de luz rodeando sus zapatillas.

Y entonces Swain lo comprendió.

Él era el centro de la luz.

¡Era el origen!

Ráfagas de viento irrumpieron en la cocina. Polvo y papeles empezaron a arremolinarse alrededor de la cabeza de Swain mientras este abrazaba con fuerza a Holly contra sí. Cerró los ojos para protegerse del ululante viento.

Entonces ocurrió algo muy extraño: por encima del aullido del aire, oyó una voz. Una voz débil, insistente, que decía «¿Steve? ¿Stephen Swain? ¿Sigues con nosotros?».

Tardó en segundo en caer en la cuenta de que era el teléfono. Wilson seguía al otro lado. Se había olvidado de que todavía tenía el teléfono en la mano.

—Stephen, ¿qué pasa? Ste…

La llamada se cortó.

Un trueno ensordecedor resonó y de repente Swain se vio sumido en la más completa oscuridad.

Segundo movimiento
Domingo, 1 de diciembre, 6:04 p. m.

Muchas personas creen que el miedo a la oscuridad solo se experimenta en la niñez.

Los niños temen a la oscuridad porque carecen de experiencia suficiente como para saber que no hay nada allí. Pero, como Stephen Swain bien sabía, el miedo a la oscuridad era habitual en muchos adultos. Es más, para algunos, la necesidad de ver era a menudo tan elemental como la necesidad de alimento.

Allí, en la más completa oscuridad, sin tener ni idea de dónde estaba, a Swain le extrañó estar pensando en sus estudios universitarios sobre el comportamiento humano. Recordó las palabras de su profesor: «Los miedos humanos son muy a menudo creaciones irracionales de la mente. ¿Cómo si no podría explicarse que una mujer de más de metro ochenta se quede petrificada con tan solo ver un ratón blanco, una criatura que no llega a los diez centímetros?».

Pero ningún miedo era considerado más irracional, ni más innato en el hombre, que el miedo a la oscuridad. Teóricos académicos y padres hastiados llevaban siglos diciendo que nada había en la oscuridad que no hubiera ya antes con la luz encendida…

Pero me apuesto lo que sea a que jamás les ha pasado algo así, pensó Swain mientras contemplaba el océano de oscuridad que le rodeaba.

¿Dónde demonios estamos…?

El corazón le retumbaba con fuerza en la cabeza. Podía notar el pánico extendiéndose por su cuerpo. No. Tenía que mantener la calma, tenía que actuar de un modo racional, tenía que cuidar de Holly.

La sintió en su hombro. Se agarraba con fuerza a él, aterrada.

—Papi…

Si al menos pudiera ver algo, pensó mientras intentaba contener su creciente miedo. Una abertura en la oscuridad. Una fracción de luz. Lo que fuera.

Miró a la izquierda, y luego a la derecha. Nada.

Solo oscuridad. Una oscuridad inmensa, infinita.

El miedo a la oscuridad ya no le parecía tan irracional en esos momentos.

—Papá, ¿qué está pasando?

Percibió que Holly pegaba más la cabeza contra su cuerpo.

—No lo sé, cielo. —Swain frunció el ceño, pensativo. Entonces se acordó—. Espera un momento —dijo mientras, como buenamente podía con su hija en brazos, se metía la mano en el bolsillo de los vaqueros. Suspiró aliviado cuando sintió el metal frío y suave del mechero.

La tapa superior del Zippo se abrió con un clic metálico y Swain apretó la rueda. La piedra chispeó un instante, pero no se encendió. Lo intentó de nuevo. Otra chispa, pero ninguna llama.

—Joder —dijo en voz alta—. Dichoso Wilson.

—Papá…

—Un momento, cielo. —Swain volvió a guardarse el mechero en el bolsillo y se giró para contemplar de nuevo la oscuridad—. A ver si podemos encontrar una puerta o algo.

Levantó el pie y dio un vacilante paso al frente. Conforme lo bajaba, sin embargo, empezó a comprender por qué algunas personas temían tanto a la oscuridad. La impotencia que genera no saber qué tienes ante ti resulta aterradora.

Su zapatilla tocó el suelo. Era duro. Frío. Como de mármol, o una baldosa.

Dio otro paso al frente. Solo que, en esa ocasión, cuando plantó el pie, no encontró suelo. Tan solo un espacio vacío.

—Oh-oh.

El pánico volvió a acrecentarse. ¿Dónde demonios estaba? ¿En el borde de una cornisa? Si era así, ¿cómo era de ancha? ¿Había superficie en los cuatro lados?

Mierda.

Swain bajó el pie más allá del borde.

Nada.

Despacio. Más abajo. Nada.

Entonces su pie tocó algo. Más suelo, no muy lejos de donde se encontraba.

Swain movió el pie hacia adelante. Más suelo. Aliviado, sonrió en la oscuridad.

Escalones.

Con Holly pegada a su pecho, bajó con cautela las escaleras.

—¿Dónde estamos, papá?

Totalmente a oscuras, Swain se detuvo. Miró a Holly. A pesar de que todo estaba oscuro, podía discernir el contorno de su rostro, las oquedades de las cuencas de sus ojos, la sombra de su nariz en la mejilla.

—No lo sé —dijo.

Estaba a punto de dar otro paso más cuando se detuvo y volvió a mirar a Holly. Las cuencas de sus ojos, la sombra recorriéndole la mejilla…

Una sombra.

Tiene que haber una luz.

En algún lugar.

Swain miró detenidamente el rostro de su hija, escudriñando la sombra de su nariz, y de repente lo vio: una luz de color verde, tan tenue que apenas si podía apreciar sus otros rasgos. Swain se acercó y, entonces, el resplandor desapareció.

—Maldita sea.

Echó lentamente la cabeza hacia atrás y, con la misma lentitud, la luz regresó, cubriendo la mitad del rostro de Holly.

Swain abrió los ojos de par en par. Era su propia sombra la que cubría el rostro de su hija.

El origen de aquella luz tenía que estar tras él.

Se volvió.

Y allí, en la oscuridad, la vio. Se mantenía inmóvil, a la altura de sus ojos y aun así completamente quieta: una minúscula luz verde.

No podía estar ni a dos metros de él y brillaba como la diminuta luz piloto de un aparato de vídeo. Swain miró fijamente aquella pequeña luz verde.

Y entonces oyó una voz.

—Hola, contendiente.

Procedía de la luz verde.

Era una voz refinada, correcta, formal. Y al mismo tiempo resultaba estridente, como si fuera un enanito quien hablara.

La voz habló de nuevo.

—Hola, contendiente. Bienvenido al laberinto.

Swain estrechó a Holly contra sí.

—¿Quién anda ahí? ¿Quién eres?

—Estoy aquí. ¿No me ve? —La voz no resultaba amenazadora. Casi parecía servicial, pensó Swain.

—No, está demasiado oscuro.

—Oh, sí. Mmm. —La voz pareció desalentada—. Un momento.

La luz verde se alejó dando botes a la izquierda de Swain. Entonces paró.

—Ah. Aquí estáis.

Algo hizo clic y unas luces fluorescentes cobraron vida sobre sus cabezas.

Con aquella luz recién descubierta, Swain vio que se encontraba en unas escaleras anchas de mármol con pasamanos de latón pulido. Las escaleras parecían descender varias plantas más hasta desaparecer en la oscuridad.

Swain supuso que se hallaba al inicio de las escaleras, pues ningún escalón ascendía del rellano que tenía detrás. Tan solo había una puerta de madera con aspecto de ser muy pesada. Una especie de trampilla.

Su mirada se desplazó desde la puerta hacia la izquierda y de repente vio al dueño de la voz.

Allí, junto a un interruptor de la luz, había un hombre de apenas metro veinte, vestido por completo de blanco.

Zapatos blancos, mono blanco, guantes blancos.

Aquel hombre menudo sostenía algo en su mano enguantada. Parecía un reloj de muñeca gris. Swain se percató de que la pequeña luz verde provenía de la esfera del reloj.

Además de su ropa blanca, Swain vio que el hombre también llevaba un extraño casquete blanco que le cubría toda la cabeza, salvo la cara.

—Papá, parece una cáscara de huevo —susurró Holly.

—Shh.

El hombrecillo vestido de blanco dio un paso adelante hasta colocarse en el borde del rellano, con la cabeza ligeramente por encima de la de Swain. Hablaba un inglés perfecto, ni rastro de acento.

—Hola, bienvenido al laberinto. Mi nombre es Selexin y voy a ser su guía. —Extendió su pequeña mano blanca—. ¿Cómo está usted?

Swain siguió mirando con incredulidad a aquel hombre. Extendió la mano, distraído. El diminuto hombre ladeó la cabeza.

—Tiene un arma de lo más interesante —dijo mientras miraba el auricular que Swain sostenía.

Swain se quedó mirando el auricular del teléfono. El cable estaba cortado casi a ras del auricular. No se había dado cuenta de que seguía con él. Se lo pasó rápidamente a Holly y le estrechó la mano de manera un tanto torpe a aquel hombre de blanco.

—¿Cómo está usted? —Selexin hizo una solemne reverencia.

—Ahí voy —dijo Swain con recelo—. ¿Y usted?

El hombre de blanco sonrió serio y asintió cortés.

—Oh, sí. Gracias. Ahí voy yo también.

Swain vaciló.

—Escuche, no sé quién o qué es, pero…

Holly no estaba escuchándolos. Estaba mirando el auricular del teléfono. Sin el cable enrollado que lo unía a la base parecía un móvil.

Examinó lo que quedaba del cable. Era como si hubieran hecho el corte del extremo con unas tijeras extremadamente afiladas. Era un corte limpio. Perfecto. Los cablecillos del interior ni siquiera estaban pelados.

Se encogió de hombros y se guardó el teléfono en el bolsillo del uniforme. Su propio móvil, incluso aunque no funcionara. Miró de nuevo al hombre pequeñito de blanco. Estaba hablando con su padre.

—No tengo intención de hacerles daño —dijo.

—¿No?

—No. —Selexin hizo una pausa—. Bueno, yo no.

—Entonces, si no le importa, ¿podría decirnos dónde estamos y cómo demonios podemos salir de aquí? —dijo Swain mientras subía un peldaño más, en dirección al rellano.

El hombrecillo puso gesto de sorpresa.

—¿Salir? —dijo con cara de póquer—. Nadie sale. No aún.

—¿Qué quiere decir con que nadie sale? ¿Dónde estamos?

—En el laberinto.

Swain miró a su alrededor, a las escaleras.

—¿Y dónde está ese laberinto?

—Pues, contendiente, esto es la Tierra, claro está.

Swain suspiró.

—Escuche, esto…

—Selexin.

—Sí, Selexin. —Swain sonrió débilmente—. Selexin, si le parece bien, creo que a mi hija y a mí nos gustaría abandonar su laberinto. No sé qué es lo que está haciendo aquí, pero no creo que vayamos a formar parte de esto.

Swain subió el resto de escaleras hasta la puerta que sobresalía del rellano. Fue a coger el pomo, pero Selexin le apartó la mano.

—¡No!

Se la inmovilizó, lejos de la puerta.

—Como le he dicho, nadie sale, no aún. El laberinto ha sido sellado. Está cerrado.

Señaló al hueco entre la puerta y su sólido marco de madera.

—¿Lo ve?

Swain miró el hueco y no vio nada.

—No —dijo, poco impresionado.

—Mire detenidamente.

Swain se acercó y escudriñó el interior del marco de la puerta. Y entonces lo vio.

Un reducido reborde azulado de electricidad brotaba del hueco entre la puerta y el marco.

Solo lo vio un instante, pero el repentino destello de electricidad azulada fue inconfundible. Los ojos de Swain recorrieron el marco de la puerta hasta su extremo vertical. Cada pocos centímetros se producía un parpadeo discernible de electricidad azul entre el marco y la puerta.

Lo mismo ocurría en los cuatro lados de la puerta.

Lentamente, Swain retrocedió hasta el rellano. Mientras se giraba, dijo inexpresivamente y sin subir la voz:

—¿Qué demonios está haciendo aquí?

En el vestíbulo principal de la biblioteca, el agente Paul Hawkins caminaba de un lado a otro delante del mostrador de información.

—Te digo que lo he visto —dijo.

Parker estaba sentada con los pies encima del mostrador, masticando una barra de caramelo, leyendo tan feliz su libro en latín. Al parecer, le encantaban las historias de gladiadores.

—Claro que sí. —Ni siquiera levantó la vista.

Hawkins estaba enfadado.

—Te digo que lo he visto.

—Entonces ve y compruébalo tú mismo. —Parker le hizo un gesto desdeñoso con la mano. Por lo que a ella respectaba, Hawkins estaba todavía muy verde. Era demasiado joven, demasiado inexperto y un puñetero impaciente. Y, como todo novato, siempre sospechaba que el crimen del siglo se estaba cometiendo en sus mismísimas narices.

Hawkins echó a andar por el pasillo hacia la escalera mientras murmuraba para sí mismo.

—Zorra.

—¿Qué has dicho? —le preguntó distraídamente Parker, parapetada tras su libro.

—Nada —murmuró Hawkins mientras se marchaba—. Voy a ver si vuelve a pasar.

Parker levantó la vista del libro y vio que Hawkins desaparecía tras las puertas de la caja de la escalera. Negó con la cabeza.

—Novato.

Hawkins subió lentamente las anchas escaleras de mármol, escudriñando cada esquina, con la esperanza de volverlo a ver. Se apoyó en la barandilla y alzó la vista hacia la caja de la escalera. Se arrimó más al pasamano y contempló el hueco central.

Con las luces de la escalera apagadas, era consciente de que no vería mucho más allá del primer rellano…

¡Había luz!

Arriba.

Uno de los tubos fluorescentes al final de la escalera estaba encendido… y antes no lo estaba.

Hawkins notó un subidón de adrenalina.

Había alguien más allí.

¿Qué hacía ahora? ¿Iba a buscar a Parker? Refuerzos, sí. Era una buena idea. No, espera. No lo creería. No lo había hecho antes.

Hawkins volvió de nuevo la vista al hueco de la escalera y vio la luz. Vacilante, subió un peldaño.

Y entonces ocurrió.

Hawkins se alejó al instante del pasamano cuando una cegadora luz blanca surgió del hueco central de la escalera, iluminando todo a su alrededor.

Las motas de polvo que danzaban alrededor del hueco de la caja de la escalera cobraron de repente vida con aquella claridad creciente, conformando una deslumbrante columna vertical de luz blanca.

Hawkins la contempló impresionado. Era exactamente lo que había visto antes: un torrente de luz blanca irradiando del hueco de la escalera.

Y, aun así, sin embargo, esa vez era distinto.

El origen era diferente. Esta vez no provenía de lo alto de la escalera.

No, en esta ocasión procedía de abajo.

Muy despacio, Hawkins se asomó al borde del pasamano y miró hacia abajo.

La luz se originaba en uno de los rellanos inferiores. Lo único que podía discernir era el extremo de lo que parecía una enorme y resplandeciente esfera de un blanco puro…

Se apagó.

No fue desvaneciéndose poco a poco. No parpadeó. Simplemente desapareció en la oscuridad. Igual que había ocurrido antes.

Hawkins se encontró entonces de nuevo en la caja de la escalera desierta y, en esos momentos, el hueco del centro no era ya más que un silencioso agujero oscuro.

Miró a sus espaldas, hacia el atrio. Más allá del pasillo vio los pies de Parker apoyados despreocupadamente sobre el mostrador de información. Se le pasó por la cabeza llamarla, pero decidió no hacerlo.

Se volvió de nuevo hacia la caja de la escalera sumida en las sombras.

Tragó saliva y se olvidó por completo del fluorescente que había estado encendido arriba.

Hawkins sacó su pesada linterna de policía del cinturón y la encendió. A continuación comenzó su descenso hacia la negrura.

Selexin seguía sosteniendo la pulsera gris. Parecía pesada, fundamentalmente por su cierre de metal.

Miró la parte delantera. Era rectangular, como un reloj digital alargado, ancho pero fino. En la cara delantera, la pequeña luz piloto de color verde brillaba con fuerza. A su lado había otra luz, algo más grande que la verde, pero roja. En esos momentos estaba apagada.

Bien, pensó Selexin.

Debajo de las dos luces había un visualizador rectangular y estrecho en el que podía leerse:

INCOMPLETO—1

Selexin apartó la vista del reloj. Vio que Swain y Holly estaban mirando por la ventana, a una distancia prudente de los cristales electrificados.

Selexin gruñó, negó con la cabeza y miró de nuevo la pulsera. La pantalla parpadeó.

INCOMPLETO—1

Las palabras desaparecieron un instante. Cuando volvieron, habían cambiado. En esos momentos en el visualizador podía leerse:

INCOMPLETO—2

Ya no parpadeaba.

Selexin fue hacia la ventana donde se encontraba Swain y se detuvo a su lado.

—¿Lo comprende ya?

Swain siguió mirando por la ventana.

Tras haber visto la puerta electrificada en la parte superior de la caja de la escalera, había bajado rápidamente el primer tramo y salido por la primera puerta del rellano, una puerta con un letrero que decía: «Tercera planta».

Un pasillo corto con suelos de mármol le había llevado a una de las salas más conocidas de la biblioteca: la sala de lectura principal. Con su techo elevado y sus filas y filas de escritorios alargados de madera, Swain la reconoció al instante, pero por algún motivo necesitaba ver el mundo exterior.

Así que la había atravesado, abriéndose paso por entre aquella marea de escritorios que le llegaban hasta la cintura, en dirección a la ventana más cercana. La enorme sala estaba completamente llena de mesas de estudio.

Una reciente renovación había provisto a cada escritorio de una división vertical que conformaba una «L» con la superficie de escritura horizontal.

En esos momentos, mientras miraba por la ventana y contemplaba el parque Bryant y la calle Cuarenta y Dos y los rascacielos ensombrecidos de Nueva York, Swain empezó a comprender.

—¿Dónde estamos, papá?

Los ojos de Swain contemplaron la multitud de escritorios divididos a su alrededor y el área de préstamos, cual isla en el centro de la enorme sala principal de lectura, sobre la que se encontraba un letrero:

Silencio, por favor
Sala de estudio

Swain se giró para mirar a Selexin.

—Estamos en la biblioteca, cariño. En la Biblioteca Pública.

Selexin asintió. *Correcto.*

—Esto —dijo Selexin— es el laberinto.

—Esto es una biblioteca.

—Tal vez también lo sea —concedió Selexin—, pero eso ahora mismo debe importarle más bien poco.

Swain dijo:

—Pues ahora mismo me importa, y mucho. ¿Qué está haciendo aquí y qué quiere de nosotros?

—Bueno, antes de nada —comenzó a decir el hombre menudo—, no queremos a los dos. —Asintió a Swain—. Solo a usted.

—Entonces, ¿por qué han traído también a mi hija?

—Ha sido algo accidental, se lo puedo asegurar. A los contendientes se les prohíbe estrictamente cualquier tipo de ayuda. Debió de entrar en el campo instantes antes de que usted fuera teletransportado.

—¿Teletransportado?

—Sí, contendiente —suspiró con tristeza Selexin—. Teletransportado. Y puede considerarse extremadamente afortunado de que se encontrara totalmente dentro del campo en ese momento. Si solo hubiera estado parcialmente dentro, puede que…

Se oyó el fuerte retumbo de un trueno en el exterior. Swain miró a través del cristal y vio oscuras nubes cruzando la luna. Fuera era noche cerrada. La lluvia comenzó a golpear la ventana.

Se volvió.

—La luz blanca.

—Sí —dijo Selexin—. El campo. Todo lo que se encuentre dentro del campo en el momento en que los sistemas se inicializan es teletransportado.

—Como el teléfono —dijo Swain.

—Sí.

—Pero solo la mitad del teléfono vino con nosotros.

—Eso se debe a que solo esa parte del teléfono se encontraba dentro del campo —dijo Selexin—. En términos sencillos, el campo es tan solo un agujero esférico en el aire. Todo lo que se encuentre dentro de esa esfera es, en el momento de la teletransportación, elevado y llevado a otra parte, ya esté unido a algo más o no.

—Y usted es quien decide adónde vamos. ¿Es eso correcto? —dijo Swain.

—Sí. Ahora, contendiente…

Swain levantó la mano.

—Aguarde un momento. ¿Por qué no para de llamarme así?

—¿Llamarlo cómo?

—Contendiente. ¿Por qué me llama todo el rato así?

—Porque eso es lo que es, es la razón por la que lo han traído aquí —dijo Selexin, como si fuera lo más obvio del mundo—. Para competir. Para competir en el séptimo Presidian.

—¿Presidian?

Ahora fue Selexin quien frunció el ceño.

—Sí —dijo con la voz crispada—. Mmm, temía que esto fuera a pasar. —Suspiró largo rato y miró con impaciencia la pulsera de metal que llevaba en la mano. La luz verde seguía encendida y en la pantalla podía leerse todavía:

INCOMPLETO—2

Selexin alzó la vista y dijo para nadie en particular:

—Bueno, como aún hay tiempo, se lo contaré.

Holly dio un paso adelante y señaló el reloj gris.

—¿Qué es eso?

Selexin se la quedó mirando con dureza.

—Por favor, ya llegaremos a eso. Atiende un momento.

Holly retrocedió y cogió a su padre de la mano.

La respiración de Selexin era en esos momentos entrecortada, un fiel reflejo de su irritación. A Swain cada vez le resultaba más obvio que ese hombrecillo no quería estar allí.

—El Presidian —comenzó Selexin— se ha celebrado previamente en seis ocasiones. Y este —dijo mientras miraba a la sala de lectura a su alrededor—

es el séptimo. Se celebra cada mil años terrestres, aproximadamente, cada vez en un mundo diferente, y en todos los sistemas, salvo en la Tierra, se le tiene en gran consideración.

—¿Sistemas? —preguntó Swain.

—Sí, contendiente, sistemas. —El tono de Selexin era en esos momentos el de un adulto que se dirige a un crío de cinco años—. Otros mundos. Otra vida inteligente. Hay siete en total.

Selexin calló un momento y se masajeó la frente con la mano. Parecía como si le estuviera costando mucho mantener la calma.

Finalmente miró a Swain.

—No lo sabía, ¿verdad?

—¿La parte de lo de los otros mundos y otra vida inteligente? Eh, no.

—Estoy muerto —susurró Selexin, presumiblemente para sí. Swain lo oyó perfectamente.

—¿Por qué? —preguntó inocentemente—. ¿Por qué está muerto? ¿Qué es eso del Presidian?

Selexin suspiró con exasperación. Extendió las manos con las palmas hacia arriba.

—¿Qué cree que es? —dijo de manera un tanto cortante, apenas disimulando el tono condescendiente de su voz—. Es una competición. Una batalla. Un torneo. Siete contendientes entran en el laberinto y solo uno sale. Es una lucha a muerte.

Pudo ver cómo la incredulidad se apoderaba del rostro de Swain. El hombrecillo extendió de nuevo sus manos.

—Por todos los Dioses, ¡si ni siquiera entiende por qué está aquí! ¿No lo ve?

Selexin paró un momento y bajó la voz en un intento desesperado por controlarse.

—Deje que comience de nuevo. Usted ha sido escogido para representar a su especie en esta competición del universo. Una competición, un torneo, con una antigüedad de más de seis milenios, que se basa en un principio que se remonta a miles de años antes de que apareciese cualquier concepto de «deporte» que usted pueda imaginar. Eso es el Presidian.

»Se trata de una batalla. Una batalla entre cazadores, atletas, guerreros; criaturas provenientes de todos los rincones del universo, poseedoras de destreza, coraje e inteligencia, dispuestas a jugarse la vida confiando en sus extraordinarias aptitudes para cazar, acechar y matar. —Selexin negó con la cabeza—. Si conoces la derrota en el Presidian no hay marcha atrás. No hay partido de vuelta. Una derrota en el Presidian no comporta perder el orgullo, sino la vida. Los contendientes que entran en el laberinto aceptan que en esta competición la única alternativa a la victoria final es una muerte segura.

»Es muy sencillo. Siete entran. El mejor vencerá, y los inferiores morirán. Y nadie sale hasta que solamente quede uno. —El hombre menudo se tomó un segundo y luego reanudó su discurso—. Si es que, claro está, llega a quedar uno.

»No hay lugar para hombres corrientes en el Presidian. Es una competición para hombres extraordinarios, para aquellos dispuestos a arriesgarlo todo para vencer. En la Tierra juegan a juegos donde no se pierde nada cuando no se gana. "Ganar no lo es todo", dicen. "Lo importante no es ganar o perder, sino participar". —Selexin gruñó con desdén—. Si fuera así, ¿por qué nadie intentaría siquiera vencer?

»La victoria se devalúa cuando la derrota no implica pérdida alguna, y los humanos son sencillamente incapaces de comprender esa idea. Al igual que son incapaces de comprender una competición como el Presidian, donde la derrota significa exactamente eso: perderlo todo.

El hombre diminuto miró fijamente a Swain.

—La victoria lo es todo cuando puede perderse tanto.

El hombrecillo rió débilmente.

—Pero los suyos jamás entenderán que… —Calló, bajó la cabeza y se guardó el final para sí. Swain siguió allí, en trance, mirando sorprendido al hombre que tenía ante sí.

—Y por eso estoy muerto. —Selexin alzó la vista—. Porque mi supervivencia depende de la suya. Es un gran honor guiar a un contendiente en el Presidian, un honor conferido a mi gente dado que por nuestro tamaño no podemos participar en la competición, pero cuando uno acepta ese honor, también acepta el destino de su contendiente.

»Así que si usted muere, yo moriré. Y, tal como yo lo veo en estos momentos —subió la voz—, puesto que parece desconocerlo todo sobre el Presidian o lo que este implica, ¡diría con bastante seguridad que en estos momentos nuestras posibilidades colectivas de sobrevivir son de aproximadamente cero!

Selexin miró a Swain de arriba abajo. Zapatillas, vaqueros, una camisa holgada con las mangas remangadas, el pelo ligeramente húmedo. Negó con la cabeza.

—¡Mírese, si ni siquiera ha venido preparado para luchar!

Empezó a andar de un lado a otro, gesticulando con los brazos, desesperado ante aquella situación, totalmente indiferente a la presencia de Swain y Holly.

—¿Por qué yo? ¿Por qué esto? ¿Por qué el humano? Teniendo en cuenta la distinguida participación que los humanos han tenido en el Presidian...

Swain observó al hombrecillo mientras este iba de un lado a otro. Holly solamente miraba a su padre.

—¡Eh! —dijo Swain, interponiéndose en su camino. Selexin siguió murmurando para sí—. ¡Eh!

Selexin se detuvo. Se volvió y miró a Swain.

—¿Qué? —preguntó enfadado. Aquel hombre poseía una ferocidad que contradecía su tamaño.

Swain ladeó la cabeza.

—¿Está diciendo que los humanos han estado en esto antes? ¿En esta competición?

Selexin suspiró.

—Sí. En dos ocasiones. En los dos últimos Presidia, los humanos participaron.

—¿Y qué les ocurrió?

El hombrecillo rió con tristeza.

—Los dos fueron los primeros en caer eliminados. En ningún momento tuvieron posibilidad alguna. —Arqueó la ceja—. Ahora sé por qué.

Miró el reloj. En esos momentos ponía:

INCOMPLETO—3

Swain dijo:

—¿Y exactamente cómo eres seleccionado para esto?

Tal como les explicó Selexin, salvo por una modificación crucial, el proceso para la selección del humano para el séptimo Presidian había sido prácticamente el mismo de los dos anteriores Presidia. No cabía esperar que unos seres incapaces de aceptar que existieran otras formas de vida en el universo escogieran a un contendiente para representarlos, por no hablar del concepto del Presidian en sí.

Después de todo, ni siquiera se había considerado la inclusión de los humanos en los Presidia hasta hacía solo unos dos mil años, pues el desarrollo de estos había sido decepcionantemente lento.

Los otros seis sistemas restantes elegían a sus representantes para el Presidian del milenio bien mediante una competición entre los suyos, bien escogiendo a sus mejores atletas, cazadores o guerreros. La Tierra, por otro lado, era controlada de tanto en tanto y, de esa vigilancia, se escogía al contendiente más capacitado.

—Bueno, muy atentos no han estado en esta ocasión —dijo Swain—. No he luchado en mi vida.

—Oh, pero...

—Soy médico —dijo Swain—. ¿Sabe lo que es un médico? Yo no mato a la gente. Yo...

—Sé lo que es un médico y sé lo que hace —dijo Selexin—. Pero ha olvidado lo que le acabo de decir: en esta ocasión se hizo una modificación crucial.

»Verá, en los dos últimos Presidia la elección del contendiente humano se basó fundamentalmente en la destreza en el combate, únicamente en eso. Y, obviamente, fue un error. Tras la funesta participación de los dos contendientes humanos, se decidió que se tuviesen en cuenta otras destrezas y capacidades, a priori menos obvias, en el proceso de selección de este Presidian.

»Por supuesto, la destreza en la lucha es necesaria, pero en esta ocasión no ha sido decisiva. De la observación de su planeta hemos concluido que los guerreros humanos son expertos en el uso de armas artificialmente propulsadas: armas de fuego, misiles y similares. Pero esas armas están prohibidas en el Presidian. Solo se permite el uso de armas autopropulsadas: cuchillos, armas afiladas. Así que, antes que nada, necesitábamos a un humano versado en el combate cuerpo a cuerpo. Varios guerreros de su especie satisfacían este requisito, claro está.

»Pero también se consideraron necesarias otras habilidades, habilidades que por lo general no se dan en sus guerreros. Fue requisito fundamental un nivel elevado de aptitud mental; en concreto, la capacidad de responder en momentos de crisis, de mantener un pensamiento racional objetivo ante un hecho potencialmente extraño y, lo que es más importante, una inteligencia adaptativa.

—¿Inteligencia adaptativa?

—Sí, la capacidad de evaluar la situación al instante, de asimilar inmediatamente todas las soluciones disponibles y actuar. Pensamiento reactivo: la capacidad de pensar con claridad bajo presión y de utilizar todos los medios a nuestra disposición para solucionar el problema. De acuerdo con nuestra experiencia previa con los humanos, sabíamos de antemano que el contendiente de su raza no sería un contendiente proactivo, ofensivo. Más bien sería defensivo, reactivo a una situación provocada por otro. Así que se precisaba una personalidad adaptativa, provista de un pensamiento ágil. Como usted.

Swain negó con la cabeza. Ni mucho menos se creía una persona mentalmente ágil y de personalidad adaptativa. Sí que se consideraba un buen médico, pero no brillante. Sabía de innumerables cirujanos y médicos que estaban a años luz de él tanto en conocimientos como en destreza. Era bueno en lo que hacía, sí, ¿pero adaptativo y mentalmente veloz?

—No se confunda, contendiente, llevamos estudiándolo desde hace tiempo. Pensamiento claro y reactivo en momentos de tensión, ¿lo ha experimentado alguna vez antes?

—Sí, bueno, muchas veces, pero aun así… Por Dios, si jamás he participado en una pelea…

—Oh, claro que sí —dijo Selexin—. Su elección vino determinada por la respuesta que tuvo ante una situación que vivió no hace mucho tiempo y en la que hubo múltiples enemigos implicados, una situación que puso en riesgo su vida.

Swain reflexionó sobre lo que le acababa de decir. Una situación peligrosa para su vida y con múltiples enemigos. Se preguntó si un partido de fútbol americano universitario contaría como situación potencialmente grave. Por favor, si parecía algo más propio de un miembro del ejército o de la policía.

La policía…

Aquella noche…

Swain recordó lo ocurrido aquella noche de octubre, cuando cinco pandilleros fuertemente armados habían irrumpido en Urgencias. Recordó su pelea con los dos jóvenes de las pistolas, recordó cómo había placado al primero y a continuación golpeado en la muñeca al segundo, obligándolo a soltar la pistola, y cómo luego había forcejeado otra vez con el primero y los dos habían caído al suelo y entonces había oído la detonación de la pistola, el fatal disparo final.

¿Que si su vida había corrido peligro? Sin duda.

Swain se percató entonces de que se estaba frotando el corte de su labio inferior.

—Hay otra cosa —dijo Selexin, interrumpiendo sus pensamientos. El hombrecillo levantó su mano enguantada y le ofreció la pulsera gris a Swain—. Tenga, póngasela. La necesitará. Sobre todo si estamos separados.

Swain cogió la pulsera, pero no se la puso.

—Aguarde un segundo. Aún no he aceptado formar parte de este espectáculo suyo…

Selexin negó con la cabeza.

—No ha comprendido lo que le he estado diciendo. Su proceso de selección para el Presidian ha concluido. Ya no tiene nada que decir en el asunto.

—Me da la sensación de que nunca tuve voz ni voto en ello.

—Por favor, mire su pulsera.

Swain miró el reloj, el visualizador situado debajo de la brillante luz verde. Decía:

INCOMPLETO—3

Selexin dijo:

—¿Ve ese número, el tres? Pronto alcanzará el siete. Cuando eso ocurra, sabremos que los siete contendientes ya han sido teletransportados al laberinto. Entonces comenzará el Presidian. —Lo miró con gesto serio—. Ahora usted está aquí y, le guste o no, se ha convertido en parte integrante de esta competición. —Selexin señaló de nuevo la pulsera—. Y cuando el número siete aparezca, se convertirá en el blanco de otros seis contendientes que tendrán el mismo objetivo que usted. Salir.

—¿Qué se supone que significa eso?

—Recuerde lo que le he dicho —dijo Selexin—. Entran siete, pero solo sale uno. El laberinto está completamente electrificado. No hay manera de escapar. Salvo mediante un teletransportador. Y este solamente se inicializa cuando un único contendiente permanece en el laberinto. Esa es la salida del laberinto… y solo el vencedor saldrá. Si es que, claro está, hay vencedor.

Selexin habló más pausado.

—Señor Swain, a los demás les da igual si usted decide o no aceptar su rol de contendiente. Lo matarán de todas formas. Porque son muy conscientes de que, a menos que todos estén muertos salvo uno, nadie abandonará el laberinto. La competición final, señor Swain.

Swain miró al hombrecillo con incredulidad. Soltó el aire lentamente por la nariz.

—Así que me está diciendo que no solo estamos aquí encerrados, sino que pronto también habrá otros seis tipos, cuyo único modo de salir del laberinto pasa por asegurarse de que yo muera.

—Sí, así es.

—Joder.

Swain regresó a la caja de la escalera que había al final del pasillo de la sala de lectura. Holly caminaba tras él, agarrándose el dobladillo de la falda.

Contempló el grueso brazalete gris que en esos momentos rodeaba su muñeca izquierda. Parecía el grillete del brazo de una silla eléctrica: grueso y sólido, y pesado también.

La minúscula luz verde brillaba mientras la pantalla seguía mostrando:

INCOMPLETO—3

Swain se volvió hacia Selexin.

—Entonces, ahora mismo solo somos tres. ¿Estoy en lo cierto?

—En efecto, así es.

—¿Significa eso que podemos movernos por el edificio sin peligro?

—No lo comprendo.

—Bueno, aún no están todos en el laberinto —dijo Swain—. Así que pongamos que quiero dar una vuelta y echar un vistazo a este lugar. ¿Qué pasa si me topo con otro contendiente? No puede matarme, ¿verdad? Aún no.

Selexin dijo:

—No, no puede. Todo combate entre contendientes está estrictamente prohibido hasta que los siete hayan accedido al laberinto. En cualquier caso, le recomendaría que no lo hiciera.

—¿Por qué no? Si no pueden hacernos daño, podemos echar un vistazo por el edificio. Orientarnos.

—Eso es cierto pero, si decide hacerlo, corre el riesgo de ser secuenciado.

—¿Secuenciado?

—Sí. Si da con algún otro contendiente antes de que todos hayan sido teletransportados al laberinto, puede estar seguro de que él o ella no podrá hacerle daño en modo alguno. Puede conversar con otros contendientes si así lo desea, o ignorarlos por completo. —Selexin extendió las palmas de sus manos—. Es muy sencillo. —A continuación, levantó un dedo—. Sin embargo, si se encuentra con otro contendiente, nada podrá evitar que este

70

lo siga hasta que los demás hayan sido teletransportados al laberinto y comience el Presidian. Eso se conoce como «secuenciar», y fue una táctica común en los anteriores Presidia.

»Otro contendiente puede seguirlo a medio metro de distancia hasta que comience el Presidian y no lo podrá tocar pues, al igual que no podrá hacerle daño a usted, usted tampoco podrá hacérselo a él. Y, una vez que el último contendiente haya sido teletransportado al laberinto y en su pulsera aparezca el siete, bueno… —Selexin se encogió de hombros—. Será mejor que esté preparado para luchar.

—Genial —dijo Swain mientras contemplaba con el ceño fruncido la pulsera que apresaba su muñeca.

En ese momento, la pantalla parpadeó.

Selexin se sobresaltó.

—¿Qué ocurre?

En la pantalla podía leerse:

INCOMPLETO—3

A continuación desapareció, y cuando la pantalla se iluminó de nuevo, ponía:

INCOMPLETO—4

—¿Qué significa? —preguntó Swain.

—Significa que otro contendiente ha llegado al laberinto —dijo Selexin.

En el vestíbulo de la biblioteca, la agente Christine Parker estaba sentada tras el mostrador de información con la boca y los ojos abiertos de par en par.

Estaba contemplando al descomunal ser de más de dos metros que tenía ante sí, justo delante de las enormes puertas de acceso de la biblioteca.

Parker recordó cómo Hawkins se había marchado hacía veinte minutos en busca de una maldita luz blanca que le parecía haber visto. También recordó haberse reído a carcajadas cuando se lo había contado.

Ahora no tenía ninguna gana de reír.

Instantes antes, había visto una esfera perfecta de una brillante luz blanca aparecer ante sus ojos. Era de unos tres metros de diámetro y había iluminado por completo el oscuro espacio del atrio cual enorme bombilla.

Y entonces se había esfumado.

En un instante.

Como si nunca hubiera estado.

Y en esos momentos, en su lugar, se hallaba una figura que se asemejaba en parte a un hombre. Un hombre de dos metros diez de alto, perfectamente proporcionado, con una gigantesca y musculosa espalda que se estrechaba hasta una cintura igualmente musculada.

Un hombre vestido de negro.

Parker lo contempló sobrecogida.

La tenue luz azul que se filtraba por entre las enormes ventanas del vestíbulo rodeaba a la oscura figura que tenía delante, conformando una silueta espectacular, mientras que al mismo tiempo resaltaba un rasgo muy particular de este.

Ese «hombre» tenía cuernos. Dos enormes y hermosos cuernos afilados que sobresalían de ambos lados de su cabeza y que se elevaban hasta más de medio metro por encima de esta.

Estaba completamente inmóvil.

Parker pensó que bien podía tratarse de una estatua, de no ser por el lento y rítmico movimiento de su poderoso torso. Intentó escudriñar su cara, pero con la luz a su espalda, lo único que podía ver tras los dos afilados cuernos era un espacio vacío de inquietante oscuridad.

Pero había algo que no cuadraba en esa silueta.

Había algo en el hombro de aquel ser que no era negro, algo que rompía la perfecta simetría de su cuerpo. Era un bulto. Un pequeño bulto blanco que parecía desplomado sobre su hombro izquierdo.

Parker escudriñó en la oscuridad para intentar determinar qué era ese bulto.

Se recostó en su silla con los ojos como platos.

Parecía otro hombre…

Un hombre muy pequeño, vestido de blanco…

Y entonces, de repente, se hizo de nuevo la luz.

Una fuerte, repentina y brillante luz blanca llenó el vestíbulo de mármol. Esferas cegadoras, de poco más de un metro de diámetro (la mitad del tamaño de la que había visto antes), iluminaron todo a su alrededor.

Parker vio dos pequeñas esferas de luz ante ella… a continuación tres… luego cuatro. A su alrededor comenzaron a volar papeles del mostrador, tal como había ocurrido anteriormente. Las estanterías de la exposición del depósito se estremecieron y temblaron.

Miró más allá del remolino de papeles, intentando vislumbrar al hombre de negro. Entre los papeles que volaban y las luces cegadoras, el hombre con cuernos seguía completamente quieto, impertérrito a toda distracción.

Y entonces, gracias a aquellos destellos blancos, Parker vio el rostro del hombre.

Estaba mirándola.

Fijamente.

Resultaba aterrador. Sus ojos se encontraron y Parker notó cómo la adrenalina le recorría todo el cuerpo. Lo único que podía ver era unos ojos amarillentos enmarcados en un rostro oscuro. Ojos desprovistos de emoción. Ojos que simplemente contemplaban.

La contemplaban.

Los papeles giraban de un modo frenético alrededor de su cuerpo estático y a continuación…

Y a continuación, de repente, se hizo de nuevo la oscuridad.

Las cuatro esferas blancas de luz habían desaparecido al instante. El viento cesó con la misma rapidez y los papeles aterrizaron suavemente por todo el suelo del atrio.

Parker se volvió hacia el punto donde una de las esferas había aparecido… Y vio que algo pequeño se escondía tras una de las librerías de la exposición. Su larga y negra cola latigueó el estante inferior de la librería para seguidamente desaparecer del campo de visión de la agente.

Un inquietante silencio llenó el atrio.

La enorme sala volvió a estar bañada por la suave y azul luz exterior de la ciudad.

Parker apartó la vista de la estantería artificial y vio la alfombra de papeles desperdigados por el suelo ante sus ojos. Con aquel silencio, podía oír su propia respiración agitada.

—*Moriturum te saluto*.

Una voz. Grave, de barítono.

Resonó estruendosamente por el vestíbulo de mármol.

Parker alzó la cabeza. La voz había provenido de ese hombre.

—*Moriturum te saluto* —repitió en voz alta. Su rostro quedaba oculto tras la oscuridad, sombreado por las luces azuladas a su espalda. Parker ni siquiera le había visto mover los labios.

Moriturum te saluto. Aquellas palabras le resultaban familiares, las había aprendido en el instituto, en clase de latín…

El enorme hombre dio un paso adelante hacia ella. Algo dorado relució en su oscuro pecho.

En esos momentos ya podía ver con bastante claridad el bulto blanco de su hombro. Era un hombre, sin duda; un hombre menudo, tendido sobre el hombro del otro. El hombrecillo gimió cuando el más alto se acercó hacia el mostrador de información.

Parker, que estaba tras él, se echó hacia atrás y lenta y silenciosamente sacó la Glock de su funda.

El hombre alto habló.

—Saludos, compañera. Ante ti se halla Bellos, bisnieto de Trome, vencedor del quinto Presidian. Y, al igual que su bisabuelo y otros dos malonianos antes que él, Bellos saldrá invicto de esta batalla, ni vencido por un contendiente ni desgarrado por el karanadon. ¿Quién eres tú, mi valiosa y aun así desafortunada oponente?

Se hizo el silencio mientras el hombre aguardaba una respuesta.

Parker oyó un leve e insistente sonido proveniente de la librería a su izquierda, como si unas uñas largas estuvieran arañando una pizarra. Se giró de nuevo para mirarlo.

El hombre, Bellos, estaba observándola, examinándola de arriba abajo, de izquierda a derecha.

Parker tragó saliva.

—Yo no…

—¿Dónde está tu guía? —dijo de repente su voz de barítono. No había sido una pregunta.

—¿Mi guía? —El rostro de Parker reflejó su incomprensión.

—Sí —dijo Bellos—. Tu guía. ¿Cómo vas a confirmar tus victorias sin un guía?

Tras el mostrador, Parker se aferró con fuerza a su pistola.

—No tengo guía —dijo con sangre fría.

El hombre ladeó la cabeza y sus cuernos se inclinaron hacia ese lado. Parker lo observó con cautela mientras este reflexionaba sobre lo que le acababa de decir. Bajó la vista hacia una enorme pulsera de metal que llevaba en la muñeca. Tenía una luz verde…

El ruido de arañazos tras la librería aumentó en intensidad y velocidad. En impaciencia.

Bellos apartó la vista de la pulsera y miró a Parker.

—No eres una contendiente del Presidian, ¿verdad?

Miró a su alrededor, al enorme vestíbulo, a las librerías expositoras a su derecha e izquierda. No había nadie más. A continuación miró a Parker con gesto amenazante.

—Bien —dijo Bellos con una sonrisa—. ¡Kataya!

El ataque provino de la izquierda de Parker. De las librerías de pega de la exposición.

La criatura se abalanzó y saltó sobre el mostrador de información a una velocidad aterradora. Se aferró al borde de madera con las zarpas delanteras y le mostró a Parker dos filas gemelas de largos y afilados dientes. Emitió un chirrido reptil.

La agente retrocedió tambaleante, horrorizada, contemplando atónita a la criatura que tenía ante ella.

Era del tamaño de un perro grande, de cerca de metro veinte de altura, con pelaje fuerte y escamoso de un color negro profundo. Tenía cuatro extremidades huesudas, pero fibrosas, y una larga y oscura cola escamosa que se agitaba frenéticamente tras su cuerpo.

Parker se quedó allí quieta, estupefacta, mirando cómo la criatura intentaba trepar por el mostrador.

Su cabeza, sujeta por un escueto y estrecho cuello negro, resultaba de lo más extraña. Dos ojos negros inertes descansaban a ambos lados de un cráneo negro y redondo cuyo único propósito parecía el de alojar las enormes fauces de la criatura.

La criatura le soltó un zarpazo a Parker y le mostró las fauces.

Esta retrocedió del mostrador, de la criatura, levantó la pistola y... y entonces, en un extraño y frenético instante, vio las extremidades del ser en el mostrador.

Ya no estaba intentando trepar. Ya estaba allí.

Le soltó otro zarpazo. Volvió a fallar.

Parker quedó momentáneamente sorprendida.

Ni siquiera estaba intentando alcanzarla. Era como si aquella criatura solo quisiera atraer su atención...

Fue entonces cuando un segundo ser la atacó por el costado. La golpeó y Parker soltó el arma.

La agente se tambaleó por el impacto y de soslayo alcanzó a ver qué le había golpeado: otra criatura, idéntica a la primera.

Una tercera la atacó por detrás, arrojándola de cabeza al suelo. Parker rodó rápidamente hasta ponerse boca arriba cuando de repente sintió un golpe fortísimo en el pecho.

Un chirrido de reptil perforó sus oídos y dos filas de largos y afilados dientes aparecieron ante sus ojos.

¡La tenía encima!

Parker gritó cuando el ser le desgarró con su zarpa delantera el estómago y hundió la cabeza en ella.

Mientras yacía en el suelo, incapaz de ofrecer resistencia a los dientes afilados de las tres criaturas que estaban alimentándose de su vientre, la agente Christine Parker recordó de repente lo que las palabras «*Moriturum te saluto*» significaban.

Eran palabras en latín, similares a las que los gladiadores romanos decían cuando se presentaban ante la enfervorecida multitud antes del combate: «Los que van a morir te saludan».

Sin embargo, mientras Parker yacía desplomada en el suelo y las fuerzas iban abandonándola, mientras el peso de las criaturas presionaba su cuerpo, cayó en la cuenta de que Bellos había cambiado las palabras, alterando el significado.

Moriturum te saluto significaba «Saludo a aquellos que van a morir».

—No estoy seguro de que esto sea una buena idea —dijo Selexin mientras seguía a Swain y a Holly por el pasillo hacia la escalera.

Swain escudriñó el interior de las salas laterales conforme caminaba, haciendo caso omiso del hombrecillo. Holly, sin embargo, se volvió para mirarlo.

—Si eres de otro planeta —dijo—, ¿cómo es que hablas inglés tan bien?

Selexin dijo:

—Mi lengua materna se basa en un alfabeto que consta de setecientos sesenta y dos símbolos diferentes. Vuestro idioma, con solo veintiséis letras, es extremadamente sencillo de aprender, salvo por los terribles modismos.

—Oh.

Llegaron a la caja de la escalera.

—Estaba diciendo —le repitió Selexin—, que no estoy seguro de que esta sea una buena idea. Las posibilidades de ser secuenciado aumentan conforme más contendientes acceden al laberinto.

Swain permaneció en silencio un buen rato.

—Probablemente tenga razón —dijo mientras se volvía para mirarlo—. Pero, si voy a jugarme la vida en este lugar, no quiero hacerlo por salas y pasillos que no conozco. Al menos si echamos un vistazo, podremos saber adónde huir o no si nos siguen. De ninguna manera quiero acabar en un callejón sin salida con un asesino tarado pisándome los talones. Y además —se encogió de hombros—, tal vez hasta encontremos un lugar donde escondernos si fuera necesario.

—¿Escondernos?

—Sí, escondernos. Ocultarnos —dijo Swain—. Ya sabe, una manera de escapar. Quizá podamos ocultarnos en algún lugar hasta que todos los demás se hayan matado entre sí.

—Eso es improbable —dijo Selexin.

—¿Por qué es improbable? Sin duda tiene que ser la mejor forma de sobrevivir a esta maldita cosa. Nos escondemos y dejamos que los demás luchen y quizá así…

Selexin no estaba escuchando. Simplemente estaba mirándolo, aguardando a que terminara de hablar.

Swain dijo:

—¿Qué? ¿Qué ocurre?

Selexin ladeó la cabeza.

—Si recuerda lo que le he contado antes, lo entenderá.

—¿Qué? ¿Qué es lo que me ha contado antes?

—Como le he estado diciendo desde el principio, solo un contendiente sale del laberinto. Y, si no sale uno, ninguno.

Swain asintió.

—Lo recuerdo. Pero ¿eso cómo es posible? Si solo queda un contendiente en el laberinto, ya está a salvo. Puede buscar la salida y marcharse, puesto que no queda nada que lo pueda matar…

Selexin no respondió.

Swain suspiró.

—A menos que haya algo más.

El hombrecillo asintió.

—Así es —dijo—. El tercer elemento del Presidian.

—¿El tercer elemento?

Selexin echó un vistazo al pasillo contiguo a las escaleras.

—Sí, un agente externo. Una variable. Algo que es capaz de alterar en un instante las condiciones del combate. Algo que puede convertir la victoria en derrota, la vida en muerte. En el Presidian, el tercer elemento es una bestia, una bestia conocida en la galaxia como el karanadon.

Swain permaneció en silencio.

—Es una bestia poderosa como ninguna otra —dijo Selexin—. Alta como este techo, ancha como tres hombres juntos y fuerte como veinte… Y su fuerza sin parangón solo es equiparable a su agresividad desenfrenada…

—Vale, vale —dijo Swain—. Creo que me hago una idea. Esa cosa también está aquí, ¿no? ¿Atrapada como el resto de nosotros?

—Sí.

—Entonces, ¿qué hace? ¿Va merodeando por ahí y matando a todo el que le place?

Selexin dijo:

—Bueno, no…

Swain suspiró aliviado.

—…todo el tiempo.

Swain gimió.

—Pero si echa un vistazo un segundo a su pulsera —dijo Selexin—, se lo explicaré todo.

Swain contempló la pesada banda de metal de su muñeca. En la pantalla todavía ponía:

INCOMPLETO—4

—¿Recuerda que, cuando le di su pulsera, le dije que sería de vital importancia para usted? —preguntó Selexin—. Bueno, es más que eso. Sin ella no sobrevivirá al Presidian.

»Su pulsera sirve para muchos propósitos, uno de las cuales es identificarlo como contendiente de la competición. Por ejemplo, no puede vencer en un Presidian a menos que lleve la pulsera. Se le negaría el teletransporte de salida cuando este se abriera. Del mismo modo, otros contendientes sabrán que está compitiendo en el Presidian porque verán su banda. Eso lo protegerá antes del inicio del Presidian, pero también les dirá a los demás que es un competidor al que tienen que eliminar.

»Sin embargo, además de ello, su pulsera le proporciona funciones adicionales de mayor importancia. En primer lugar, como ya sin duda se habrá percatado, tiene una luz verde. Esa luz responde a su pregunta anterior: no, el karanadon no siempre «merodea». La luz verde que ve indica que en este momento la bestia está acurrucada en algún lugar de este laberinto. O, dicho de una manera más sencilla, dormida. ¿Por qué?, porque por el momento no se le permite desplazarse por el laberinto. De ahí la luz verde.

—¿La pulsera puede decirme cuándo está dormida? —preguntó Swain.

—Sí, gracias a un dispositivo implantado quirúrgicamente en la laringe de la bestia que mide electrónicamente el ritmo de su respiración. Si la frecuencia de sus inspiraciones es baja, indica que está dormida, y lo contrario, que no. Ese dispositivo, no obstante, también proporciona cierto grado de control sobre la bestia. Mediante una orden oficial puede segregar un sedante que dormirá a la bestia o bien inyectarle una hormona que la despertará inmediatamente.

—¿Cuándo ocurrirá eso? —preguntó Swain—. ¿Cuándo querrán que despierte?

—¿Cuándo? Pues cuando solo quede un contendiente, obviamente —dijo Selexin—. Quizá pueda explicárselo de otra manera. Ha habido otros seis Presidia previos. Tres han sido ganados por los malonianos, uno por un konda y otro por un criseano.

—Vale.

Selexin se quedó mirando a Swain.

—Bueno, esa es la cuestión.

—¿Qué cuestión?

—Ha habido seis Presidia y solo cinco vencedores —dijo Selexin. El hombrecillo suspiró—. Eso es lo que estoy intentando decirle. Puede que no haya vencedor del Presidian. A menos que uno lo merezca, ninguno es merecedor. No hubo vencedor en el último, porque el karanadon mató a los tres contendientes finales después de que estos se toparan con su nido en el transcurso del combate. En solo dos minutos, la bestia puso fin al Presidian.

—Oh.

Selexin prosiguió:

—Y, como siempre ha sido el caso, cuando solo queda un contendiente, y se abre el teletransporte de salida del laberinto, se despierta al karanadon. Puede optarse por evitarlo y buscar la salida del laberinto. O intentar matarlo si se es muy osado.

Swain dijo:

—¿Y alguien lo ha hecho antes? Matarlo…

Selexin miró a Swain como si este hubiera hecho la pregunta más estúpida del universo.

—¿En un Presidian? No. Nunca. Jamás. —Hizo una breve pausa y después prosiguió—. Pero, de cualquier modo, si tiene suerte y vive para verlo, comprobará que cuando la bestia está despierta, la luz roja de su pulsera se enciende.

—Ajá. Y esa bestia, ese karanadon, ¿fue teletransportado al laberinto a la vez que yo?

—No —respondió Selexin—. Por lo general el karanadon es teletransportado al laberinto un día antes del inicio del Presidian. Pero eso no importa demasiado, porque está dormido todo el tiempo. A menos, eso sí, que se le haya despertado. Pero eso es poco probable.

—Tengo una pregunta más —dijo Swain.

—¿Sí?

—¿Y si alguien sale de este laberinto? Sé que piensa que no puede suceder, pero ¿y si es así? ¿Qué pasaría entonces?

—Me hace poseedor de una creencia de la que carezco. No, acepto su pregunta sin reservas porque sí que puede ocurrir. De hecho, ha ocurrido. Se sabe de contendientes que han salido del laberinto, bien por algún motivo o por mero accidente.

—¿Entonces? ¿Qué ocurre?

—Una vez más, es su pulsera la que controla la situación —dijo Selexin—. Como sabe, un campo eléctrico rodea este laberinto. La pulsera funciona de acuerdo con ese campo. Si por algún motivo su pulsera detecta que ya no está rodeado por el campo eléctrico, establecerá automáticamente un temporizador para su autodetonación.

—Un temporizador para su autodetonación —dijo Swain—. ¿Quiere decir que explotará?

—No al momento. Hay un límite temporal. Dispone de quince minutos…

—¡Por el amor de Dios! ¡Me ha puesto una bomba en la muñeca! ¿Por qué no me lo ha dicho antes? —Swain no podía creérselo. Era increíble. Empezó a tirar a toda prisa de la pulsera con ánimo de arrancársela.

—No se la quitará —dijo con total tranquilidad Selexin—. No puede quitarse, así que no malgaste el tiempo ni siquiera en intentarlo.

—Mierda —murmuró Swain sin soltar el sólido brazalete de metal.

—Esa boca —dijo Holly, reprendiéndolo con el dedo índice.

—Como le estaba diciendo —dijo Selexin—, si por algún motivo es expelido del laberinto, dispondrá de quince minutos para volver a entrar. De lo contrario, se producirá la explosión.

Miró con tristeza al humano, que seguía tirando de la pulsera. Este se dio finalmente por vencido.

—No se preocupe —dijo Selexin—. La detonación solo ocurre tras la expulsión del laberinto y, aunque admito que ha sucedido antes, también debo añadir que no a menudo. Nadie escapa de aquí. Señor Swain, a estas alturas ya habrá comprendido que, lo mire por donde lo mire, solo hay una respuesta. A menos que resulte vencedor de esta competición, no saldrá de aquí.

Hawkins se hallaba al inicio de la caja de la escalera, con la luz de su linterna como única iluminación. Más abajo ya no había escaleras. Nada salvo muros de hormigón y una enorme puerta de seguridad que rezaba: «Planta -2».

Debe de ser la última planta.

Hawkins abrió la puerta de seguridad.

Pasillos y pasillos de librerías se extendían hasta el infinito, desapareciendo en la oscuridad, más allá del alcance de las enmohecidas luces del techo. Pero era el pasillo que tenía justo delante lo que llamó su atención.

El precinto policial amarillo de la escena del crimen recorría su parte central, cual ovillo de Teseo en el laberinto del Minotauro.

Hawkins se hacía una idea de lo que aguardaba al final de aquel precinto.

Lo siguió. A unos sesenta metros, el precinto se desviaba a la derecha, a un pasillo transversal. Y, tras ese pasillo perpendicular, cerca de otras escaleras de menor tamaño, Hawkins vio la escena del crimen, rodeada por más precinto.

Parecía una zona de guerra.

La estantería a su izquierda, de tres metros y medio de alto por seis de ancho, había sido arrancada de los soportes del techo y en esos momentos yacía inclinada hacia atrás sobre la librería del pasillo posterior. Eran como dos piezas enormes de dominó: una de ellas en pie, sosteniendo a su vecina abatida.

La librería contraria, a la derecha de Hawkins, seguía erguida. Tan solo tenía un agujero en el medio. Por algún motivo, los libros habían caído al suelo del pasillo posterior, como si, reflexionó Hawkins, algo hubiera atravesado la librería…

Y luego estaba el pasillo en sí.

El charco superficial de sangre que llenaba el pasillo se había secado en el transcurso de las últimas veinticuatro horas, pero el hedor persistía.

El cuerpo había sido retirado, claro está, pero Hawkins se percató de que la cantidad de sangre era impactante. Había por todas partes: en el techo, en el suelo, por las baldas.

Hawkins tragó saliva cuando descubrió el rastro de sangre que manchaba el suelo alrededor de la estantería con el boquete. Parecía como si alguien hubiera sido arrastrado alrededor del mueble, de vuelta al pasillo.

Para los estándares del Departamento de Policía de Nueva York, Hawkins era joven. Veinticuatro años. Y su juventud, unida a su relativa inexperiencia, lo había convertido en la elección obvia para misiones como esas. Había visto escenas de crímenes, sí, pero nada que se le pareciera.

No era posible que una persona hubiera hecho eso, pensó mientras contemplaba el charco seco de sangre ante sí. Era horrible. Sucio y descarnado y brutal en extremo. No concebía que ese grado de violencia fuera posible en un ser humano.

Miró a su alrededor, a las interminables filas de librerías que flanqueaban la planta -2.

Había alguien, algo, allí.

Levantó la linterna. Y entonces lenta, cautelosamente, se aventuró por los pasillos.

—Papá —dijo Holly mientras seguía a su padre por las escaleras de mármol.

—Un segundo, cielo. —Swain se volvió hacia Selexin—. ¿Está seguro de que no hay nada más que me quiera contar antes de que nos sigamos adentrando? ¿No hay más dispositivos explosivos?

—Papá.

Selexin dijo:

—Bueno, hay una cosa…

—¡Papáaaaa!

Swain se paró.

—¿Qué ocurre, cielo?

Holly levantó el auricular con una sonrisa victoriosa.

—Es para ti.

Swain se agachó y cogió el teléfono inerte. Habló por él mientras miraba a Holly.

—¿Hola? Ah, hola, ¿cómo estás? ¿Sí? ¿De veras? Bueno, ahora mismo estoy algo ocupado. ¿Te puedo llamar luego? Genial. Hasta ahora. —Le devolvió el teléfono a Holly. Esta, satisfecha, cogió a Swain de la mano y siguió andando a la misma altura que su padre y el hombre huevo.

Selexin dijo en voz baja:

—Su hija es de lo más encantadora.

—Gracias —dijo Swain.

—Pero implica más riesgos para su seguridad de los que debería estar dispuesto a correr.

—¿Cómo?

—Tan solo le estoy sugiriendo que tal vez estaría mejor sin ella —dijo Selexin—. Sería más prudente que la escondiera, como ha dicho antes. Que la ocultara durante el Presidian. Si usted sobrevive, podrá regresar a por ella. Si es que, claro está, ella le importa tanto.

—Que así es.

—Y asimismo —prosiguió Selexin—, si es derrotado, ella no morirá también. En cualquier caso, ¿a qué efectividad puede aspirar si tiene que defender la vida de su hija además de la suya? Cualquier acción para evitar que resulte herida podría…

—Podría poner en peligro mi vida —dijo Swain—, y por tanto la de usted. Es mi hija. Allá donde vaya, ella irá conmigo. No es negociable.

Selexin dio un discreto paso atrás.

—Y otra cosa —dijo Swain—. Si algo ocurriera y nos separáramos, espero que cuide de ella. No que la esconda y confíe en que nadie la encuentre, sino asegurarse de que nada, nada, le ocurra. ¿Lo ha comprendido?

Selexin hizo una reverencia.

—Veo que estaba equivocado y me disculpo de todo corazón. No era consciente del vínculo con su hija. Haré todo lo que esté en mi mano para cumplir con su deseo si tal eventualidad ocurriera.

—Gracias, se lo agradezco —dijo Swain mientras asentía con la cabeza—. Me estaba diciendo que había algo más. Algo que debería saber.

—Sí. —Selexin recobró la compostura—. Es relativo al combate, o más bien al final de cualquier pelea. Cuando un contendiente derrota a otro, ya sea en combate o en una emboscada o lo que sea, la derrota debe ser confirmada.

—De acuerdo.

—Y para eso estoy yo aquí —dijo Selexin.

—¿Para confirmar la muerte? ¿Como un testigo? —preguntó Swain.

—No exactamente. No soy el testigo. Pero proporciono la ventana para el testigo.

—¿Ventana?

Selexin se detuvo en los escalones. Se volvió hacia Swain.

—Sí, y solo se inicializará la ventana cuando usted emita la orden. Si es tan amable, por favor, diga la palabra «Inicializar».

Swain ladeó la cabeza.

—¿Inicializar? ¿Por qué?

Y entonces sucedió. Una pequeña esfera de luz blanca brillante, de unos treinta centímetros de diámetro quizá, cobró vida justo encima del casquete blanco de Selexin, iluminando toda la escalera a su alrededor.

—¿Qué es eso? —preguntó Swain.

—Viene del huevo… —Holly estaba maravillada.

Selexin miró con cierto gesto de sorpresa a Holly.

—Sí, es correcto. Mi extraño sombrero es la fuente de este teletransporte, por pequeño que parezca. Si es tan amable, señor Swain, por favor, diga «cancelar», a menos que quiera que mis superiores piensen que ha matado a alguien.

—Oh, vale. Eh… Cancelar.

La luz desapareció al instante.

—Ha dicho que es un teletransporte. ¿Como antes? —preguntó Swain.

—Sí —dijo Selexin—, exactamente igual que antes. Tan solo un agujero en el aire. Pero mucho, mucho más pequeño, por supuesto. Hay otro oficial como yo observando al otro lado de este teletransporte. Él es su testigo en caso de que desee confirmar una muerte.

Swain observó el casquete blanco que Selexin llevaba en la cabeza.

—¿Y proviene de ahí?

—Sí.

—Vaya —dijo Swain mientras seguía bajando por las escaleras.

Selexin lo seguía en silencio. Finalmente dijo:

—Si se me permite preguntar, ¿adónde vamos?

—Abajo —dijo Holly mientras negaba con la cabeza—. Qué tonto.

Selexin, sorprendido, frunció el ceño.

Swain se encogió de hombros.

—Ya ha oído a la señorita. Abajo.

Le guiñó el ojo a Holly, enmascarando así su propio miedo, y ella le sonrió, tranquilizada por la naturaleza conspiratoria de ese gesto.

Continuaron su descenso por las escaleras.

La operadora de la centralita contempló el panel, incrédula.

¿Cuándo va a terminar esto?, pensó.

En el panel que tenía ante sí, dos filas de incesantes luces parpadeantes indicaban que había muchísimas llamadas telefónicas aguardando a ser respondidas.

Tomó aire y pulsó el botón parpadeante que ponía «9» y dijo:

—Buenas noches, está llamando al departamento de Atención al Cliente de Con Edison. Mi nombre es Sandy. ¿En qué puedo ayudarlo?

Sus auriculares repiquetearon con la voz metálica de otro neoyorquino contrariado. Cuando la conversación hubo concluido, marcó el código 401 en la consola de su ordenador.

Con esa eran ya catorce llamadas en la última hora, solo en su centralita. Todas provenían de la cuadrícula doscientos doce, del centro de Manhattan.

Un 401, un apagón eléctrico causado probablemente por un cortocircuito en la red de suministro. La operadora de la centralita miró las palabras de la pantalla de su ordenador: «Posible cortocircuito en la red». Electrónicamente hablando, desconocía lo que era un cortocircuito ni qué lo causaba. Pero sí que conocía todos los síntomas de los cortes y fallos eléctricos y, casi de la misma manera en que un médico identifica una enfermedad, lo que ella hacía era unir todos los síntomas para identificar el problema. Averiguar qué lo había causado era trabajo de otros.

Se encogió de hombros, se inclinó hacia delante y pulsó el siguiente cuadrado parpadeante, lista para afrontar la siguiente queja.

La planta inferior de la Biblioteca de Nueva York, el depósito, no dispone de baños, ni despachos, ni escritorios ni ordenadores. No, el depósito no contiene más que libros, montones y montones de libros.

Con más de ciento veinte kilómetros de librerías, la Biblioteca Pública de Nueva York es la mayor biblioteca de libros en préstamo del mundo. Si alguien busca un volumen concreto, se rellena un formulario y el personal de la biblioteca lo busca en el depósito o en los depósitos auxiliares de otras plantas, y posteriormente este es subido a la sala de lectura.

Por ello, el depósito hace las veces de poco más que un recinto para varios millones de libros.

Montones de libros. En montones de librerías. Y esas librerías están dispuestas en una enorme cuadrícula rectangular.

Largas filas de estanterías recorren el largo del suelo, mientras que pasillos horizontales transversales cortan esas filas en intervalos de seis metros, conformando un enorme laberinto de giros en ángulo recto, rincones ciegos y largos y rectos pasillos que se extienden hasta el infinito.

Un enorme laberinto, pensó el agente del Departamento de Policía de Nueva York Paul Hawkins mientras vagaba por el depósito. *Genial*.

Hawkins llevaba varios minutos merodeando por los polvorientos pasillos y hasta el momento no había encontrado nada.

Mierda, pensó mientras daba la vuelta para regresar a las escale...

Un leve ruido.

Lejos, a la derecha.

Hawkins se llevó la mano a su automática. Escuchó atentamente.

Ahí estaba otra vez.

Un sonido bajo, estridente.

No es de una respiración, pensó. No... era más como... como si algo se deslizara. Como una escoba barriendo lentamente un suelo de madera. Como si algo se deslizara por el polvoriento suelo del depósito.

Hawkins sacó la pistola y aguardó. Provenía sin duda de la derecha, de algún lugar entre el laberinto de librerías a su alrededor. Tragó saliva.

Había alguien allí.

Cogió la radio de su cinturón.

—¡Parker! —susurró—. ¡Parker! ¿Me recibes?

Sin respuesta.

Dios.

—Parker, ¿dónde estás?

Hawkins apagó la radio y volvió a mirar hacia las filas de estanterías que se sucedían ante sí. Frunció el ceño un instante.

A continuación alzó su arma y se aventuró al interior del laberinto.

Con el arma en ristre, Hawkins zigzagueó en silencio por entre las librerías, avanzando con rapidez, buscando el origen del sonido.

Se detuvo a los pies de una estantería llena de libros de tapa dura cubiertos de polvo. Contuvo la respiración un segundo. Esperó…

Allí.

Sus ojos se desviaron hacia la izquierda.

Otra vez. El ruido, como de alguien barriendo.

Era más fuerte, debía de estar acercándose.

Hawkins fue hacia la izquierda, luego a la derecha y giró de nuevo a la izquierda, con silencio y sigilo por entre los pasillos, deteniéndose cada pocos metros al final de una estantería. Resultaba de lo más desorientador, se dijo. Todos los pasillos parecían iguales a los que acababa de pasar.

Se detuvo de nuevo.

Escuchó.

Oyó de nuevo el leve barrido. Como una escoba sobre un suelo de madera polvoriento. Solo que más fuerte.

Estaba cerca.

Muy, muy cerca.

Hawkins recorrió a toda prisa un pasillo transversal hasta que de repente se encontró con un muro de librerías, un sólido muro de libros que parecía extenderse en la oscuridad a ambas direcciones.

¿Un muro?, pensó Hawkins. Debía de estar en el extremo de la planta, en uno de los lados más largos del enorme rectángulo.

El sonido se produjo de nuevo.

Solo que en esa ocasión provenía de… detrás de él.

Hawkins se volvió con el arma preparada.

¿Qué demonios? ¿Se ha dado la vuelta?

Con cautela, recorrió el pasillo de libros.

El pasillo se cerraba a su alrededor. El corredor perpendicular más cercano se bifurcaba a su derecha (no había nada salvo el ininterrumpido muro de librerías a su izquierda) a unos seis metros. Estaba oculto en las sombras.

El agente se acercó lentamente. Vio entonces el pasillo perpendicular.

Era diferente.

No era una «T», como el anterior. La forma era más parecida a una «L».

Hawkins frunció el ceño, y entonces cayó en la cuenta. Era una esquina. Una esquina de la sala. No había sido consciente de lo lejos que había llegado.

Escuchó.

Nada.

Llegó a la intersección en «L» y escuchó una vez más. Ningún sonido.

Fuera lo que fuera, se había ido.

Y entonces Hawkins empezó a pensar. Había seguido el sonido, cuyo origen era presumiblemente ajeno a su presencia. Pero sus últimos movimientos habían sido extraños.

Era como si se hubiera perdido y hubiera empezado a avanzar en círculos. *Círculos,* pensó Hawkins.

Nadie iría en círculos de manera consciente, ¿no? A menos que estuviera perdido o… *o a menos que supiera que alguien lo seguía.*

A Hawkins se le heló la sangre. Quienquiera que fuera, no se estaba limitando a avanzar en círculos.

Estaba volviendo sobre sus pasos. Sabía que estaba allí.

Hawkins se giró para mirar el alargado pasillo que tenía a sus espaldas, pegándose a la estantería de la esquina.

Nada.

—Maldita sea. —Podía sentir cómo se le formaban frías gotas de sudor en la frente—. ¡Maldita sea, mierda!

No podía creérselo. Había ido directo a una esquina. ¡A una maldita esquina! Tenía dos opciones: o seguir recto o a la izquierda. Mierda, pensó, al menos entre las librerías habría tenido cuatro opciones. Ahora estaba atrapado.

Y entonces, de repente, lo vio.

A su izquierda, avanzando lenta y cautelosamente hacia el pasillo.

A Hawkins casi se le salen los ojos de las órbitas.

—Hostia puta.

No se parecía a nada que hubiera visto antes.

Grande y alargado, pero pegado al suelo cual caimán, la criatura se asemejaba a un dinosaurio, con la piel como guijarros verdinegros, cuatro poderosas extremidades y una cola larga y gruesa a modo de contrapeso.

Tenía una cabeza de lo más extraña. Sin ojos y, aparentemente, sin boca. Su único rasgo distintivo: un par de antenas larguiruchas que sobresalían de su frente y que oscilaban rítmicamente de lado a lado.

Se hallaba a unos seis metros de distancia de Hawkins cuando este pudo ver el extremo de su cola. La cola en sí debía de medir cerca de dos metros y medio y se deslizaba por el suelo dibujando largos y lentos arcos, causando aquel sonido. Vio que la punta de la cola era afilada. Aquel animal debía de medir más de cuatro metros de largo.

Hawkins parpadeó. Durante un instante, tras la cola, le pareció vislumbrar a un hombre, un hombre pequeño, vestido todo de blanco…

Y entonces la cabeza de la criatura se elevó lentamente y los pliegues de su piel se retrajeron y revelaron unas fauces triples que se abrieron con un siseo flojo y letal. Tres filas de dientes terriblemente afilados y ensalivados aparecieron entonces.

—Madre de Dios. —Hawkins se quedó mirando a aquella cosa.

Esta avanzó.

Hacia él.

Una de las patas delanteras del animal atrajo su atención. Una luz verde brillaba en una gruesa banda gris que llevaba en la extremidad delantera izquierda.

En esos momentos estaba cerca, con las fauces abiertas, salivando sin cesar, manchando el suelo. Los ojos de Hawkins estaban fijos en las oscilantes antenas de su cabeza, que se movían de lado a lado como un par de metrónomos.

Estaba a menos de un metro de él…

Medio metro…

Hawkins se preparó para echar a correr pero, por alguna aterradora razón, sus piernas no le respondieron. Intentó levantar el arma, pero fue incapaz. Era como si cada músculo de su cuerpo se hubiera vuelto de repente inane. Observó impotente cómo la pistola se le resbalaba de la mano y caía sonoramente al suelo.

Las antenas seguían oscilando.

Treinta centímetros…

Hawkins sudaba profusamente y respiraba de manera entrecortada. No podía apartar los ojos de las antenas. Parecían moverse en perfecta sincronía, trazando suaves e hipnóticos círculos…

Observó, completamente indefenso, que la siniestra cabeza de la criatura subía lentamente hasta su rodilla.

Ohmierda. Ohmierda. Ohmierda.

Y entonces, de repente, de manera totalmente inesperada, cual cobra desenrollándose desde el suelo, la afilada cola de dos metros y medio se elevó y se balanceó hacia delante, por encima de su bajo cuerpo de reptil, de manera que en esos momentos apuntaba hacia delante, dibujando un arco como el aguijón del escorpión, apuntando con el extremo al puente de la nariz de Paul Hawkins.

Hawkins lo vio venir y su miedo alcanzó la cota máxima. Quería con todas sus fuerzas cerrar los ojos para no ver lo que iba a ocurrir, pero ni siquiera podía hacer eso…

—¡Eh!

La criatura movió la cabeza a la izquierda.

Y entonces el trance hipnótico se rompió y Hawkins pudo volver a moverse. Levantó la vista y vio… A un hombre.

Un hombre, a poca distancia de él en el pasillo. Hawkins ni siquiera lo había visto aproximarse. Ni siquiera lo había oído. Observó a aquel hombre. Llevaba el pelo engominado y vestía vaqueros y zapatillas y una camisa blanca que le colgaba por fuera de la cintura de los pantalones.

El hombre habló a Hawkins.

—Ven aquí. Ahora.

El agente miró con recelo a la enorme criatura que tenía a sus pies. Esta le estaba ignorando por completo mientras observaba totalmente inmóvil al hombre en vaqueros.

Si tuviera ojos, pensó Hawkins, estaría sin duda mirándolo. Un rugido leve surgió amenazante de su garganta.

Hawkins miró dubitativo al hombre. Este seguía mirándolo fijamente.

—Vamos —dijo con calma, sin apartar la vista—. Deja ahí el arma y camina lentamente hacia mí.

Hawkins, vacilante, dio un paso al frente.

La criatura que tenía pegada a las rodillas no se movió. Seguía pendiente del hombre de los vaqueros.

El hombre empujó a Hawkins tras de sí y lentamente empezó a retroceder, alejándose de aquella cosa.

Hawkins contempló el pasillo que tenían a sus espaldas y vio dos formas a unos doce metros: una figura pequeña de blanco y la otra, igualmente pequeña, que parecía… entrecerró los ojos… ¡una niña!

—Muévete —dijo Swain mientras empujaba a Hawkins al pasillo, de espaldas a él.

Swain estaba mirando hacia arriba, a las estanterías, lejos de las oscilantes antenas de la criatura, observándolas tan solo de reojo.

Los dos hombres retrocedieron lentamente por el pasillo para alejarse de la criatura.

Y entonces de repente, aquel ser comenzó a seguirlos, doblando la esquina como un cangrejo, a pesar de su tamaño. A continuación se detuvo.

Swain empujó a Hawkins.

—Sigue avanzando. Sigue avanzando.

—¿Qué demonios…?

—Tú sigue avanzando.

Swain estaba caminando hacia atrás, de frente a la criatura. Esta volvió a avanzar, deslizándose otros tres metros hasta pararse de nuevo, muy cerca de Hawkins y él.

Está siendo cauta, pensó.

Y entonces atacó.

—¡Oh, mierda!

El enorme animal rebotó contra los estrechos extremos del pasillo.

Desesperado, Swain buscó algún lugar por el que echar a correr, pero estaba aún a tres metros del pasillo transversal más cercano al entramado de librerías.

¡No tenía adónde ir!

Swain se preparó cuando el suelo bajo sus pies comenzó a temblar bajo el peso de la criatura que se acercaba veloz a ellos. *Dios, debe de pesar doscientos kilos.*

Hawkins se volvió. Lo vio por encima del hombro de Swain.

—¡Santo Dios!

Swain se quedó allí quieto, con las piernas extendidas, ocupando todo el pasillo.

La criatura seguía avanzando. No iba a detenerse.

—¡No va a parar! —gritó Hawkins.

—¡Tiene que hacerlo! —gritó Swain—. ¡Tiene que parar!

La criatura siguió avanzando a trompicones, acercándose a Swain cual tren de carga fuera de control hasta que, de repente, a apenas un metro de él, se apoyó sobre sus patas traseras y se aferró a las estanterías a ambos lados del pasillo con las garras de sus extremidades delanteras, parándose en seco.

Las fauces triples se detuvieron a escasos centímetros del rostro impertérrito de Swain.

La criatura siseó con fiereza, retándolo. La saliva goteó hasta el suelo, justo delante de sus zapatillas.

Swain apartó la mirada y la posó en una librería cercana, lejos de las antenas oscilantes del animal. La horripilante criatura, erguida sobre sus extremidades traseras, se cernía sobre él inquietantemente, cual aparición demoníaca.

Swain reprobó con el dedo índice al furioso animal.

—Ah-ah-ah. Nada de tocar.

Y empezó a caminar hacia atrás de nuevo, empujando a Hawkins.

Hawkins avanzó dando tumbos por el pasillo, volviendo la vista atrás cada pocos segundos. En esa ocasión la criatura no los siguió, al menos no inmediatamente.

Llegaron al lugar donde estaban el hombrecillo y la niña, y se hallaban ya a casi diez metros de la criatura cuando esta comenzó a avanzar hacia ellos de nuevo.

El hombrecillo dijo:

—¡Secuenciando! ¡Está secuenciando!

El hombre de la camisa holgada y vaqueros miró a Hawkins, con su uniforme pulcramente planchado.

—No tenemos tiempo para charlas ahora, pero mi nombre es Stephen Swain y en estos momentos estamos metidos en un buen lío. ¿Listo para correr?

Hawkins respondió sin pensárselo.

—Sí.

Swain miró de nuevo hacia el pasillo, a la criatura que se asemejaba a un dinosaurio. Seis metros. Cogió a Holly.

—¿Sabes cómo volver a la escalera principal?

El joven policía asintió.

—Creo que sí.

—Entonces encabeza la marcha. Hazlo en zigzag. Iremos detrás de ti. —Se volvió al resto—. ¿Preparados? —Asintieron—. Entonces vamos.

Hawkins echó a correr y los demás lo siguieron de cerca.

La criatura se lanzó a correr tras ellos.

Swain cerraba la marcha con Holly en brazos. Podía oír cómo resonaba el suelo a sus espaldas por el peso de la criatura.

Las escaleras. Las escaleras. Hay que llegar a las escaleras.

Izquierda, derecha, izquierda, derecha.

Vio al policía corriendo primero y, finalmente, tras él, el corredor con el precinto policial que cortaba su pasillo más adelante. El que llevaba de vuelta al bloque de la escalera.

—¡Papá! ¡Nos está alcanzando! —gritó Holly.

Swain miró hacia atrás.

La criatura estaba cercándolos, una monstruosidad verdinegra que galopaba entre los estantes con sus salivosas fauces abiertas de par en par.

Swain no estaba preocupado por él. Selexin estaba en lo cierto. Fuera lo que fuera, se trataba de otro contendiente, y no podía tocarlo. No aún. No hasta que la pantalla del reloj mostrara el «7».

Pero si coge a Holly…

Vio que el policía rodeaba la caja de la escalera y, a continuación, Selexin. Swain dobló el bloque de cemento en último lugar, con la respiración entrecortada.

¡La puerta de la caja de la escalera!

Advirtió que Selexin se metía dentro y a continuación el policía apareció en la entrada con la mano extendida.

—¡Vamos! —estaba gritando.

Swain oyó que la criatura bordeaba la esquina tras él.

Siguió corriendo con Holly pegada contra su pecho. Respiraba con dificultad. Le daba la sensación de que estaba corriendo demasiado despacio. Podía oír los gruñidos desdeñosos de la criatura tras él, muy cerca. En cualquier momento lo tendría encima para arrancarle a su hija (la única familia que le quedaba) de sus brazos…

—¡Vamos! —gritó Hawkins de nuevo.

Tras él, Swain oyó la cola de la criatura golpear contra una estantería y el estrépito de libros al caer al suelo. Entonces, de repente, llegó a la puerta y a los brazos extendidos de Hawkins. Este lo agarró de la mano y tiró de él y de Holly al interior de la caja de la escalera en el mismo momento en que Selexin cerraba de golpe la puerta tras ellos.

Selexin, sin respiración, se volvió, excitado.

—Lo hemos logrado…

¡Bang!

La puerta a sus espaldas se estremeció violentamente.

Swain se levantó del suelo, todavía falto de aire.

—Vamos.

Ya habían subido una planta por las escaleras cuando oyeron que la puerta del depósito se abría con un sonoro crac.

Swain frunció el ceño. No se había percatado de la llegada de los dos últimos contendientes. Ahora no habría manera de saber cuándo el siguiente y último contendiente iba a entrar en la biblioteca.

Ni cuándo comenzaría el Presidian.

El grupo había dejado la caja de las escaleras y en esos momentos estaban ocultos en un despacho de la planta -1, una planta parcialmente subterránea que la mayor parte de los días estaba abierta al exterior gracias a un acceso lateral por la calle Cuarenta y Dos. Al igual que el resto de despachos a su alrededor, este estaba dividido por paneles (de madera hasta media altura y el resto de cristal). Todos tenían cuidado de permanecer agachados por debajo del cristal.

Swain había encontrado un plano esquemático de la biblioteca en la pared de la caja de la escalera y lo había arrancado. En esos momentos estaba estudiándolo mientras Selexin, sentado tras el escritorio, informaba en voz baja de la situación a Hawkins. Holly estaba sentada en el suelo, acurrucada junto a Swain, abrazándolo con fuerza, chupándose el pulgar. Todavía seguía algo conmocionada por el encuentro con la criatura en la planta inferior.

El mapa mostraba un corte transversal de la biblioteca. Cinco plantas (tres superiores y dos subterráneas), cada una de un color distinto. Los dos subniveles por debajo de la planta baja eran de color gris y tenían la etiqueta «Prohibido el acceso al público». Las otras eran de colores brillantes:

> Tercera planta – Sala principal de lectura
> Sala Edna Barnes Salomon
> Segunda planta – Departamento Oriental, Eslavo
> y Báltico
> Primera planta – Acceso Quinta Avenida.
> Vestíbulo Astor, Guardarropa,
> Exposiciones, Tienda

Planta baja –   Salón de actos / Convenciones
                   Acceso calle Cuarenta y Dos.
                   Despachos

Swain recordó la enorme sala de lectura de la planta superior con sus incontables escritorios. Intentó memorizar el resto. Los recuadros azules con muñecos de palitos de un hombre y una mujer indicaban los aseos de cada planta. Otro recuadro azul, con el dibujo de un coche, ocupaba la mitad de la planta -1. El aparcamiento.

Miró de nuevo su pulsera.

INCOMPLETO—6

Aún seis. Bien.

Miró a Selexin y al policía y negó con la cabeza, todavía sorprendido.

Ese joven policía tenía suerte de seguir con vida. Había sido pura casualidad lo que había llevado a Swain a su rescate: cuando Holly, Selexin y él descendían por las escaleras, habían visto una sombra alargada extenderse en el rellano inmediatamente inferior.

Habían observado parapetados tras la oscuridad cuando la criatura (Selexin había dicho que su nombre era Reese) había aparecido lentamente en su campo de visión, acompañada por su guía. Esta se había detenido en el rellano y a Swain le había dado la sensación de que había examinado el suelo con su morro de dinosaurio para, a continuación, escudriñar la parte inferior de la escalera.

Entonces había empezado a deslizarse rápidamente por las escaleras.

Algo había llamado su atención.

La curiosidad había hecho que la siguieran al depósito y desde allí habían observado cómo se desplazaba por entre las librerías durante varios minutos, acechando a algo, engañándolo. Solo en el último momento Swain se había aventurado a acceder al pasillo más alejado y había visto entonces a la presa de Reese: un policía solo, atrapado en el rincón.

Se había puesto en marcha al momento, si bien se había detenido un instante para oír un consejo de última hora de Selexin: evite todo contacto visual con las antenas de Reese.

Y así habían conocido a Hawkins.

Swain se volvió hacia Selexin.

—Hábleme más de Reese.

—¿Reese? —dijo Selexin—. Bueno, para empezar, Reese es, en términos humanos, hembra. Su cola acaba en una punta afilada, cual lanza. Los machos de su especie solo poseen colas romas. Eso se debe a que, en sus clanes, la hembra es la cazadora, y su arma principal es su cola apuntada.

»¿No vio cuando Reese se acercaba a su nuevo amigo —Selexin asintió hacia Hawkins— que la cola dibujaba un amplio arco por encima de su cuerpo, apuntando hacia delante? ¿Y que Hawkins no podía moverse?

»Por eso le dije que no mirara las antenas. Cualquier contacto prolongado con ellas le provocará una parálisis inmediata. Como hizo con él. —Selexin miró a Hawkins—. Es su forma de cazar. Si mira sus antenas durante demasiado tiempo, sufrirá una parálisis hipnótica y, ¡bang!, antes de que lo sepa, ella lo atacará con la cola. Le atravesará el cerebro.

El hombrecillo sonrió.

—Yo diría que se parece bastante a las hembras de su especie, agresivas e instintivas, ¿no creen?

—Oye —dijo Holly.

Swain hizo caso omiso de su observación.

—Hábleme más de sus métodos de caza. De cómo se acerca a su presa.

Selexin tomó aire.

—Bueno, como sin duda habrán notado, Reese carece de ojos. Por el simple motivo de que no los necesita. Proviene de un planeta rodeado de gases inertes y opacos. La luz no puede penetrar en su atmósfera y los gases inertes la aislan cualquier cambio químico. Su raza se ha adaptado con el tiempo a utilizar y potenciar sus otros sentidos: una agudeza auditiva mejorada, ampollas sensoriales para detectar el ritmo cardiaco acelerado de presas heridas o atemorizadas y, sobre todo, un mecanismo de detección de olores muy desarrollado. Yo diría de hecho que el olfato es su instrumento de caza más desarrollado.

—Aguarde un momento —dijo Swain, alarmado—. ¿Puede olernos?

—No ahora. El olfato de Reese tiene un alcance limitado. No más allá de, digamos, unos sesenta centímetros.

Swain suspiró aliviado. Hawkins también.

—Pero dentro de ese radio —prosiguió Selexin—, su sentido del olfato es increíblemente agudo.

—¿Qué quiere decir?

—Quiero decir —dijo Selexin—, que ella lo detectó —señaló a Hawkins— por su olor.

—Pero pensaba que había dicho que no tenía mucho alcance. ¿Cómo ha podido…?

Swain dejó de hablar cuando vio que Selexin lo miraba con gesto de «¿Ha acabado ya?».

—Sí, eso es correcto —dijo Selexin—, en cierto modo. Verá, Reese no lo olió. Lo que olió fue el rastro que dejó tras de sí. ¿Recuerda cuando vimos por primera vez a Reese en la escalera? Se agachó y olisqueó el suelo.

Swain frunció el ceño.

—Sí…

—Pisadas —dijo el hombrecillo—, un rastro bastante nuevo. Con un rastro reciente como ese, Reese no necesita oler nada más allá de un radio de sesenta centímetros, porque puede seguir el olor del rastro en sí.

—Oh —dijo Swain.

Y entonces cayó en la cuenta.

—¡Oh, mierda!

Se asomó por el cristal…

… Y se encontró de frente con unas amenazantes triples mandíbulas (abiertas, salivosas) pegadas al otro lado, a escasos centímetros de distancia.

Swain cayó hacia atrás y se alejó a trompicones del cristal.

Hawkins, boquiabierto, se puso en pie de un brinco.

Reese golpeó el cristal, dejándolo lleno de saliva.

—¡No hay que mirarle a las antenas! —gritó Swain mientras cogía en brazos a Holly. Reese golpeó de nuevo el cristal divisorio con fuerza y todo el despacho se estremeció—. ¡A la puerta!

Había dos puertas de cristal en aquel despacho de forma cuadrada: una que daba al sur y la otra al norte. Reese estaba golpeando la pared norte del despacho.

Swain corrió a la otra puerta, la abrió y entró al siguiente despacho. Selexin y Hawkins entraron tras él.

Con Holly en brazos, bordeó el escritorio situado en el centro del despacho y abrió la siguiente puerta.

—¡Cerrad las puertas al pasar! —gritó.

—¡Ya lo estoy haciendo! —le respondió Hawkins.

Y entonces, a sus espaldas, oyeron un estrépito, el ruido del cristal al romperse.

Swain siguió corriendo. Rebasando escritorios, atravesando puertas, esquivando archivadores, tirando papeles. Entonces llegó al último despacho y salió a un vestíbulo con el suelo de mármol. A la derecha estaban los ascensores y la caja de la escalera principal. A la izquierda, más cerca de él, había una pesada puerta azul empotrada en una pared de hormigón sólida en la que podía leerse: «Al aparcamiento».

Hawkins estaba gritando:

—¡Ya viene! ¡Y parece muy cabreada!

Tras Hawkins, Swain no veía más que despachos divididos por paredes de cristal.

Y entonces la vio. Vio la larga y apuntada cola por encima del panel de madera. Estaba chocando contra todo lo que se interpusiera en su camino, como un enorme tiburón blanco surcando las aguas, lanzando escritorios, archivadores y sillas giratorias por los aires.

Estaba dos despachos por detrás e iba directa a ellos.

Veloz.

Acercándose.

Swain miró de nuevo la puerta azul. Parecía resistente y poseía un mecanismo hidráulico de apertura. Podía proporcionarles algo de tiempo.

Hay que hacer algo, y ya...

Con Holly aún en brazos, Swain corrió hacia la puerta hidráulica y la abrió. Cruzó el umbral y tiró de Selexin hacia al interior mientras aguardaban a Hawkins. Este estaba corriendo con todas sus fuerzas. Atravesó el último despacho acristalado.

Cruzó la puerta, rebasando a Swain, y este cerró la enorme puerta hidráulica tras de sí. La puerta se cerró con un ruido sordo.

Swain se dio la vuelta y observó lo que tenía ante sus ojos.

Un aparcamiento subterráneo.

Parecía nuevo. Muy nuevo, en realidad. Suelo de hormigón recién asfaltado, las marcas del suelo pintadas de blanco y cepos de un amarillo brillante, además de luces fluorescentes de un blanco límpido. Era todo un contraste con la vieja y polvorienta biblioteca que habían visto hasta el momento.

Swain escudriñó el aparcamiento.

No había coches.

Mierda.

Había una rampa de bajada en mitad del espacio vacío, a menos de veinte metros de ellos, y una rampa de salida que subía a la calle en el extremo más alejado.

Se oyó un ruido fuerte, fortuito, tras ellos.

Swain se volvió.

Reese estaba golpeando el otro lado de la puerta.

Condujo rápidamente a los demás por la rampa de bajada. Era ancha, lo suficiente como para que pasaran dos coches. Habían llegado a la parte superior cuando oyó un siseo tras ellos.

Se giró lentamente.

Reese estaba en la entrada del aparcamiento con su guía posicionado silenciosamente tras ella.

Swain tragó saliva…

Y entonces, de repente, oyó otro sonido.

Clop…

Clop…

Clop…

Pisadas. Pisadas lentas. Resonando con fuerza en el aparcamiento vacío.

Swain, Holly, Selexin y Hawkins se volvieron al unísono y lo vieron.

Estaba subiendo la rampa de bajada.

Caminaba con resolución, despacio, un hombre barbudo de metro ochenta, vestido con una cazadora ancha de piel de animal, pantalones oscuros y botas negras hasta la rodilla que resonaban con fuerza en la rampa de hormigón.

Y, tras él, otro guía, vestido completamente de blanco.

Cuando el hombre de barba subió la rampa y se detuvo, Swain empujó instintivamente a Holly tras él.

Al ver al nuevo contendiente, Reese pareció visiblemente agitada. Siseó más fuerte incluso.

Todos enmudecieron, los tres grupos formando un precario y silencioso triángulo.

Fue entonces cuando Swain echó un vistazo a la pulsera. En esos momentos ponía:

INICIALIZADO—7

Siete.

Swain alzó lentamente la vista.

El Presidian había comenzado.

Tercer movimiento
Domingo, 1 de diciembre, 6:39 p. m.

El aparcamiento estaba en el más completo de los silencios.

En la distancia se oía el zumbido del tráfico de Nueva York, el claxon de los coches. Los sonidos del mundo exterior, del mundo normal.

Selexin se acercó a Swain.

—Siga mirando hacia delante —dijo mientras observaba fijamente al hombre alto y barbudo que tenían ante sí—. Su nombre es Balthazar. El criseano. Es experto en el manejo de hojas pequeñas: cuchillos, estiletes, ese tipo de armas. Tecnológicamente hablando, los criseanos no están muy desarrollados, pero con su destreza a la hora de cazar no necesitan tecn…

Selexin calló.

El hombre barbudo estaba mirándolos. Mirando a Swain.

El doctor le mantuvo la mirada.

Justo entonces el criseano se giró ligeramente y mostró algo que colgaba de su cintura. Algo que relucía con la cruda luz eléctrica del aparcamiento.

Una hoja.

Una hoja curvada y de aspecto inquietante. Un alfanje extraterrestre.

Swain alzó la mirada. Del hombro de Balthazar pendía un tahalí de gruesa piel que se unía al cinturón. Sujetas al cinto de cuero había varias vainas y fundas. Y, en estas, todo tipo de letales cuchillos arrojadizos.

—¿Los ve? —le susurró Selexin.

—Los veo.

—Los criseanos —dijo respetuosamente Selexin—. Un impresionante manejo de los cuchillos. También son rápidos. Veloces. Aparte la mirada de él un segundo y, antes de que se dé cuenta, tendrá un cuchillo alojado en el corazón.

Swain no respondió. Selexin se volvió hacia él.

—Lo siento —susurró—. No debí decirlo.

—Papá… —dijo Holly—. ¿Qué está pasando?

—Solo estamos esperando, cielo.

Con un ojo puesto en Balthazar, Swain escudriñó el aparcamiento en busca de…

… algo… una salida…

Allí.

En la esquina más alejada del aparcamiento había dos montacargas que el personal empleaba para cargar y descargar cientos de libros a la vez.

Swain puso a Holly en los brazos de Hawkins al mismo tiempo que le sacaba la linterna del cinturón al agente.

—Pase lo que pase aquí —dijo Swain—, quiero que corras todo lo que puedas hasta esos ascensores de ahí, ¿de acuerdo?

—De acuerdo.

—Una vez estés dentro de uno de ellos y con las puertas cerradas, deja que el ascensor suba y cuando esté a medio camino de la planta siguiente pulsa el botón de emergencia, ¿vale?

Hawkins asintió.

—Deberíais estar a salvo allí —dijo Swain mientras giraba la linterna en su mano—. No creo que sepan todavía cómo usar los ascensores.

A su lado, Selexin seguía observando con recelo a los otros dos contendientes.

—¿Qué ocurre ahora? —le preguntó Swain.

En un primer momento no respondió. El hombrecillo se limitó a mirar fijamente el aparcamiento vacío. Y entonces, sin girar la cabeza, Selexin dijo:

—Cualquier cosa.

Reese movió ficha primero. Fue hacia Swain con fuertes y resonantes pisadas.

El doctor sintió cómo la adrenalina le recorría todo el cuerpo. Tragó saliva y apretó con fuerza la linterna.

Reese siguió acercándose.

Dios, pensó Swain, *¿cómo se lucha contra una cosa así?*

Se preparó para echar a correr, pero de repente Selexin lo agarró del brazo.

—No —susurró—. Aún no.

—¿Qué? —Swain observó cómo Reese cargaba contra él.

—Confíe en mí. —La voz de Selexin sonó fría como el hielo.

Reese avanzaba casi a saltos hacia ellos. Swain quería correr con todas sus fuerzas. Por el rabillo del ojo vio que Balthazar desenvainaba lentamente un par de cuchillos…

Y entonces Reese se volvió.

Brusca e inesperadamente. Se alejó de Swain y del grupo.

Y fue a por Balthazar.

—¡Ja! Tenía que hacerlo —susurró con orgullo Selexin—. Lo sabía. El típico comportamiento del cazador…

Entonces, de repente, con un movimiento borroso, Swain vio que el brazo derecho de Balthazar lanzaba algo a gran velocidad y dos destellos plateados salieron de su mano, cortando el aire.

Un ruido sordo.

Un reluciente cuchillo de acero se incrustó en la columna de hormigón entre Swain y Hawkins, fallando por centímetros.

El segundo cuchillo de aspecto futurista iba para Reese, pero esta, a diferencia de Swain, sí lo estaba esperando. Rodó a la derecha cuando detectó que la hoja voladora se acercaba a ella y, ¡crac!, el cuchillo arrojadizo, que volaba en dirección descendente, se clavó en el suelo del aparcamiento, agrietando el flamante asfalto, quedándose prácticamente recto, si bien temblando.

Selexin seguía alabando su decisión táctica.

—Se lo dije. Clásico comportamiento de los cazadores. Hay que encargarse primero de la presa más peligrosa, pillarla con la guardia bajada…

—Mejor me lo cuenta luego —dijo Swain mientras veía por encima de su hombro a Reese que, chillando de manera estridente, se abalanzaba sobre Balthazar, arrojándolo de espaldas.

Swain empujó a Hawkins hacia la zona de ascensores.

—¡Vamos!

Hawkins echó a correr, con Holly pegada a su pecho, directo hacia su objetivo.

Swain estaba a punto de seguirlos cuando se volvió para mirar una última vez a la batalla que estaba teniendo lugar a su espalda.

Reese tenía a Balthazar inmovilizado en el suelo, apresándole las manos bajo sus poderosas extremidades delanteras. Balthazar forcejeaba desesperadamente para intentar llegar a su alfanje, que yacía en el suelo a centímetros de él.

Pero el peso era demasiado.

Las fauces de Reese salivaban profusamente, saliva que goteaba sin cesar sobre la cara de Balthazar. Y entonces Reese empezó a desgarrarlo con sus patas, latigazos terribles que le arrancaron trozos enteros de carne del pecho.

Era asqueroso, pensó Swain. Asqueroso, violento y brutal.

Contempló horrorizado cómo Balthazar sacudía la cabeza de lado a lado, gritando de dolor mientras intentaba evitar el contacto visual con las antenas oscilantes de Reese, luchando por alejar su cabeza de la cegadora saliva de la criatura, mientras al mismo tiempo intentaba esquivar sus salvajes ataques. Era la desesperación pura y dura de un hombre luchando por su vida.

Y Stephen Swain sintió ira. Indignación y furia por aquella escena que estaba ocurriendo ante sus ojos.

Se volvió rápidamente y vio que Hawkins y Holly habían alcanzado los ascensores. Hawkins pulsó a toda prisa el botón de subida de la pared. Ninguno de los dos ascensores se abrió al momento. Estaban moviéndose.

Estarían a salvo.

Swain se volvió para contemplar la pelea mientras la ira crecía en su interior. Balthazar seguía forcejeando, moviendo la cabeza de un lado a otro, sus gritos de dolor ahogados por la saliva que caía a su boca agonizante. Reese seguía encima de él, desgarrándolo, chirriando de manera estridente.

Y entonces Swain vio que la cola se levantaba, lenta y silenciosamente, tras ella, como un enorme escorpión, fuera del campo de visión de Balthazar.

Y, al ver eso, Swain supo lo que tenía que hacer.

Corrió.

Directo a ellos.

La cola de Reese estaba arqueándose en esos momentos por encima de su cabeza… lista para atacar… y entonces el hombre barbudo también lo vio y empezó a gritar…

Swain golpeó a Reese con la linterna de Hawkins, liberando a Balthazar, mandando a los tres al suelo de hormigón asfaltado.

Reese cayó de espaldas y Swain acabó encima. La criatura emitió un ensordecedor chirrido cuando su cuerpo se revolvió en el hormigón, corcoveando y pataleando, intentando desesperadamente zafarse de Swain.

Le resbaló la mano y de repente estaba por los aires y todo lo que podía ver era un caleidoscopio de paredes grises, luces fluorescentes blancas y pavimento de hormigón. Se golpeó contra el suelo, el pecho primero, y rodó hasta ponerse boca arriba…

… Momento en el que vio la cola afilada de Reese acercándose a su cara.

Swain movió la cabeza a la izquierda y la cola impactó en el hormigón con un fuerte ruido sordo.

Swain echó un vistazo rápido al lugar donde instantes antes había estado su cabeza. Trozos sueltos de cemento rodeaban un pequeño cráter del tamaño de una pelota de tenis en el suelo.

Santo Dios.

Swain seguía rodando a gran velocidad por el suelo. Reese avanzaba cual cangrejo hacia él, moviéndose con la misma rapidez y atacándolo con la cola como si de un martinete se tratara.

En nanosegundos, Swain intentó ponderar sus opciones. No podía correr. No podría levantarse a tiempo. Y tampoco podía luchar contra Reese. Por todos los demonios, si un guerrero como Balthazar no podía batirla, ¿cómo iba a hacerlo él?

No, tenía que encontrar un modo de salir de ahí. Pero, para eso, tenía que hacer algo y ganar el tiempo suficiente como para poder ponerse a cubierto.

Así que hizo lo único que se le ocurrió.

Con toda la fuerza que fue capaz de reunir, blandió la linterna de Hawkins y, como si fuese un jugador de béisbol, golpeó la cola de Reese, en esos momentos en el suelo.

Apuntó a la punta, a la parte más fina.

La linterna impactó en su objetivo, con fuerza, golpeando la punta afilada de la cola.

Se oyó el chasquido aterrador de los huesos al romperse cuando la cola se dobló y Reese, con un grito de dolor, se alejó de Swain.

Que aprovechó la oportunidad.

Se puso en pie y miró hacia los dos montacargas. Las puertas del ascensor de la izquierda se estaban abriendo y Hawkins, con su hija en brazos, estaba entrando en él, mirando a Swain todo el tiempo, sin saber muy bien qué hacer.

—¡Entra, entra! —gritó Swain—. ¡Os alcanzaré!

Hawkins se metió, agazapado, en el ascensor, y pulsó un botón. Las puertas del ascensor se cerraron. Swain se giró de nuevo.

Reese había retrocedido varios pasos, consumida de dolor por la cola rota. Balthazar estaba poniéndose con dificultad en pie, con la cabeza gacha, mientras intentaba quitarse la saliva de los ojos.

Swain fue junto a Balthazar. Los ojos del hombre seguían cubiertos de saliva viscosa, y la piel visible de su torso estaba hecha jirones y empapada en densa sangre. La expresión de su cara era de extremo dolor.

Swain lo agarró del brazo y simplemente dijo:

—Ven conmigo.

Este no habló, tan solo dejó que Swain lo cogiera del brazo y lo moviera de allí. Swain se pasó el enorme brazo de Balthazar por encima de su hombro y lo ayudó a andar hasta los ascensores.

Selexin siguió allí, inmóvil, mirando a Swain atónito.

—¿Viene? —le preguntó Swain cuando pasó a su lado con Balthazar a rastras.

Estupefacto, Selexin miró a Swain y luego al guía de Balthazar, que se limitó a encogerse de hombros, como si no entendiera nada. A continua-

107

ción miró a Reese y finalmente a los ascensores. Entonces echó a correr tras Swain.

Este pulsó el botón de subida al vuelo. Seguía llevando a Balthazar a cuestas. El guía de este iba justo detrás. Swain se volvió y vio que Reese estaba golpeándose la cola contra el suelo de hormigón. Tras dos golpes llegó un tercero, al que le siguió un terrible crujido.

Reese rugió de dolor y Swain supo lo que había pasado. Se había colocado el hueso. Una vez el dolor hubiera amainado, se pondría de nuevo en marcha…

Reese empezó a avanzar. Hacia el ascensor.

Swain apretó de nuevo el botón de subida.

—¡Vamos! ¡Vamos!

La criatura se movía de izquierda a derecha como un cangrejo por el enorme suelo del aparcamiento. Se estaba acercando…

Se detuvo a poco más de diez metros de los ascensores.

Swain se fijó en que en esa ocasión su cola no se movía amenazante. Yacía inerte en el suelo, inmóvil.

Reese siseó suavemente en el silencio del aparcamiento con sus antenas oscilando hipnóticamente sobre su cabeza. Swain la miró, ensimismado.

Selexin tiró de él con fuerza.

—¡No mire las antenas!

Swain parpadeó y volvió en sí. Ni siquiera recordaba haberlas mirado.

Oyó un bing a sus espaldas y se volvió. Las puertas del segundo ascensor estaban abriéndose.

—¡Todo el mundo adentro! —dijo, volviendo de repente a la vida. Metió a Balthazar en el ascensor. Una vez dentro, pulsó el «1» y a continuación «Cerrar puertas».

No pasó nada.

Swain se asomó y vio que Reese se acercaba a los ascensores.

Pulsó una y otra vez el botón del cierre de puertas.

Las puertas seguían abiertas.

Reese se aproximaba.

De repente se oyó un clic y las puertas del ascensor comenzaron a cerrarse lentamente.

Reese seguía acercándose.

Las puertas iban cerrándose en una lenta agonía.

Reese saltó…

Y las puertas se cerraron.

El ascensor empezó a subir.

Swain suspiró aliviado.

Y entonces, valiéndose de su peso, Reese golpeó las puertas exteriores con toda su fuerza. Estas se abollaron hacia dentro, se separaron, e hizo que el ascensor se moviera y frenara en seco su ascenso con un sonoro y chirriante bandazo.

A poco más de medio metro de la planta.

El ascensor se desplazó. Selexin se agarró a la pierna de Swain para no perder el equilibrio. Balthazar estaba sentado en la esquina posterior, cabizbajo y con el cuerpo inerte, balanceándose con el movimiento del ascensor.

Swain recuperó el equilibrio y vio las puertas que, combadas hacia dentro, formaban un agujero de treinta centímetros de ancho en el centro.

Demasiado estrecho, pensó. *No puede entrar.*

Reese golpeó de nuevo las puertas.

El ascensor se estremeció. El hueco se hizo más grande.

Swain pulsó el «1» del panel, pero el ascensor no se movió. La abolladura interior de las puertas no permitía que estas se cerraran, y la cabina no iniciaría su recorrido hasta que lo estuvieran.

En esos momentos el morro y las antenas de Reese habían superado las puertas del ascensor. Estaba chascando sus fauces, llenando todo de saliva, intentando enérgicamente abrir las puertas. Sus antenas cortaban el aire como látigos gemelos.

Swain agarró con fuerza la linterna de Hawkins y se acercó hacia ella. De repente Reese se precipitó hacia delante, sacudiendo el ascensor. Swain cayó de espaldas y resbaló por el suelo húmedo. La linterna salió despedida a un rincón de la cabina. Levantó la vista y vio que Reese se abalanzaba feroz a sus pies, moviendo frenéticamente las fauces, contenida por las puertas. Vio su mandíbula salivosa, las tres filas de dientes a escasos centímetros de sus pies. A punto de…

Swain se limpió los ojos, tomó aire y pensó en ese instante, *no me puedo creer que vaya a hacer esto.* A continuación soltó una patada y la suela de su zapatilla aterrizó en los dientes delanteros de Reese, rompiéndole tres al instante.

Esta retrocedió y chilló de manera estridente al caer al suelo. Swain soltó otra patada, esta vez a las puertas, en un vano intento por enderezar las abolladuras internas. Dio tres buenos golpes, pero apenas si se notó. Las puertas eran muy resistentes.

Y entonces, de repente, una enorme bota de cuero golpeó las maltrechas puertas y las abolladuras se enderezaron considerablemente.

¡Balthazar!

Se había deslizado hasta donde yacía Swain y, a pesar de sus heridas, había soltado una poderosa patada a las puertas.

Dos patadas más y las abolladuras desaparecieron y las puertas se cerraron sin problema. Balthazar se desplomó en el suelo, exhausto, y el ascensor subió y, por fin, se hizo el silencio.

—Cuadrícula doscientos doce —leyó el ayudante de la tabla sujetapapeles.
—La zona delimitada entre las calles Cuarenta y Dos y Treinta y Cuatro. Poder adquisitivo alto. Una zona comercial estándar; Macy está allí, además de un par de edificios del Registro Nacional, y algunos parques. Nada especial.

Robert K. Charlton se recostó en su silla.

—Nada especial —dijo—. Nada especial, salvo por el hecho de que en las últimas dos horas hemos tenido más de ciento ochenta quejas en una zona de la que rara vez recibimos una.

Le pasó a su ayudante una hoja que tenía sobre el escritorio.

—Echa un vistazo. Es de la centralita. Una de las chicas ha recibido, ¿cuántas lleva ya? Cincuenta y uno, no, cincuenta y dos posibles 401 ella sola. Todos de la cuadrícula doscientos doce.

Bob Charlton, de cincuenta y cuatro años y ligero sobrepeso, alguien que había pasado demasiado tiempo en el mismo puesto de trabajo, era el supervisor del turno de noche de Consolidated Edison, la principal compañía eléctrica de la zona. Su despacho estaba situado una planta por encima de la centralita de Con Edison y era utilitarista hasta decir basta. Constaba de un escritorio envolvente, con un ordenador, y unas estanterías de color beis presentes en todo despacho de gerencia media del mundo que se preciara.

—¿Y sabes qué significa eso? —preguntó Charlton.

—¿Qué? —dijo su ayudante. Su nombre era Rudy.

—Significa que alguien ha accedido a la red de suministro —dijo Charlton—. Que la ha cortado. Saboteado. O quizá incluso sobrecargado. Mierda. Ve a averiguar si alguno de nuestros chicos ha estado en esa cuadrícula hoy. Llamaré a la policía para ver si han encontrado a algún gamberro cortando cables.

—Sí, señor.

Rudy salió del despacho.

Charlton giró su silla hasta situarse delante de un mapa de la isla de Manhattan que tenía sujeto con chinchetas en la pared.

Para Charlton, Manhattan era como un diamante combado: tres lados perfectamente rectos con otro, el nordeste, irregular y torcido. Las cuadrículas eléctricas se extendían por el ancho de la isla como las rayas de un campo de fútbol.

Encontró el rectángulo horizontal que mostraba la cuadrícula doscientos doce. Era el centro, casi exactamente el punto central de la isla, justo al sur de Central Park.

Pensó en el informe que le había dado su ayudante.

Nivel adquisitivo alto. Zona comercial estándar. Macy. Un par de edificios del Registro Nacional. Algunos parques.

El Registro Nacional.

El Registro Nacional de Lugares Históricos...

Reflexionó sobre aquello. La alcaldía había estado presionando a Con Ed en los últimos tiempos para que conectaran algunos de los edificios más antiguos de la ciudad a las nuevas redes de suministro digitales. Y, como cabía esperar, habían tenido infinidad de problemas. Algunos de los edificios más antiguos tenían circuitos eléctricos anteriores a la Primera Guerra Mundial, otros ni siquiera tenían. Conectarlos a las redes nuevas había resultado inusualmente dificultoso y no era raro que esos edificios se sobrecargaran y echaran a perder la red de toda una cuadrícula.

Charlton encendió el ordenador y buscó el archivo sobre el Registro Nacional.

Sacó la cuadrícula doscientos doce. Había cinco resultados. Pulsó con el ratón: «Mostrar».

La pantalla desplegó una lista detallada de nombres y datos y se disponía a inclinarse hacia delante para leerlos cuando el teléfono sonó.

—Charlton.

—Señor, soy yo. —Era Rudy.

—¿Sí?

—Estoy aquí abajo y me dicen que ninguno de nuestros trabajadores ha estado en esa cuadrícula en casi tres semanas.

Charlton frunció el ceño.

—¿Están seguros?

—Tienen los registros si los quiere.

—No, así está bien. Buen trabajo, Rudy.

—Gracias, señ...

Charlton colgó.

—Mierda.

Esperaba que hubiera sido alguno de los suyos. Al menos así podrían haber identificado el problema. Habría constancia de dónde se había producido la avería, o el corte, o la sobrecarga. Un registro de dónde se habían efectuado los trabajos.

Ahora no había manera de saber en qué lugar se había producido la avería. Otros cortocircuitos podían detectarse con los ordenadores de Con Ed. Pero para eso la red tenía que estar conectada.

Pero si la red de suministro fallaba en una cuadrícula en concreto, esa cuadrícula se convertía en un agujero negro en lo que al rastreo informático respectaba. Y la avería se hallaba en algún lugar de ese agujero negro.

Ahora todo serían conjeturas.

Charlton soltó una palabrota. Lo primero que tenía que hacer era llamar a la policía. Ver si habían pillado a alguien en las últimas veinticuatro horas saboteando los cables en alguna parte. O similar.

Suspiró. Iba a ser una noche larga. Cogió el teléfono y marcó.

—Buenas noches, me llamo Bob Charlton. Soy el supervisor del turno de noche en Consolidated Edison. Me gustaría hablar con el teniente Peters, si es tan amable… Sí, espero.

Mientras esperaba, revisó de nuevo el plano de la isla de Manhattan. Su llamada fue transferida enseguida y se apartó del mapa.

Entre tanto, la pantalla del ordenador había permanecido encendida.

Y, en todo el tiempo que estuvo al teléfono, Charlton no se percató de la última línea de la lista de los edificios históricos que salían en la pantalla. En ella podía leerse:

Cuadrícula 212: Listado n.º 5
Biblioteca Pública de Nueva York (1911)
Conectada a la red digital: 17 febrero 2002

Unos instantes después, Charlton dijo con agitación:

—¿De veras? ¿Cuándo? El capitán Dickson, dice. De acuerdo, estaré allí en veinte minutos.

A continuación colgó, cogió su abrigo y salió a toda prisa del despacho.

Unos segundos después, regresó; se inclinó sobre el escritorio.

Y apagó el ordenador.

Swain pulsó el botón rojo de emergencia y el ascensor se detuvo con un chirrido. Se volvió y por primera vez se fijó en que esa cabina disponía de otras puertas traseras. Por el momento hizo caso omiso de ellas y se dispuso a abrir la trampilla del techo.

Balthazar, sin energías tras enderezar las puertas del ascensor, estaba desplomado contra una esquina del mismo, con la cabeza gacha, gimiendo. Su guía estaba a su lado sin mostrar compasión alguna por él, mirando a Selexin.

Swain estaba abriendo la trampilla del techo cuando el otro guía habló.

—Vamos, Selexin, acabemos con esto. —Asintió a Balthazar—. Termínalo.

Swain paró y se volvió para mirar a los demás.

Selexin dijo:

—No está en mi mano decidir eso. Tú mejor que nadie deberías saberlo.

El otro guía se volvió para mirar a Swain.

—¿Qué? Míralo —asintió hacia Balthazar—. Ya no puede luchar. Ni siquiera puede defenderse. Acaba. Acaba con esto ya. Nuestra participación ha concluido.

Swain tragó saliva. El gesto desafiante del pequeño guía poseía una fortaleza inusual, la fortaleza de un hombre que sabe que está a punto de morir.

—Sí —se dijo lentamente para sí mismo Swain—. Sí.

Miró de nuevo a Balthazar. Solo entonces fue consciente de lo grande que era. No medía metro ochenta. Más bien más de dos metros. Pero eso ya no parecía importar en esos momentos.

Balthazar levantó la cabeza y le devolvió la mirada. Tenía los ojos inyectados en sangre, los bordes rojos; el pecho hecho jirones.

Swain dio un paso adelante y se colocó ante él.

Selexin debió de percibir su vacilación.

—Debe hacerlo —le dijo sin alzar la voz—. Tiene que hacerlo.

Balthazar en ningún momento apartó la mirada de su oponente. Respiró profundamente cuando este se agachó y lenta, muy lentamente, desenvainó una de las alargadas dagas del tahalí que le cruzaba el pecho. La daga siseó contra la vaina cuando Swain la sacó.

Balthazar cerró los ojos, resignado a su suerte, incapaz de defenderse siquiera.

Cuchillo en mano, Swain lanzó una última mirada interrogante a Selexin. Este asintió con solemnidad.

Swain se volvió hacia Balthazar, bajó el cuchillo y apuntó con él al corazón de este. Y entonces lo hizo: volvió a meter con cuidado la daga en su funda. Luego retrocedió y regresó a la trampilla del techo del ascensor, a retomar lo que había estado haciendo.

Balthazar, confuso, abrió los ojos.

Selexin puso la mirada en blanco.

El otro guía estaba simplemente atónito. Le dijo a Selexin:

—No puede hacer eso. —Y a continuación a Swain, que estaba de nuevo en el techo, abriendo la trampilla—: No puedes hacer eso.

—Acabo de hacerlo —dijo el doctor.

La trampilla se abrió hacia fuera.

Se volvió sin mirar al otro guía, más bien a Selexin.

—Porque eso no es lo que hago.

Y, tras eso, Swain cogió la linterna de Hawkins y asomó la cabeza por la trampilla. Tenía otra cosa en mente.

Escudriñó el oscuro hueco de los ascensores con ayuda de la linterna. Confiaba en que Hawkins hubiera hecho lo que le había dicho.

Así era.

El otro ascensor estaba allí, a poca distancia, al lado del de Swain, detenido entre esa planta y la superior. Apuntó con el haz de luz de su linterna al hueco. Cables grasosos se elevaban en la oscuridad. Las puertas que daban a la siguiente planta se hallaban a unos dos metros y medio por encima de ellos. En ellas estaban escritas en negro las palabras: «Primera planta (5.ª Avda.)».

El hueco de los ascensores se hallaba en el más completo de los silencios.

La otra cabina estaba allí inmóvil, a unos treinta centímetros por encima de la de Swain, y una pequeña luz amarilla delataba una hendidura en su panel lateral.

—¿Holly? ¿Hawkins? —susurró Swain.

Oyó la voz de Holly.

—¡Papá!

Sintió que el alivio recorría su cuerpo.

—Estamos aquí, señor —dijo la voz de Hawkins—. ¿Os encontráis bien?

—Aquí estamos bien. ¿Qué hay de vosotros dos?

—Estamos bien. ¿Quiere que vayamos?

—No. Quiero que os quedéis donde estáis —dijo Swain—. Nuestro ascensor se ha llevado una buena tunda y las puertas están estropeadas. No creo que vuelvan a abrirse, así que iremos nosotros allí. Mira a ver si puedes desprender la trampilla del techo.

—De acuerdo.

Swain se dejó caer de nuevo al interior de su ascensor y contempló al grupo de gente a su alrededor: Balthazar y los dos guías. *Mmm.*

—Muy bien, escuchadme todos. Vamos a ir al otro ascensor. Quiero que vosotros dos vayáis primero. Yo me encargo del grandullón. ¿Entendido?

Selexin asintió. El otro guía siguió donde estaba, con los brazos cruzados en gesto desafiante.

Swain aupó a Selexin y lo subió a la trampilla. Desapareció en la oscuridad.

Luego asomó la cabeza por la trampilla y vio que Selexin cruzaba al techo del otro ascensor. Una tenue neblina de luz amarillenta apareció sobre este. Hawkins debía de haber abierto la trampilla.

Se acercó al otro guía.

—Tu turno.

Este miró con cautela a Balthazar y a continuación dijo algo en un idioma gutural.

Balthazar le respondió haciendo un gesto de desdén con la mano y un gruñido.

Resultado de ello, el guía le ofreció sus brazos a regañadientes a Swain y este lo elevó por la trampilla. Desapareció por el hueco de los ascensores.

El doctor se volvió hacia Balthazar. Este seguía desplomado en el rincón junto a las puertas traseras del montacargas. Lentamente, alzó la vista y miró a Swain.

Independientemente de lo que fuera aquel hombre, pensó, estaba muy grave. Tenía los ojos rojos, las manos ensangrentadas y arañadas, y la barba llena de saliva de Reese.

Swain le habló con delicadeza:

—No quiero matarte. Te quiero ayudar.

Balthazar ladeó la cabeza sin entender.

—Ayudar. —Swain extendió las manos y las abrió: un gesto de ayuda, no de ataque.

El guerrero habló con un hilillo de voz en su extraña lengua gutural.

Swain no lo entendió. Le ofreció sus manos de nuevo.

—Ayudar —repitió.

El guerrero frunció el ceño ante el intento frustrado de comunicación. Fue a coger la daga que Swain había blandido antes y que en esos momentos descansaba en su vaina.

La sacó.

Swain se quedó inmóvil, sin parpadear siquiera, y miró fijamente a Balthazar.

No puede hacer eso. No puede.

El hombre de la barba le dio la vuelta al cuchillo y colocó el mango en la mano de Swain. Este sintió la calidez de su mano cuando ambos sostuvieron el cuchillo que apuntaba al pecho de Balthazar.

A continuación, el gigante tiró de ambas manos hacia su pecho. Swain no sabía qué hacer, salvo dejar que aproximara la reluciente hoja más y más cerca de su cuerpo…

Entonces desvió sus manos a un lado y guardó de nuevo el cuchillo en su vaina.

Tal como había hecho Swain antes.

Alzó la vista y lo escudriñó con sus ojos ensangrentados para, a continuación, asentir.

Y entonces habló de nuevo, despacio, con su voz profunda y ronca, intentando pronunciar la palabra que Swain acababa de emplear.

—Ayudar.

Las puertas del segundo ascensor se abrieron y Stephen Swain se asomó por ellas al depósito auxiliar de la segunda planta de la Biblioteca Pública. Ocupaba el tercio posterior de esa planta y era mucho más pequeño que el depósito principal del sótano.

Filas de librerías.

Oscuras e inquietantes.

A Swain no le gustaba aquello. Había demasiados puntos ciegos.

Condujo rápidamente al grupo lejos de la zona del depósito de tamaño mediano y atravesaron un largo pasillo, en el centro exacto del edificio, que conducía a la parte delantera de la biblioteca.

Mientras recorrían a la carrera el pasillo, Selexin se puso al lado de Swain. El hombrecillo estaba examinando el techo a su alrededor.

—¿Qué está haciendo? —preguntó Swain.

Selexin suspiró histriónicamente.

—No todas las criaturas del universo caminan por el suelo, señor Swain.

—Oh.

—Estoy buscando a un contendiente conocido como el Racnid. Su especie es experta en la colocación de trampas. Alargados y arácnidos, pero no particularmente atléticos, conocidos por esperar en cuevas y recovecos elevados durante largos periodos de tiempo, aguardando a que su presa pase por debajo para a continuación descender lentamente al suelo tras ella, apresarla con sus ocho extremidades y ahogarla hasta matarla.

—La ahoga hasta la muerte —dijo Swain mientras miraba hacia el techo cubierto de sombras sobre su cabeza—. Vaya. Qué bien.

Llegaron al final del pasillo central y salieron a un enorme balcón de mármol desde el que se divisaba el vestíbulo de la biblioteca. Habían llegado a la parte delantera del edificio.

Desde allí se podía ver claramente el vestíbulo de la primera planta, con sus puertas de hierro que daban a la Quinta Avenida, sus ventanas en arco, sus filas de estanterías expositoras y su iluminado mostrador de información. Toda la zona estaba a oscuras y vacía, salvo por las luces azules que penetraban por las ventanas situadas encima de las puertas de entrada.

A la izquierda, tras otro pasillo, Swain vio el vestíbulo que albergaba los ascensores de uso público, enfrente de los cuales había una sala abierta en el rincón. Una placa oscilante encima de la puerta de esa sala rezaba: «Sala de fotocopias. Uso exclusivo del personal de la biblioteca».

Arrastró a Balthazar hasta el balcón desde el que se divisaba el vestíbulo. Estaba apoyando al hombre contra el pasamano de mármol cuando los demás se unieron a ellos.

—¿Papá? —susurró Holly.

—Dime, cielo.

—Tengo miedo.

—Yo también —respondió en voz baja Swain.

Holly le tocó la mejilla izquierda.

—¿Estás bien, papa?

Swain le miró el dedo. Tenía sangre.

Se llevó la mano a la mejilla. Parecía un corte, un buen corte. Le recorría el pómulo. Se miró el cuello de la camisa y vio que tenía una mancha importante. Le había sangrado mucho la cara.

¿Cuándo había ocurrido? No lo había sentido. Ni recordaba haber notado el escozor al cortarse. Quizá hubiera sido cuando había caído encima de Reese, después de haberla golpeado. O cuando esa bestia había estado pataleando cual caballo encabritado. Swain frunció el ceño. Tenía todo borroso. No podía recordar.

—Sí, estoy bien —dijo.

Holly señaló hacia Balthazar con la barbilla; este seguía apoyado contra la barandilla de acero.

—¿Y él?

—Lo cierto es que iba a comprobarlo ahora mismo —dijo Swain mientras se arrodillaba junto a Balthazar—. ¿Me sostienes esto? —Le pasó la linterna a Holly.

La niña la encendió y la sostuvo por encima del hombro de su padre, apuntando con ella al rostro de Balthazar.

El hombre se estremeció con la luz. Swain se inclinó hacia delante.

—No, no cierres los ojos —le dijo con delicadeza. Le abrió el ojo izquierdo. Lo tenía inyectado en sangre, una mala reacción a la saliva de Reese.

—¿Puedes acercar más la luz…?

Holly dio un paso adelante y, a medida que la luz fue aproximándose, Swain vio que la pupila de Balthazar se dilataba.

Se echó hacia atrás. Algo no iba bien.

Su mirada recorrió el cuerpo de Balthazar. Todo en él sugería que era humano: extremidades, dedos, rasgos faciales. Si hasta tenía los ojos marrones…

Los ojos, pensó Swain.

Eran sus ojos los que no cuadraban. Su reacción a la luz.

Las pupilas de los humanos se contraen con la luz directa. Se dilatan en la oscuridad o con poca luz, para permitir que entre en la retina toda la luz posible. Esos ojos, sin embargo, se dilataban con una luz fuerte.

No eran ojos humanos.

Swain se volvió hacia Selexin.

—Parece humano y actúa como tal. Pero no lo es, ¿verdad?

Selexin asintió, impresionado.

—No, no lo es. Casi, sin embargo. Todo lo humano que podría ser tratándose de otra especie. Pero no, Balthazar no es humano.

—Entonces, ¿qué es?

—Ya se lo dije antes, es un criseano. Un experto en el manejo de cuchillos.

—Pero ¿por qué parece humano? —preguntó Swain—. Las posibilidades de que un alienígena evolucione exactamente igual que un hombre son de una entre un millón.

—Una entre mil millones —le corrigió Selexin—. Y, por favor, intente no usar ese término tan a la ligera. Es una palabra fea. Y además, en su situación actual, los alienígenas son clara mayoría.

—Lo siento.

—No obstante —prosiguió Selexin—, está usted en lo cierto. Balthazar no es humano, ni tampoco esa es su forma. Balthazar, y otro contendiente llamado Bellos, son amorfos, informes. Capaces de alterar su forma.

—¿Alterar su forma?

—Sí. Alterar su forma exterior. Al igual que sus camaleones pueden cambiar el color de su piel para fundirse con su entorno, Balthazar y Bellos pueden hacer lo mismo, solo que no alteran su color: cambian todo su exterior. Y tiene sentido. Es mejor convertirse en humano si se compite en un laberinto humano, porque todas las puertas o los mangos o las armas potenciales estarán hechas para ellos. Además de que…

Swain seguía atendiendo a Balthazar. Le abrió el ojo derecho y lo escudriñó con la luz de la linterna.

—¿Sí? ¿Además de qué? —dijo Swain sin volverse.

Pero Selexin no respondió.

Swain levantó la vista.

—¿Qué...? —Paró de hablar.

Selexin estaba apoyado en la barandilla, contemplando el vestíbulo de la planta baja. Swain se asomó también y siguió la mirada de Selexin.

—Oh, Dios mío —dijo despacio. Y a continuación se volvió rápidamente hacia Holly para cogerle la linterna—. Rápido, apágala.

La luz desapareció. La azul luz de la luna volvió a cubrirlos y Stephen Swain se asomó por la barandilla.

El contendiente estaba allí, en pie. Era alto y oscuro. Dos estrechos cuernos se elevaban por encima de su cabeza. La tenue luz lunar hacía relucir el lustroso metal dorado que llevaba en el pecho.

Se encontraba junto a las librerías de la exposición del vestíbulo. Allí, quieto, contemplando uno de los pasillos ante él, mirando algo que estaba fuera del campo de visión de Swain.

Este sintió un escalofrío.

No está mirando, pensó. *Está al acecho.*

Selexin se puso a su lado.

—Bellos —susurró sin apartar la vista del hombre con cuernos de la planta inferior. Había una veneración inconfundible en su voz—. El contendiente maloniano. Los malonianos son los cazadores más letales de la galaxia. Coleccionistas de trofeos. Han ganado más Presidia que cualquier otra especie. Si hasta han llevado a cabo una batalla interna entre seis de ellos para determinar quién competiría en el Presidian.

Swain lo observaba mientras escuchaba. El ser cornudo, Bellos, era un ejemplar esplendoroso de hombre. Alto y de espaldas anchas, corpulento y, salvo por su torso dorado, completamente vestido de negro. Resultaba de lo más imponente.

—Recuerde. Son seres informes —dijo Selexin—. Tiene sentido adoptar una forma humana. Más aún si es una forma humana superior.

Swain estaba a punto de responder cuando oyó que Hawkins susurraba detrás de él:

—Oh, Dios mío. ¿Dónde está Parker?

Swain frunció el ceño. Hawkins había dicho algo antes. Que Parker era su compañera de patrulla. Los habían enviado allí a vigilar el interior del edificio por la noche. Quizá aún estuviera allí, en algún lugar...

—¡Moriturum te saluto!

La voz resonó por el vestíbulo de paredes de mármol. Swain dio un brinco al notar que un terror paralizante empezaba a recorrerle las venas.

¡Nos ha visto!

—Saludos, compañero. Ante ti se halla Bellos…

La mente de Swain comenzó a funcionar a toda velocidad. ¿Adónde podían ir? Le llevaban cierta ventaja. Seguían estando una planta por encima de él.

—…bisnieto de Trome, vencedor del quinto Presidian. Y, al igual que su bisabuelo y otros dos malonianos antes que él, Bellos saldrá invicto de esta batalla, ni vencido por un contendiente ni desgarrado por el karanadon. ¿Quién eres tú, mi valioso y aun así desafortunado oponente?

Swain tragó saliva. Tomó aire e iba a ponerse en pie y responder cuando oyó otro ruido.

Provenía de abajo.

De algún lugar del vestíbulo.

Swain se dejó caer al suelo, fuera de todo campo de visión. Bellos no los había visto.

Estaba desafiando a otro.

Y entonces, lentamente, otro contendiente apareció por la izquierda. Una sombra oscura y esquelética que se arrastró lentamente por entre las librerías de la exposición.

Se acercó furtivamente a Bellos.

Fuera lo que fuera aquella criatura, era de una longitud considerable, de al menos metro ochenta, pero delgada, similar a un insecto, con extremidades largas y angulosas no muy distintas a las de un saltamontes, y que pendía en vertical de una de las estanterías.

Aunque Swain no podía verle muy bien la cara, sí que podía apreciar que su siniestra cabeza estaba parcialmente cubierta por una especie de máscara de acero. Sus movimientos iban acompañados de una extraña respiración mecánica.

—¿Qué es? —susurró.

—Es el konda —dijo Selexin—. Una especie muy violenta de las regiones exteriores; han evolucionado a un físico similar al de un insecto; según aquellos que apuestan en el Presidian, es un serio candidato a ganarlo. No pierda de vista sus dos garras delanteras, los extremos de las uñas de cada pulgar segregan un veneno altamente venenoso. Si el konda le pincha la piel y luego inserta su uña pulgar en la herida, créame, morirá entre gritos de dolor. Su única debilidad: sus pulmones no están preparados para soportar la toxicidad de la atmósfera de este planeta. De ahí el aparato para respirar.

El konda estaba acercándose más a Bellos, un sombra inquietante que se movía a ritmo constante a lo largo del lado vertical de la estantería.

Bellos no se movió. Siguió allí, delante de la exposición, quieto.

Swain notó una sensación de lo más extraña mientras contemplaba la escena. Una especie de emoción voyerista por estar presenciando algo que nadie más vería. Que nadie querría ver.

El konda se arrastró con cautela hacia Bellos, ganando velocidad conforme se acercaba...

De repente, Bellos alzó la mano.

El konda se detuvo al momento.

Swain frunció el ceño.

¿Por qué ha...?

Entonces algo más captó su atención.

Algo en primer plano, entre Swain y el konda.

Era pequeño y negro, una sombra sobreimpuesta en la oscuridad, que avanzaba grácil y sigiloso por la parte superior de las estanterías de madera, acercándose al konda por detrás.

Por detrás.

Swain observó atónito cómo otra criatura idéntica avanzaba por la parte superior de las estanterías desde la otra dirección. Sus movimientos se asemejaban a los de un gato. Amenazadores en su suprema furtividad.

Selexin también los vio.

—Oh, por todos los dioses —musitó—. Hoodayas.

Swain se volvió a mirar al hombrecillo. Estaba contemplando la escena con los ojos abiertos de par en par, blancos del terror.

Swain se giró.

Dos criaturas más, cada una del tamaño de un perro, estaban avanzando a cuatro patas por la parte superior de las estanterías de la exposición, saltando con facilidad de una a otra. El doctor vio sus caras oscuras, sus dientes afilados y sus huesudos pero musculosos miembros, vio sus colas serpenteantes agitándose amenazadoras tras ellos.

Selexin estaba susurrando para sí:

—No puede hacer eso. No puede. Dios mío. Hoodayas.

Las cuatro criaturas (los hoodayas, supuso Swain) habían formado en esos momentos un amplio círculo por encima del pasillo en el que se encontraba el konda.

El insecto no se había movido un centímetro. No se había percatado de su presencia.

Aún no.

Bellos bajó la mano. Y a continuación se dio la vuelta.

Swain vio que el konda cambiaba al instante de postura, preparándose para atacar.

No tiene ni idea, pensó mientras contemplaba la escena por encima de la barandilla de mármol. *No tiene ninguna posibilidad...*

Fue entonces cuando los cuatro hoodayas saltaron desde las estanterías. Al pasillo.

Unos alaridos inquietantes, estridentes, como de otro mundo, llenaron el vestíbulo. Las estanterías a ambos lados del pasillo de la exposición temblaron cuando el konda voló violentamente de lado a lado ante el repentino ataque.

Swain advirtió que el rostro de Hawkins palidecía por momentos. Selexin estaba simplemente estupefacto. Estrechó a Holly contra sí para que no presenciara aquello.

—No mires, cielo.

Los espantosos gritos prosiguieron.

Y a continuación, sin previo aviso, la estantería más cercana se cayó y Swain pudo contemplar entonces toda la escena: vio al konda, gritando fuera de sí, cercado por los cuatro hoodayas, con sus dos extremidades delanteras venenosas extendidas, inmovilizadas contra el suelo por dos de los seres cuadrúpedos, mientras las otras dos criaturas le desgarraban rostro y estómago. En cuestión de segundos, le arrebataron la máscara para respirar y los alaridos de la desafortunada criatura se convirtieron en resuellos ahogados y desesperados, roncos.

Entonces, de repente, los resuellos de dolor cesaron y el cuerpo del konda cayó inerte al suelo.

Pero los hoodayas no se detuvieron ahí. Swain vio cómo abrían las fauces y las hundían en su piel. La sangre salió disparada en todas direcciones cuando uno de ellos arrancó un trozo de carne del cuerpo del konda y lo sostuvo triunfal en alto.

Swain miró a la izquierda cuando oyó otro ruido.

Pisadas.

Pisadas rápidas. Apenas perceptibles, audibles. Alejándose.

Uno de los hoodayas también las oyó. Levantó la cabeza del festín. Saltó del cuerpo del konda y echó a correr por el pasillo más cercano de la exposición del depósito.

Swain no sabía qué estaba ocurriendo hasta que oyó un ruido, como si alguien hubiera sido placado en el suelo. Entonces oyó otro alarido (un grito desesperado, patético), que cesó casi tan pronto como hubo comenzado.

Swain oyó que Selexin tragaba saliva e inmediatamente lo supo.

Había sido el guía. El guía del konda. Swain vio la expresión del rostro de Selexin. El otro guía jamás había tenido la más mínima posibilidad.

Miró de nuevo hacia el cuerpo inerte del konda con los hoodayas encima.

—Selexin.

No obtuvo respuesta.

El hombrecillo estaba mirando a la nada, en estado de shock.

—Selexin —susurró. Le dio un codazo suave para que volviera en sí.

—¿Q… Qué?

—Rápido —dijo Swain con crudeza para intentar sacar a su guía de aquella especie de trance—. Hábleme de ellos. De esos hoodayas, o comoquiera que los haya llamado.

Selexin tragó saliva.

—Los hoodayas son animales de caza. Bellos es un cazador. Bellos usa los hoodayas para cazar. Así de simple.

—Hábleme más de ellos, por favor —dijo Swain.

—¿Por qué? Ya da igual.

—¿Por qué dice eso?

—Señor Swain, no puedo más que elogiarlo. Sus esfuerzos hasta el momento me han hecho albergar cierta esperanza respecto a mi supervivencia. Ya ha excedido todo esfuerzo humano previo en el Presidian. Pero ahora —Selexin hablaba frenéticamente, desesperado—, ahora tengo la desgracia de decirle que acaba de ser testigo de la firma de su propia sentencia de muerte.

—¿Qué?

—No puede ganar. El Presidian ha concluido. Bellos ha incumplido las normas. Si es descubierto, cosa que no ocurrirá porque es demasiado listo, será descalificado: asesinado. Pero si no lo descubren, ganará. Nadie puede escapar de él si tiene a sus hoodayas. Son la mejor arma de un cazador. Sanguinarios y despiadados. Con ellos a su lado, Bellos es imparable.

Selexin negó con la cabeza.

—¿Recuerda al karanadon? —dijo mientras señalaba a la luz verde de la pulsera de Swain.

—Sí. —Lo cierto es que se había olvidado de él, pero no se lo dijo.

—Solo un cazador ha conseguido matar a un karanadon en libertad. ¿Y sabe quién fue?

—Dígamelo usted.

—Bellos. Con sus hoodayas.

—Genial.

Se hizo un silencio incómodo.

A continuación Swain dijo:

—Bueno, vale, ¿cómo los metió aquí? Si lo trajeron aquí como a mí, ¿no se habrían asegurado los suyos de que no llevaba algo más con él?

—Sí, tiene razón, pero tiene que haber una manera… algo que haya encontrado y que nadie pensara que… alguna manera de teletransportarlos aquí…

—Eh. —Hawkins le tocó el hombro a Swain—. Está haciendo algo.

Bellos estaba inclinado sobre el cuerpo del konda, haciendo algo que Swain no podía ver. Cuando finalmente se puso en pie, Bellos tenía la máscara del konda en sus manos. Un trofeo.

Se ató la máscara al cinturón y acto seguido bramó una orden brusca a los tres hoodayas que seguían dándose un festín con el torso del konda. Estos se apartaron al unísono del cuerpo del contendiente y se colocaron tras Bellos, al mismo tiempo que el cuarto regresaba de la caja de la escalera con largos jirones de tela blanca ensangrentada entre sus fauces y garras.

A continuación, Bellos se acercó al mostrador de información en el lado sur del vestíbulo.

Situado detrás de Swain, Hawkins ahogó un grito.

Bellos se agachó tras el escritorio, cogió algo entre sus enormes y oscuras manos y lo llevó junto al cuerpo del konda.

Tan pronto como lo vio, Swain supo de qué se trataba. Era pequeño y blanco, parecía sin vida. El guía de Bellos.

Este dijo algo rápidamente y los hoodayas corrieron tras el mostrador de información. Luego cogió el cuerpo inerte de su guía, se lo echó al hombro y señaló en dirección al contendiente muerto.

—¡Inicializar! —dijo en voz alta.

Al momento, una pequeña esfera de luz blanca apareció encima de la cabeza del guía muerto, iluminando el espacio abierto del vestíbulo. Por acto reflejo, Swain se agachó bajo la barandilla de mármol, lejos de la luz. La esfera blanca brilló durante unos cinco segundos hasta desaparecer de repente. El vestíbulo volvió a quedar a oscuras.

Selexin se volvió con solemnidad hacia Swain.

—Eso, señor Swain, ha sido Bellos reclamando su primera víctima.

Swain se volvió hacia el grupo congregado a su alrededor.

—Me parece que es hora de que nos movamos.

—Creo que tienes razón.—Hawkins ya se estaba apartando de la barandilla.

Swain cogió a Balthazar y se pasó su brazo por el hombro.

—Hawkins —dijo—. Los ascensores de uso público.

—Ya mismo. —Hawkins se adelantó y echó a andar por el pasillo por el que se accedía a ellos.

Swain se volvió hacia el resto.

—Cogemos un ascensor y lo volvemos a detener entre las plantas. Hasta el momento ha sido el escondite más seguro.

Levantó a Balthazar de la barandilla, con Holly a su lado y Selexin y el guía del criseano por delante.

Hawkins llegó al vestíbulo iluminado de los ascensores, al final del pasillo. Pulsó el botón de llamada y alzó la vista hasta el visualizador numérico que había encima de las puertas del ascensor…

Y algo muy extraño ocurrió.

—Oh, Dios mío… —musitó.

De acuerdo con el visualizador numérico, el ascensor había estado detenido en la planta baja. Después de que Hawkins pulsara el botón de llamada, sin embargo, en vez de subir, el número iluminado había descendido del 1 a la planta -1… donde se había detenido.

El ascensor estaba bajando primero.

—Oh, no —dijo Hawkins.

Entonces vio que el botón de llamada se iluminaba.

—¡No…!

Corrió junto a Swain, que seguía cerca del balcón.

—Tengo noticias muy malas. Han averiguado cómo usar los ascensores.

—Son inteligentes… —dijo Selexin.

—¡Son monstruos! —dijo Hawkins, tal vez demasiado alto.

—Extraterrestres sí, monstruos no —susurró Selexin—. Yo diría que averiguar el funcionamiento de un artilugio como su ascensor es algo de lo más inteligente.

Hawkins se volvió hacia Swain.

—La cuestión es que he llamado al ascensor. Lo que quiera que esté en él está subiendo a esta planta ahora.

Swain se mordió el labio.

—Bien. No importa. Tendremos que encontrar otro lugar al que ir.

Le pasó a Balthazar al policía y regresó al balcón. El pasillo contrario que llevaba al ala sur de la biblioteca estaba bloqueado por una sólida puerta de roble que permanecía cerrada.

Así que Swain se decidió por la única salida posible: la puerta que daba al largo pasillo central por el que habían ido antes.

Abrió la puerta, escudriñó el pasillo y descubrió otra puerta en el otro extremo que en esos momentos estaba… abriéndose.

—Mierda. Por ahí tampoco podemos ir —dijo mientras cerraba la puerta y retrocedía hacia la balconada—. Esto no pinta bien.

Se arrastró hasta la barandilla, por la que se divisaba el vestíbulo, para ver si Bellos continuaba ahí.

El cazador de enormes cuernos seguía junto al mostrador de información, donde había depositado a su guía, ajeno a la presencia del grupo de Swain.

Al menos algo va bien. Se volvió hacia los demás cabizbajo, inmerso en sus pensamientos. Aun así tenían que irse. Algo saldría en cualquier momento del ascensor y no quería estar allí cuando lo hiciera.

Finalmente, alzó la vista hacia los demás, a poca distancia del pasillo por el que se iba a los ascensores de uso público.

Holly lo observaba.

Selexin y el otro guía lo miraban boquiabiertos.

Hawkins también estaba allí, mirándolo fijamente mientras sostenía a Balthazar.

Pero fue Balthazar quien llamó la atención de Swain.

El hombre barbudo tenía apoyado su brazo izquierdo sobre el hombro de Hawkins para tenerse en pie. Pero su mano derecha sostenía en lo alto una hoja brillante de acero.

Estaba a punto de lanzarla.

Listo para atacar.

Swain no sabía qué hacer. ¿Qué había ocurrido? Balthazar estaba dispuesto a lanzarle un cuchillo y los demás no hacían nada…

Balthazar arrojó la hoja.

Swain aguardó el impacto. Aguardó a que se le clavara en el pecho y sintiera el dolor ardiente de la hoja alojada en su corazón…

El cuchillo cortó el aire a una velocidad pasmosa.

Pasándolo de largo.

Swain oyó un golpe sordo cuando el cuchillo se incrustó en la barandilla tras él. En la barandilla de mármol.

Entonces Swain oyó el grito.

Un aullido desgarrador, estridente, de pura agonía.

Se volvió y vio que el cuchillo de Balthazar había inmovilizado la garra izquierda delantera del hoodaya en la barandilla de mármol. La fuerza con la que lo había lanzado había sido tal que el cuchillo se hundió varios centímetros en la piedra. Había atrapado al hoodaya cuando este intentaba trepar por la barandilla desde el vestíbulo inferior, justo detrás de Swain.

El hoodaya gritó y durante un instante Swain pudo ver sus facciones de cerca. Cuatro extremidades negras y musculosas, todas con garras afiladas cual dagas; una cabeza esférica del tamaño de la de un perro que no parecía albergar más que dos enormes fauces. Los ojos estaban allí, en alguna parte, pero lo único en lo que podía fijarse era en aquellos dientes afilados.

Y, tras el hoodaya, Swain vio de reojo a Bellos, junto al mostrador.

Mirándolo.

Sonriendo.

Lo había sabido todo el tiempo…

Swain se apartó tambaleante de la barandilla mientras el cuadrúpedo intentaba liberar su garra. Al doctor le dio la sensación de que el cuchillo era lo único que evitaba que el hoodaya cayera al vacío.

En ese momento se oyó otro silbido en el aire y otro cuchillo se clavó en el antebrazo del hoodaya, seccionando el estrecho hueso justo encima de su garra, ¡separando la garra de la extremidad!

Con un alarido, el hoodaya cayó al vestíbulo inferior, dejando tras de sí una huesuda garra de cinco dedos, inmovilizada contra la barandilla por el primer cuchillo.

Hawkins le gritó a Swain.

—¡Aquí! ¡Por aquí!

Swain vio que el dispar grupo corría hacia la sala de las fotocopias situada al final del pasillo. Fue tras ellos y cuando llegó a la puerta de la sala, miró hacia atrás y advirtió que los hoodayas restantes trepaban lenta y amenazadoramente por la barandilla.

———

Swain cerró la puerta tras de sí y se encontró en el interior de un cuartito repleto de folios.

Hawkins encabezaba la marcha con Balthazar a cuestas. Abrió otra puerta en el extremo más alejado de la estrecha estancia que daba a una habitación rinconera. Swain lo siguió y se detuvo en el umbral.

—No sé si esto es una buena idea. —Entró y cerró la puerta.

De repente se oyó un golpetazo a su espalda y Swain se volvió. Se asomó por una pequeña ventana rectangular dispuesta en la puerta y vio que los hoodayas estaban golpeando la puerta exterior del cuarto trastero.

Se volvió para mirar la sala de fotocopias.

—Lo siento —dijo Hawkins mientras dejaba en el suelo a un Balthazar agotado.

La instalación de reprografía para el personal de la Biblioteca Pública era en realidad una habitación desprovista de fotocopiadoras. Una adición relativamente nueva en un edificio relativamente viejo al que le estaban cambiando la instalación eléctrica. Cables con los extremos abiertos pendían del techo, y las instalaciones para la toma de corriente en las paredes estaban sin cubrir. Incluso el interruptor de la luz que había junto a la puerta era un mero armazón de metal lleno de cables pelados. Lo más importante para Swain, sin embargo, era que se encontraba en una esquina del edificio: había ventanas en sus dos lados, pero no otras puertas.

Solo había una entrada.

Era un callejón sin salida.

Genial, pensó Swain.

Los golpes continuaron en el exterior. Volvió a mirar por la pequeña ventana rectangular. La puerta exterior permanecía cerrada, pero cada pocos segundos vibraba violentamente cuando los hoodayas la aporreaban desde el otro lado.

Hawkins y Holly estaban junto a las ventanas, mirando impotentes la Quinta Avenida.

Swain tiró de su hija hacia sí. Un gesto protector.

—No te acerques demasiado —le dijo mientras señalaba el marco de la ventana, a las diminutas garras azules que brotaban de sus extremos.

—Eh, discúlpenme, pero creo que tenemos problemas más acuciantes que las ventanas —dijo Selexin con impaciencia.

El aporreo de la puerta prosiguió.

—Cierto. —Swain examinó la habitación en busca de algo que pudiera usar. Lo que fuera. Pero no había nada. Absolutamente nada. Estaba completamente vacía.

Y entonces, con un fuerte crujido, la puerta exterior del trastero cedió hacia dentro.

—Han entrado —dijo Hawkins mientras corría a la puerta interior e intentaba ver algo a través de la pequeña ventana de esta.

—Dios —dijo Swain.

En un segundo, el primer hoodaya llegó a la puerta. Hawkins retrocedió cuando esta se sacudió.

—¡Retroceded! —gritó Swain—. ¡Van a la ventana!

El segundo se dirigió justo hacia ese punto.

Los cristales volaron por todas partes cuando la ventana reventó hacia dentro. El hoodaya se agarró al marco e intentó colar la garra por la abertura.

Los otros estaban aporreando insistentemente la puerta.

—¿Qué hacemos? —gritó Hawkins—. No resistirá mucho. ¡La otra puerta no lo hizo!

—¡Lo sé! ¡Lo sé! —Swain estaba intentando pensar.

Los hoodayas seguían con su vapuleo. Las bisagras crujían de manera inquietante. El animal que había introducido la pata por la ventana rota se esforzaba por meter la cabeza por ella, pero el agujero era demasiado pequeño. Bufaba y rugía como un loco.

Swain se volvió.

—Todos a ese rincón. —Señaló al más alejado—. Quiero…

Paró de hablar y escuchó el leve sonido de la lluvia golpeando el exterior de las ventanas. Algo había cambiado. Algo de lo que apenas si se había percatado. Escuchó en silencio.

El silencio.

Eso era.

Los golpes habían cesado.

¿Qué estarán haciendo?

Swain se volvió hacia la puerta.

Lenta, casi imperceptiblemente, el mango de la puerta empezó a girar.

Hawkins también lo vio.

—Hostia puta… —acertó a decir.

Swain se lanzó hacia la puerta.

Demasiado tarde.

El pomo siguió rotando…

¡Clic!

Estaba cerrado. Swain respiró.

El pomo volvió a girar. Volvió a sonar el clic.

Y otra vez.

Están probando, una y otra vez, pensó horrorizado.

Fue entonces, mientras Swain contemplaba la puerta desde el suelo, que una larga y oscura garra se deslizó silenciosamente por la ventana rota. El huesudo y negro brazo descendió mientras doblaba sus uñas afiladas. La letal garra estaba bajando hacia la derecha cuando Swain advirtió lo que estaba haciendo.

Se volvió hacia Balthazar, para ver si podía clavarle otro cuchillo a esa garra. Pero, tras haber lanzado dos antes, este estaba exhausto, sentado en el suelo con la cabeza gacha. Swain vio los cuchillos en su tahalí y se le pasó por la cabeza usarlos, pero concluyó que no quería acercarse demasiado a aquella feroz extremidad.

—Rápido —le dijo a Hawkins—. Las esposas.

El policía, sorprendido, le proporcionó del cinturón del arma un par de esposas. Swain las cogió.

La garra seguía descendiendo lentamente, acercándose cada vez más al pomo.

—Está intentando quitarle el cierre a la puerta… —musitó impresionado Hawkins. Tan pronto como girara el pomo desde dentro, la puerta se abriría. Y entonces…

Swain fue junto a la puerta mientras procuraba abrir al mismo tiempo las esposas. Pero no lo conseguía.

El pomo volvió a girar y Swain retrocedió, temiendo que se abriera de un momento a otro.

La puerta siguió cerrada.

Había provenido de fuera. Uno de los hoodayas seguía intentando girar el pomo. La puerta aún estaba cerrada. Pero aquella garra se estaba aproximando al pomo interior.

—¡Están cerradas! ¡Las esposas están cerradas! —gritó con incredulidad Swain mientras las manoseaba.

—Mierda. —Hawkins sacó unas llaves de su bolsillo—. Ten. La más pequeña.

Swain cogió las llaves con las manos temblorosas e intentó meter la más pequeña en las esposas.

—¡Aprisa! —dijo Selexin.

La garra estaba ya en el pomo. Tanteándolo.

A Swain le temblaban tanto las manos que la llave se le resbaló de la cerradura de las esposas.

—¡Rápido! —gritó Selexin.

Swain metió la llave y la giró. Las esposas se abrieron.

—¡Allí! —dijo mientras corría a colocarse bajo el pomo.

La garra estaba en esos momentos intentando agarrar el pomo.

Swain se acercó al interruptor de la luz que había junto a la puerta. Los cables sobresalían de un armazón plano y sólido de metal. Cerró una de las esposas por entre una hendidura de este.

La garra empezó a girar lentamente el pomo.

Swain deslizó la segunda esposa por detrás de la garra, alrededor de la parte más estrecha del pomo, la parte más pegada a la puerta.

A continuación la cerró justo cuando la garra giró el pomo del todo. Se oyó el clic del cierre. La puerta se abrió un par de centímetros hacia dentro.

Y, de repente, empezó a ser golpeada desde fuera.

Las esposas se tensaron al instante, asegurando la puerta al armazón de metal de la pared.

En esos momentos la abertura era de unos quince centímetros y Swain cayó de espaldas cuando uno de los hoodayas quiso colarse por el estrecho hueco abierto entre la puerta y el marco.

Los seres aullaron con todas sus fuerzas mientras arañaban el marco de la puerta y se arrojaban contra esta.

Pero las esposas resistieron.

El hueco entre la puerta y el marco era demasiado estrecho.

Los hoodayas, del tamaño de perros, no podían entrar.

—Bien hecho —dijo Hawkins.

Swain no estaba impresionado.

—Si no pueden abrirla, pronto la echarán abajo. Tenemos que salir de esta habitación.

Los hoodayas seguían golpeando la puerta.

Swain se volvió, buscando alguna salida, cuando de repente vio a Holly junto a una de las ventanas. Estaba combada sobre ella como si estuviera herida.

—¡Holly! ¿Estás bien? —Corrió junto a ella.

—Sí... —le respondió distraída.

Los golpes continuaron. Los bufidos y alaridos de los hoodayas llenaban la habitación.

—¿Qué estás haciendo? —le dijo rápidamente.

—Jugar con la electricidad.

Swain miró de reojo a la puerta mientras se colocaba junto a su hija. Holly tenía el teléfono a cinco centímetros del alféizar de la ventana. Cuando lo acercó, fue como si los diminutos rayos azules formaran un amplio círculo, alejándose del auricular.

Swain se había olvidado de que Holly todavía tenía el teléfono. Frunció el ceño. No sabía por qué la electricidad se alejaba del aparato. Después de todo, no funcionaba....

Los golpes y gruñidos de los hoodayas prosiguieron.

Pero la puerta seguía resistiendo.

—¿Me lo dejas? —le preguntó Swain rápidamente. Holly se lo dio mientras este seguía con la vista en la puerta.

Entonces, de repente, el ruido cesó.

Silencio.

Swain oyó a los hoodayas marcharse del pequeño almacén de folios.

—¿Qué está pasando? —dijo Hawkins.

—No lo sé. —Swain fue a mirar por entre el hueco de la puerta.

—¿Van a volver? —preguntó Selexin.

—No los veo —dijo Swain—. ¿Por qué se van?

Por el hueco de la puerta entreabierta, Swain vio que la puerta exterior no estaba cerrada. Los hoodayas la habían dejado así. Tras ella, envueltas en la oscuridad, se hallaban las puertas que daban a los ascensores de uso público.

Y entonces vio el motivo por el que los hoodayas se habían marchado abruptamente.

Con un leve ping, las puertas del ascensor más cercano empezaron a abrirse despacio.

Una noche tranquila, pensó con sarcasmo Bob Charlton mientras entraba en las abarrotadas dependencias de la comisaría del decimocuarto distrito policial de Nueva York.

Llegó al mostrador de recepción y gritó por encima del caos:

—Soy Bob Charlton y estoy aquí para ver al capitán Dickson.

—¿Señor Charlton? Henry Dickson —dijo este. Le tendió la mano a Charlton cuando este accedió al relativo silencio de su despacho—. Neil Peters me dijo que vendría. ¿Qué puedo hacer por usted?

—Tengo un problema en el centro de la ciudad con el que me dijeron que usted me podría ayudar.

—¿Y bien...?

Charlton dijo:

—En algún momento de las últimas veinticuatro horas hemos perdido el suministro eléctrico en una de las cuadrículas del centro. El teniente Peters me dijo que habían capturado a un tipo en esa zona.

—¿Dónde se encuentra esa cuadrícula suya? —preguntó Dickson.

—Entre la calle Cuarenta y Dos y la Treinta y Cuatro, en el eje norte-sur.

Dickson miró el mapa que tenía en la pared junto a él.

—Sí, así es. Hemos cogido a un tipo en esa área. Justo esta mañana —dijo Dickson—. Pero no creo que vaya a serle de mucha ayuda. Lo cogimos en la Biblioteca Pública.

—¿Qué estaba haciendo allí?

—Un ladrón de pacotilla robando ordenadores. Al parecer acaban de poner unos servidores nuevos y ese pobre bastardo debió de toparse con algo más grande.

—¿Algo más grande? —preguntó Charlton.

—Lo encontramos cubierto de sangre.

Charlton parpadeó.

—Solo que no era su sangre. Era la del vigilante de seguridad.

—Oh, Dios mío.

—En efecto.

Charlton se inclinó hacia delante con gesto serio.

—¿Cómo entró? En la Biblioteca, me refiero.

—No lo sabemos aún. Tenemos a unos hombres allí ahora. Como podrá comprobar, en estos momentos andamos algo ocupados. Una patrulla irá allí mañana para determinar el punto de entrada.

Charlton preguntó:

—El ladrón, ¿sigue aquí?

—Sí. Lo tenemos encerrado abajo.

—¿Podría hablar con él?

Dickson se encogió de hombros.

—Claro, pero yo no pondría muchas esperanzas en él. No ha parado de decir tonterías desde que llegó.

—Bueno, me gustaría intentarlo de todas maneras. Algunos de esos edificios antiguos tienen válvulas amplificadoras en los sitios más extraños. Tal vez se cargara algo al entrar. ¿Le parece bien?

—Claro.

Los dos hombres se levantaron y caminaron hacia la puerta. Dickson se detuvo.

—Oh, le aviso, señor Charlton —dijo—. Espero que tenga un estómago fuerte. Lo que va a ver no es nada agradable.

Charlton se estremeció cuando vio al hombre de color en una pequeña celda.

No habían sido capaces de limpiarle toda la sangre del rostro. Quizá a aquellos a quienes les habían encargado esa tarea también les habían entrado ganas de vomitar, pensó Charlton. Fuere como fuere, no habían acabado el trabajo. Mike Fraser todavía tenía franjas verticales de sangre seca recorriéndole la cara, como extrañas pinturas de guerra.

Fraser estaba sentado en el extremo más alejado de la celda, contemplando la pared de hormigón, hablando frenéticamente para sí, haciendo gestos extraños a un amigo invisible.

—Es él —dijo Dickson.

—Santo Dios —murmuró Charlton.

—No ha dejado de hablarle a esa pared desde que lo metimos en la celda. La sangre de la cara se le ha secado. Tendrá que quitársela él después, cuando haya recuperado el suficiente juicio como para poder darse una ducha.

—Me dijo que su nombre era Fraser... —dijo Charlton.

—Sí. Michael Thomas Fraser.

Charlton dio un paso al frente.

—¿Michael? —le dijo con voz amable.

No obtuvo respuesta. Fraser seguía dirigiéndose a la pared.

—¿Michael? ¿Puede oírme?

Sin respuesta.

Charlton le dio la espalda a la celda para hablar con Dickson.

—No han llegado a averiguar cómo entró en la Biblioteca, ¿verdad?

—Como le he dicho antes, mañana irá una patrulla.

—Bien...

Dickson dijo:

—No va a obtener nada de él. No le ha dicho una palabra a nadie en todo el día. Probablemente ni siquiera pueda oírle.

—Mmm —murmuró Charlton—. Pobre diablo.

—Está oyendo su voz —le susurró Mike Fraser a Bob Charlton al oído.

Charlton dio un brinco y se alejó de la celda.

Fraser estaba en ese instante cerca de los barrotes, a escasos centímetros de él, y Charlton no le había oído acercarse.

El detenido siguió hablando en aquel forzado susurro:

—¡Sea lo que sea eso, está oyendo su voz! Y si sigue hablando...

El ladrón tenía en esos momentos su rostro ensangrentado totalmente pegado contra los barrotes, intentando acercarse todo lo posible a su interlocutor. Las marcas de sangre seca que le recorrían verticalmente el rostro le conferían un aspecto demoníaco.

—¡Sea lo que sea eso, está oyendo su voz! Y si sigue hablando... —susurró de nuevo, cual maniaco.

—¡Y si sigue hablando! ¡Hablando! ¡Hablando! ¡Aaaaaaah! —Fraser estaba mirando al techo, a alguna criatura imaginaria que se cernía sobre él. Alzó sus manos para protegerse de un enemigo invisible—. ¡Oh, Dios mío! ¡Está aquí! ¡Lo tengo detrás! ¡Oh, Dios mío! ¡Ayúdame! ¡Que alguien me ayude!

Empezó a sacudirse aferrando como un loco los barrotes. Finalmente cayó inerte y sus brazos quedaron colgando por entre las barras de metal. Fraser miró a Charlton.

—No vaya allí —musitó.

Charlton se acercó y le habló con dulzura.

—¿Por qué? ¿Qué hay allí?

Fraser esbozó una sonrisa taimada a través de su máscara escarlata.

—Si tiene que ir, vaya. Pero no saldrá con vida.

—Está loco. Ha perdido el juicio, eso es todo —dijo Dickson mientras volvían a la entrada principal de la comisaría.

—¿Cree que fue él quien mató al vigilante? —preguntó Charlton.

—¿Él? No. Sin embargo, es probable que se topara con quienes lo hicieron.

—¿Y cree que intentaron asustarlo? ¿Que lo pintaron con la sangre del muerto para meterle miedo en el cuerpo?

—Algo así.

Charlton se tocó la barbilla mientras caminaba.

—No lo sé. Creo que será mejor que eche un vistazo a nuestras conexiones con la biblioteca. Merece la pena. Cabe la posibilidad de que quienquiera que cogiera a Mike Fraser también decidiera sabotear el suministro. Y si cortaron el empalme de la válvula amplificadora, sin duda pudieron cargarse todo el sistema.

Llegaron a la puerta.

—Capitán —dijo Charlton mientras los dos hombres se estrechaban la mano—, gracias por su tiempo y su ayuda. Ha sido… bueno… interesante, por decirlo de algún modo.

Swain asomó la cabeza por entre la puerta esposada del cuarto de la Biblioteca Pública de Nueva York que, de un modo un tanto generoso, habían bautizado como «sala de fotocopias».

Las puertas del ascensor de uso público estaban en esos momentos abiertas del todo, pero no ocurría nada.

El ascensor estaba allí, quieto.

Abierto y en silencio.

Por su parte, los hoodayas parecían haber desaparecido. Tras salir del cuartito donde se guardaba el papel, debían de haberse marchado por algún pasillo, escondiéndose...

Swain observó fijamente, aguardando a que algo saliera del ascensor.

—Podría estar vacío —dijo Hawkins.

—Podría ser —dijo Swain— que quienquiera que pulsara el botón no llegara a entrar.

—Shhhh —susurró Selexin—. Está saliendo algo.

Se giraron para mirar hacia allá.

—Oh, oh —dijo Hawkins.

—Oh, joder —suspiró Swain—. ¿Pero es que ese tipo no se da por vencido?

La cola fue lo primero en emerger del ascensor, apuntando hacia delante, cerniéndose en horizontal a más de un metro del suelo. Swain pudo ver desde allí sin dificultad el punto de la cola donde se había roto el hueso. Las antenas aparecieron a continuación, seguidas del morro, moviéndose con cautela fuera del ascensor.

—No es macho —dijo Selexin—. Ya se lo he dicho antes, Reese es hembra.

—¿Cómo ha hecho funcionar el ascensor? —preguntó Hawkins mientras observaba a Reese, que bajaba el morro y olisqueaba el suelo.

—Me imagino —dijo Selexin— que habrá olido un rastro residual de humano en los botones...

De repente, Reese alzó el morro y apuntó directamente a ellos. Swain y Hawkins se ocultaron al instante tras la puerta. Selexin no se movió.

—¿Qué están haciendo? No puede verlos —susurró—. Solo puede olerlos. Esconderse tras una puerta no eliminará su rastro. Además —añadió con amargura—, probablemente ya sepa que estamos aquí.

Swain y Hawkins retomaron sus posiciones en la puerta.

El agente dijo:

—Entonces ¿por qué no viene?

Selexin suspiró.

—Honestamente, no sé por qué me molesto en explicarles nada. Creo que el motivo por el que Reese no ha venido directamente tras nosotros es más que obvio.

—¿Y cuál es? —dijo Hawkins.

—Porque ha olido algo más —dijo Selexin—. Otras criaturas a las que me apuesto que, sin duda, teme más que a ustedes.

—Los hoodayas —dijo Swain sin apartar la mirada de la hembra, completamente quieta en el interior del ascensor.

—Correcto. Y, dado que se han marchado hace poco, su rastro probablemente sea muy fuerte —dijo Selexin—. Por ello me atrevo a afirmar que Reese está de lo más preocupada en estos momentos.

Durante un largo minuto la observaron en silencio. Su cuerpo, gacho y alargado cual dinosaurio, no se movió un ápice. Tenía la cola levantada, en tensión, lista para atacar.

Hawkins dijo:

—Entonces, ¿qué hacemos?

Swain, pensativo, frunció el ceño.

—Salir —dijo finalmente.

—¿Qué? —dijeron Hawkins y Selexin al mismo tiempo.

Swain ya estaba abriendo las esposas.

—No podemos seguir aquí —dijo—. Tarde o temprano uno de esos cabrones va a echar la puerta abajo. Y cuando eso ocurra, estaremos atrapados. Opino que debemos estar listos para echar a correr tan pronto como pase algo.

—¡Tan pronto como pase algo! —dijo Selexin—. Un plan más bien impreciso, si me permite que se lo diga.

Swain se guardó las esposas en el bolsillo y se encogió de hombros.

—Digamos que tengo la sensación de que algo está a punto de ocurrir allí fuera. Y cuando eso suceda, quiero que todos estemos preparados para huir.

Varios minutos después, Swain tenía a Balthazar sobre su hombro mientras Hawkins cogía a Holly de la mano. La puerta interior estaba abierta unos sesenta centímetros.

Fuera, Reese seguía quieta delante del ascensor, visiblemente tensa, alerta.

Esperaron.

La criatura no se movió.

Swain se giró hacia el grupo.

—Vale, a mi señal, corred hacia la caja de la escalera al otro lado del vestíbulo de los ascensores. Cuando lleguéis allí, no os detengáis, no miréis hacia atrás, tan solo subid. Cuando lleguemos a la tercera planta, yo encabezaré la marcha. ¿De acuerdo?

Todos asintieron.

—Bien.

Transcurrió un minuto.

—No parece que vaya a pasar nada —dijo con amargura Selexin.

—Tiene razón —dijo Hawkins—. Quizá lo mejor sea que pongamos de nuevo las esposas a la puerta…

—Aún no —dijo Swain mientras miraba fijamente a Reese—. Están ahí fuera, y ella lo sabe… ¡Ahí!

De repente, Reese giró a la derecha. Algo había captado su atención.

Swain sostuvo con fuerza a Balthazar.

—Muy bien. Preparaos todos, este es el momento.

Swain abrió la puerta lentamente y salió al armario trastero. Los otros lo siguieron a la puerta exterior.

Reese seguía mirando en la otra dirección.

Swain apoyó su mano libre en el pomo, con la mirada fija en su oponente, rogando por que no se volviera y los atacara.

Abrió más la puerta.

Desde ahí podía ver la caja de la escalera, tras Reese. A su izquierda, detrás del pasillo, se divisaba la balconada con vistas al vestíbulo inferior.

De repente, Reese se volvió.

Durante un instante, a Swain se le paró el corazón. Se sentía como un ladrón pillado con las manos en la masa. Totalmente expuesto.

Se quedó inmóvil.

Pero Reese no se volvió para mirarlo.

Siguió rotando hasta dar un giro de trescientos sesenta grados. Un círculo completo.

Swain respiró de nuevo. No supo qué estaba ocurriendo hasta que fue consciente de que el rápido movimiento circular no era para nada un movimiento amenazador.

Era defensivo.

Reese estaba asustada, agitada, mirando desesperadamente (no, olisqueando) en todas direcciones.

Está rodeada, pensó Swain. *Sabe que estamos aquí, pero ha decidido no preocuparse por eso. Hay algo más ahí fuera. Algo más peligroso...*

Sin previo aviso, el ataque sobre Reese comenzó.

Dos hoodayas.

Con un feroz chillido, saltaron de la sección superior de la pared situada encima de la entrada al vestíbulo del ascensor, con las garras extendidas y las fauces abiertas de par en par. Habían llegado hasta el vestíbulo aferrándose a sus paredes.

Es nuestra oportunidad, pensó Swain.

Se volvió a los demás:

—¡Vamos! ¡En marcha!

Swain sacó por la puerta medio a rastras a Balthazar. Los otros corrieron tras él y se dirigieron a la caja de la escalera. Swain corrió todo lo rápido que pudo con el peso muerto de Balthazar encima, bordeando la batalla entre Reese y los dos hoodayas. Llegó a las escaleras y metió a Balthazar tras las puertas. Y cuando los dos desaparecieron tras ellas, lo último que Swain alcanzó a ver de soslayo fue a Reese, chillando frenéticamente, agitando su cola frente a los dos hoodayas que la atacaban.

Swain subió a toda prisa las escaleras, sintiendo el peso de Balthazar sobre sus hombros.

Los demás estaban esperándolo en la tercera planta. Cuando se unió a ellos, le pasó a Balthazar al joven policía.

—¿Por qué nos paramos aquí? —preguntó el agente—. ¿No deberíamos seguir subiendo?

—No podemos subir más —dijo Swain—. No podemos salir por allí. La puerta que da al tejado está electrificada.

—Papá, ¿qué estamos haciendo? —preguntó Holly.

Swain escudriñó el pasillo contiguo a la caja de la escalera.

—Buscando un lugar donde escondernos, cielo.

—Papá, ¿dónde están los monstruos?

—No lo sé. Esperemos que no aquí arriba.

—Papá...

—Shh. Espera aquí —dijo Swain. Holly retrocedió en silencio.

Swain salió al pasillo, lo atravesó y comprobó una puerta que había al fondo y a la izquierda.

Sí. Sabía dónde estaba.

La enorme sala principal de lectura de techos elevados se extendía ante sus ojos, y los escritorios con particiones creaban un laberinto de media altura por toda la habitación, dividido únicamente en el centro exacto del vestíbulo por una isla artificial de madera que era el área de préstamos. Todo el pasillo estaba a oscuras, salvo por la tenue luz azul de la ciudad que se filtraba por entre las altas ventanas del lado derecho.

Swain se encontraba en su extremo norte.

Lentamente, se agachó para mirar bajo los escritorios. Por entre las patas se podía ver toda el área de préstamos. Allí no había pies, ni patas, o lo que quiera sobre lo que caminaran aquellas criaturas, a la vista.

La sala de lectura estaba vacía.

Asomó la cabeza por la puerta de nuevo.

—De acuerdo entonces. Por aquí, rápido.

Los demás entraron en el gigantesco vestíbulo. Swain cogió a Holly de la mano y la condujo por entre el laberinto curvado de escritorios.

—Papá, no me gusta este sitio.

Swain estaba mirando alrededor de la sala.

—Sí, a mí tampoco —dijo, distraído.

—¿Papá?

—¿Qué, cielo?

—Papá, ¿podemos irnos ya…?

Swain señaló la zona donde se encontraba el mostrador del área de préstamos. Tras él había unas escaleras que conducían a los depósitos… y a una puerta de mantenimiento con pinta de ser resistente.

—Aquí. —Apretó el paso, tirando de Holly tras de sí.

Hawkins caminaba tras ellos.

—¿Qué ocurre?—preguntó. Lo único que podía ver era un letrero encima del mostrador que decía:

Silencio, por favor
Sala de estudio

Rodearon el mostrador y llegaron a la puerta de mantenimiento.

Swain tanteó el pomo. Este giró sin problema. La puerta no estaba cerrada. Se abrió lentamente, con el silbido característico de las válvulas hidráulicas. Swain no le dio ninguna importancia. Todas las puertas principales del hospital requerían de válvulas hidráulicas para facilitar su apertura a la gente, así de pesadas eran.

Fue a encender la luz, pero prefirió no hacerlo. Podría delatarlos.

Estudió la pequeña habitación que tenía ante sus ojos. Era el cuarto del conserje. Paredes de hormigón gris, un carrito lleno de cubos y mopas y estantes repletos de botellas de limpiadores y cera para el suelo.

Una luz blanca difuminada que provenía de la calle se filtraba por entre dos ventanas rectangulares en lo alto de la pared posterior. Justo enfrente de la puerta, dividiendo el cuarto en dos, había una tela metálica hasta el techo con una puerta en el centro. Tras la tela había más estantes con productos de limpieza y varios bultos de maquinaria cubiertos con una arpillera.

El grupo entró y Swain cerró la puerta tras ellos. La puerta hidráulica emitió un ruido sordo.

Holly se sentó lejos de la puerta, contra la tela metálica. Hawkins dejó a Balthazar en el suelo y lo apoyó contra la pared. Contempló el pequeño cuarto de mantenimiento y asintió.

—Aquí deberíamos estar a salvo.

—Durante un tiempo, sí —dijo Swain.

Selexin preguntó:

—¿Cuánto crees que podremos quedarnos aquí?

—Todo lo que podamos —dijo Swain.

—Hurra —dijo Hawkins sin emoción alguna.

—¿Y cuánto tiempo es eso? —preguntó de nuevo Selexin.

—No lo sé. Quizá hasta el final. Por el momento no estoy seguro.

—No debe olvidar que siempre habrá algo ahí fuera —dijo Selexin—. Incluso cuando todos los contendientes estén muertos, todavía tendrá que enfrentarse al karanadon.

—No tengo que enfrentarme a nada —dijo Swain con dureza.

—¿Qué significa eso?

—Significa que no estoy aquí para luchar. Significa que no estoy aquí para vencer en su estúpida competición. Significa que en este momento todo lo que me preocupa es sacar a mi única hija y al resto de nosotros con vida.

—Pero no puede hacerlo a menos que venza —dijo con tono enfadado Selexin.

Swain miró con dureza al hombrecillo. Permaneció en silencio unos segundos.

—Yo no estaría tan seguro —dijo en voz baja, casi para sí.

—¿Qué ha dicho? —dijo Selexin. En esos momentos la conversación había derivado en discusión.

—He dicho que yo no estaría tan seguro.

—¿Cree que puede salir del laberinto? —lo retó el guía.

Swain permaneció en silencio. Miró a Holly, que se encontraba junto a la tela metálica. Estaba chupándose el pulgar.

Selexin dijo de nuevo:

—¿De veras cree que puede salir del laberinto?

Swain siguió en silencio.

Hawkins le susurró:

—¿Cree que podemos salir?

Swain alzó la vista a las ventanas que estaban cerca del techo, pensando para sus adentros. Finalmente dijo:

—Sí.

—Imposible. —El guía de Balthazar dio un paso al frente—. Absolutamente imposible.

—Mantente al margen de esto —le espetó enfadado Selexin.

Swain miró a su guía. El hombrecillo había estado indignado, consternado incluso, pero nunca tan enfadado como en ese momento.

El guía de Balthazar retrocedió inmediatamente. Selexin se volvió para mirar a Swain.

—¿Cómo? —preguntó.

—¿Cómo?

—Sí, ¿cómo propone que salgamos de aquí?

—¿Quiere salir? —Swain no podía creérselo. Tras la monserga que le había soltado acerca de la grandeza y el honor asociado al Presidian, le costaba creer que Selexin quisiera salir.

—Lo cierto es que sí.

El guía de Balthazar interrumpió de nuevo.

—Oh, ¿de veras? Bueno, perdona que te recuerde un detalle que tal vez no te agrade, Selexin, ¡pero no puedes!

Este no dijo nada.

El guía de Balthazar prosiguió.

—Selexin, el Presidian ha comenzado. No se puede detener y no se detendrá hasta que un contendiente haya resultado vencedor. Es la única manera honorable.

—Creo que todo honor que tuviera el Presidian se fue al traste cuando tu amigo Bellos se trajo a sus sabuesos consigo —dijo Swain.

—Opino lo mismo. —Selexin miró al guía de Balthazar—. Bellos ha incumplido las normas. Y con los hoodayas, nada podrá detenerlo. Debemos salir de aquí.

—¿Y hacer qué? —le espetó desdeñoso el otro guía—. ¿Usar el teletransporte de tu casquete para pedir ayuda? Solo transmiten imágenes, Selexin, no sonido.

—Eso valdrá —dijo Selexin—. Si dos contendientes abandonan el laberinto e inicializan sus teletransportes de testificación y hacen gestos a las cámaras, los controladores del Presidian verán que algo no marcha como debería.

El otro guía miró a Selexin.

—No creo que nuestros dos contendientes vayan a durar mucho fuera del laberinto —dijo con petulancia—. De hecho, yo diría que no más de exactamente quince minutos.

—Oh. —El otro frunció el ceño al recordarlo—. Sí.

Swain estaba desconcertado. Era como si Selexin y el guía de Balthazar estuvieran hablando en otra lengua.

—¿A qué se refiere? —le preguntó a su guía.

Selexin habló con tristeza.

—¿Recuerda lo que le dije sobre su pulsera?

Swain miró la pulsera gris que rodeaba su muñeca. Se había olvidado por completo de ella.

La luz verde seguía brillando. En la pantalla podía leerse en esos momentos:

INICIALIZADO—6

¿Seis?, pensó Swain. Recordó al contendiente del vestíbulo, el konda, que había sido asesinado por los hoodayas. La pulsera, al parecer, estaba en esos momentos contando hacia atrás. Restando un número conforme cada contendiente fuera eliminado. Hasta que solo quedara uno.

Y, cuando solo quedara uno, entonces aparecería el karanadon del que Selexin no dejaba de hablar. Fuere lo que fuere aquello.

—¿Lo recuerda?—dijo Selexin de nuevo.

—Sí, creo que sí.

—¿Recuerda que si su pulsera detecta que se encuentra fuera del campo electrónico que rodea al laberinto, activará de manera automática su detonación?

Swain frunció el ceño. De repente todo cobró sentido.

—Y dispongo de quince minutos para volver.

—Exactamente —le espetó el guía de Balthazar.

Nadie dijo nada. Se hizo el silencio durante un largo minuto. Alguien respiró profundamente.

El guía de Balthazar se vanaglorió.

—Así que, incluso aunque saliera, sigue siendo un hombre muerto.

Swain lo miró y resopló.

—Gracias.

—¿Sabes? Eres de gran ayuda —le dijo Hawkins al hombrecillo.

—Al menos yo sí soy realista con respecto a mi situación.

—Al menos a mí me importa algo la vida de los demás —dijo Hawkins.

—Me preocuparía más de cuidar de mí mismo si estuviese en su lugar.

—Sí, bueno, tú no eres yo.

—Vale, vale —dijo Swain—. Calmémonos todos. Tenemos que encontrar una manera de salir de aquí, no pelearnos entre nosotros. —Se volvió hacia Selexin—. ¿Hay alguna forma de quitarme esto de mi muñeca?

Selexin negó con la cabeza.

—No. No puede quitarse… a menos que… —Se encogió de hombros.

—Lo sé, lo sé. A menos que resulte vencedor en el Presidian, ¿no?

Selexin asintió.

—Solo los oficiales al otro lado disponen del equipo adecuado para quitarla.

—¿No podemos romperla? —sugirió Hawkins.

—¿Alguien es capaz de romper la puerta? —preguntó el guía de Balthazar mientras señalaba a la pesada puerta hidráulica del cuarto, consciente de la respuesta—. Si no es así, entonces nadie puede romper la pulsera. Es demasiado resistente.

El grupo se quedó en silencio.

Swain contempló de nuevo la pulsera. De repente le resultaba más pesada. Atravesó el cuarto y se sentó al lado de Holly. Apoyó la espalda contra la tela metálica.

—¿Cómo vas? —le preguntó con dulzura.

No le respondió.

—¿Holly? ¿Qué ocurre?

Sin respuesta aún. Holly estaba mirando a la nada.

—Vamos, Hol, ¿qué ocurre? ¿He hecho algo? —Aguardó la respuesta.

Aquello no era inusual. Holly se negaba a menudo a hablar con él cuando se sentía rechazada o dada de lado, o por pura cabezonería.

—Holly, por favor, no tenemos tiempo para esto ahora. —Exasperado, Swain negó con la cabeza.

Holly habló:

—Papá.

—Sí.

—No hables, papá. No hagas ruido.

—¿Por qué?

—Shhh.

Swain se quedó mudo. Los demás se habían sentado junto a Balthazar, contra la pared. Todos siguieron sentados en completo silencio durante diez segundos. Holly se inclinó hacia el oído de Swain.

—¿Lo oyes? —susurró.

—No.

—Escucha.

Swain miró a Holly. Seguía sentada sin moverse, con los ojos como platos y la cabeza rígida, apoyada contra la tela metálica. Parecía asustada. Asustada a más no poder.

—De acuerdo, papá, prepárate. Escucha… Ahora.

Y entonces lo oyó.

El sonido apenas era audible, pero sí inconfundible. Una larga y lenta inhalación.

Algo estaba respirando.

Algo que no se encontraba muy lejos.

De repente se oyó un gruñido, como el de un cerdo. A ese ruido le siguió otro, como si alguien arrastrara los pies.

Y entonces se oyó la inhalación de nuevo.

Lenta y rítmica, como la respiración de alguien al dormir.

Selexin también lo oyó.

Cuando gruñó de nuevo, el hombrecillo levantó la cabeza. Se puso a gatas y se acercó a Swain.

—Tenemos que salir —le susurró a Swain al oído—. Tenemos que salir ya.

La inhalación de nuevo.

—Está aquí —dijo Selexin—. Rápido, déjeme ver su pulsera.

Swain extendió el brazo para que Selexin la viera.

La luz verde estaba encendida.

—Ufff —respiró Selexin.

—¿Aquí? ¿Qué es lo que está aquí?

—Está detrás de nosotros, papá —susurró Holly con el cuerpo completamente rígido.

—Oh, Dios… —Hawkins soltó un grito ahogado y se irguió al otro lado de la habitación. Estaba mirando por entre la tela metálica—. Creo que es hora de salir.

La inhalación se produjo de nuevo, solo que más fuerte esa vez.

Entonces lenta, muy lentamente, Swain se dio la vuelta.

Estaba en el extremo más alejado de la tela metálica, bajo algunos estantes de la pared. En la oscuridad parecía otra máquina más cubierta por una arpillera.

Pero se movía.

Despacio, a un ritmo constante.

Subía y bajaba lentamente, al mismo tiempo que las profundas inhalaciones.

Los ojos de Swain siguieron el contorno del «montículo». Era grande. Con la tenue luz del cuarto de almacenaje apenas si pudo distinguir unas cerdas oscuras y puntiagudas sobre un lomo arqueado...

Se oyó un fuerte gruñido.

Y entonces el montículo rodó hasta ponerse de costado y las profundas inhalaciones regresaron.

Selexin estaba tirando a Swain de la camisa.

—¡Vamos! ¡Vamos!

Swain se incorporó, cogió a Holly del suelo y fue a la puerta. Estaba a punto de agarrar el pomo cuando oyó un bip bajito, insistente.

Provenía de su pulsera. La luz verde estaba parpadeando.

A Selexin casi se le salen los ojos de las órbitas del horror.

—¡Se está despertando! ¡Salgamos! —gritó—. ¡Salgamos ahora!

El guía chocó contra Hawkins al pasar a su lado, abrió la puerta de un empellón y empujó fuera a Swain mientras gritaba:

—¡Fuera! ¡Fuera! ¡Fuera!

Swain y Holly se dirigieron al mostrador situado al sur del área de préstamos y de repente se encontraron de nuevo en la sala desierta con sus innumerables escritorios. Hawkins salió por la puerta del cuarto del conserje con Balthazar sobre su hombro y el otro guía siguiéndolos de cerca.

El hombrecillo de blanco ya estaba abriéndose paso por entre los escritorios de la sala de lectura.

—¡No paréis! ¡No paréis! ¡Hay que alejarse todo lo que sea posible!

Swain iba detrás con Holly en brazos, avanzando con rapidez por entre los escritorios, alejándose de la zona del mostrador de préstamos, mientras que los demás los seguían en fila.

Más adelante, Selexin seguía sorteando los escritorios, volviéndose cada dos por tres para cerciorarse de que Swain seguía con él.

—¡La pulsera! ¡La pulsera! ¡Mire la pulsera! —gritó.

Swain la miró. El bip era más fuerte en esos momentos, y más rápido.

Y entonces se paró.

La luz verde de la pulsera había desaparecido.

En esos momentos la luz que estaba encendida era la roja.

Y destellaba con rapidez.

—Oh-oh.

Hawkins había arrastrado a Balthazar hasta el mostrador. Respiraba entre resuellos.

—¿Qué ocurre?

—Estamos a punto de vernos en un apuro muy gordo —dijo Swain.

En ese momento la puerta hidráulica del cuarto del conserje salió despedida de sus bisagras y voló por el área de servicio de préstamos, aterrizando con un estruendo ensordecedor en el mostrador al que acababa de llegar Hawkins.

A esto le siguió un rugido espeluznante proveniente del interior del cuarto del conserje.

—Oh, Dios mío —musitó Hawkins.

—¡Vamos! —Swain echó a correr por entre el laberinto de escritorios en dirección a la puerta de la pared más al sur.

Estaba mirando hacia atrás cuando aquello emergió de la isla medio destrozada del área de préstamos.

Era enorme. Absolutamente descomunal. Tenía que ir combado para caber bajo la estructura que cubría el mostrador de la isla.

Selexin también lo vio.

—¡Es el karanadon!

Llevaban la mitad de la sala recorrida cuando el karanadon echó a un lado el mostrador y se irguió del todo.

Con Holly en brazos, Swain apretó el paso en dirección a la entrada. Hawkins se estaba quedando rezagado por culpa del peso de Balthazar. El último era el guía del cazador, que empujaba a este y al agente para que avanzaran más rápido y no paraba de mirar hacia atrás para comprobar si el karanadon los seguía.

Swain miró por encima de su hombro de nuevo para ver una vez más a la temible bestia.

Seguía delante de la zona donde otrora había estado el mostrador de préstamos, observándolo.

No se había movido aún.

Tan solo seguía allí.

A pesar del ruido que estaban haciendo al sortear a la carrera los escritorios, la criatura seguía delante de la isla de madera en el más completo de los silencios.

Swain bordeó otra mesa de estudio. Menos de veinte metros para la puerta. Miró hacia atrás de nuevo.

Dios, era enorme, medía más de cuatro metros.

Tenía el cuerpo de un gorila: enorme, peludo y fornido, todo negro, encorvado, con cerdas puntiagudas que se agitaban sobre su arqueado lomo. Unas extremidades alargadas y musculosas pendían de sus enormes hombros de tal manera que los nudillos le rozaban contra el suelo.

La cabeza mediría unos setenta y cinco centímetros, y a Swain le recordó a la de un oso. Orejas puntiagudas. Ojos oscuros, inertes. Y unos colmillos amenazadores que sobresalían de un hocico parduzco y arrugado en un rugido perpetuo.

Se movió.

El karanadon saltó hacia delante y empezó a perseguirlos a una velocidad aterradora. Se topó con un escritorio y lo partió por la mitad.

Swain abrazó a Holly con más fuerza y corrió hacia la puerta. Hawkins intentaba con todas sus fuerzas avanzar. El guía de Balthazar no paraba de mirar hacia atrás mientras empujaba a Hawkins por la espalda y le gritaba que fuera más rápido.

El karanadon atravesó los escritorios como si su cuerpo fuese un rompehielos, arrojándolos en todas direcciones, aplastándolos bajo sus pies. Cada vez que tocaba el suelo, las pisadas de la enorme bestia resonaban como fuego de cañones.

Bum. Bum. Bum.

Swain y los demás siguieron sorteando los escritorios. El karanadon los perseguía en línea recta.

Selexin llegó a la puerta, Swain estaba a menos de diez metros. Este miró tras él.

Hawkins, Balthazar y el otro guía no iban a conseguirlo. El karanadon se estaba acercando a demasiada velocidad. Hawkins amagó a la izquierda, por entre una fila de escritorios. El karanadon los siguió, arrasando con las mesas con las que se topaba en su camino.

Bum. Bum. Bum.

Y Swain vio que no iban a lograrlo. Dejó a Holly en el suelo y rápidamente se puso a escudriñar aquella mitad de la sala de estudio.

La estancia tenía una forma más o menos cuadrada. Holly y él estaban casi en la puerta de salida, en la mitad izquierda más alejada de la planta. El área de préstamos estaba justo enfrente. A la derecha de Swain, en el rincón sudeste del vestíbulo, se hallaban los montacargas que bajaban hasta el aparcamiento.

Bum. Bum. Bum.

—¡Más rápido! —le estaba gritando el guía de Balthazar a Hawkins—. ¡Por el amor de Dios, se está acercando!

El karanadon partió otro escritorio.

Y entonces Swain empujó a Holly hacia los ascensores.

—Vamos, cielo. Vamos a correr hacia los ascensores —le dijo a Selexin, que estaba junto a la puerta—. ¡Por aquí! ¡Vamos por aquí!

Bum. Bum. Bum.

—¿Por ahí? —le respondió Selexin—. ¿Qué hay de la puerta?

—¿Quiere hacerlo sin más? ¡Tenemos que ayudar al resto!

Tenían al karanadon encima.

Se abalanzó sobre el guía de Balthazar, amenazándolo con uno de sus brazos alargados. El guía se agachó y la enorme garra le pasó por encima de la cabeza y se estrelló contra un escritorio cercano. El mueble se hizo astillas y el guía de Balthazar salió disparado hacia delante, tropezándose con las piernas de Hawkins, enviándolos a los tres (al guía, a Hawkins y a Balthazar) al suelo.

Hawkins se golpeó contra el suelo con dureza. Balthazar cayó encima. El guía aterrizó a sus pies sin poder hacer nada por evitarlo.

Bum.

De repente se hizo el silencio, un silencio aterrador.

El karanadon se había detenido.

Hawkins sudaba a mares. Intentó a la desesperada ponerse en pie, pero tenía el brazo derecho atrapado bajo Balthazar.

Cerca de sus pies vio al guía, que se agarraba desesperado a la pernera de su pantalón, intentando con todas sus fuerzas levantarse.

—¡Ayúdame! ¡Ayúdame! —suplicaba, petrificado, el hombrecillo.

Y entonces, de repente, violentamente, el guía desapareció del campo de visión de Hawkins.

Cerca de la pared, Swain observó horrorizado que sus tres compañeros caían por debajo de la línea de los escritorios.

El karanadon se había detenido a escasos centímetros de ellos. A continuación se había agachado tras los escritorios, fuera del campo de visión de Swain. Cuando había reaparecido, llevaba en una de sus garras la inconfundible forma blanca del guía de Balthazar.

El hombrecillo estaba agitando los brazos frenéticamente y gritaba sin parar al monstruo. El karanadon se lo acercó al hocico y examinó con curiosidad a la ruidosa criatura que se había encontrado.

Y entonces, el monstruo extendió el brazo, lo sujetó con una mano y le desgarró la parte delantera del cuerpo con su otra garra.

A Swain se le desencajó la mandíbula.

Hawkins tenía los ojos fuera de sus órbitas.

Tres tajos profundos, carmesíes, surcaron el cuerpo del guía. Una de las heridas le llegó hasta la boca. El cuerpo del guía se aflojó al momento.

La habitación quedó en silencio.

El karanadon sacudió una vez el cuerpo. No respondió. La bestia agitó otra vez el cuerpo sin vida del guía, cual juguete que ha dejado de funcionar, y a continuación lo lanzó lejos.

Swain seguía sin poder ver a Hawkins.

Se agachó para mirar por entre las patas de los escritorios... y entonces lo vio. Estaba tumbado boca arriba en el suelo, bajo Balthazar, incapaz de moverse, pero aun así intentándolo.

Dios, tenía que hacer algo para ayudarlo...

Bum.

Hawkins estaba intentando liberarse con todas sus fuerzas cuando notó que el suelo temblaba bajo su cuerpo. Se quedó quieto y lentamente se giró para mirar hacia arriba.

Y vio las enormes fauces del karanadon, abiertas, acercándose a él.

Cerró los ojos. Era demasiado tarde...

—¡Eh!

El karanadon levantó la cabeza al instante.

—¡Sí, eso es! ¡Estoy hablando contigo!

Hawkins abrió los ojos.

¿Qué demonios...?

El karanadon se volvió lentamente para mirar a Swain. Ladeó la cabeza con curiosidad, contemplando a aquella osada criatura que se había atrevido a interrumpirlo.

Swain estaba entre los escritorios, gritando enfadado a la bestia gigantesca que apenas distaba quince metros de él.

—¡Sí! ¡Levántate! —le gritó Swain con gesto de fiereza, sin apartar un instante los ojos del monstruo que tenía ante sí.

Alzó la voz, que sonó furiosa, desafiante.

—¡Muévete! ¡Yo te cubro! ¡Me está mirando a mí ahora! ¡Levántate y ve al mostrador de préstamos! —Era como hablarle a un perro: la bestia oía las entonaciones, pero no entendía las palabras.

Hawkins cayó entonces en la cuenta: Swain estaba hablándole a él. Empezó a forcejear para quitarse a Balthazar de encima. En cuestión de segundos lo logró y empezó a arrastrarlo por el suelo, lejos del karanadon, mientras Swain lo mantenía ocupado.

El monstruo parecía sorprendido por el desafío. Rugió con fiereza a Swain.

—¡Oh, sí! ¡Bueno… pues que te jodan a ti también! —le respondió Swain.

Por el rabillo del ojo vio que Holly y Selexin llegaban a los montacargas y que apretaban el botón de llamada. En la otra dirección, vio que Hawkins y Balthazar llegaban al mostrador.

Por desgracia, el karanadon seguía mirándolo fijamente. Swain estaba totalmente expuesto.

Mierda. ¿Qué podía hacer ahora? *Buen trabajo, Steve.*

Bum.

El karanadon dio un lento paso hacia él.

Bum. Bum.

Dos más, y de repente la distancia era de unos escasos dos metros. Prácticamente podía atacarlo.

—¡Eh!

El karanadon giró la cabeza a la izquierda, hacia Selexin, Holly y los ascensores.

—¡Sí, eso es! ¡Estoy hablando contigo! —gritó Selexin.

La enorme criatura dio un paso adelante hacia los ascensores. Rugió.

Selexin levantó un dedo y le gritó:

—¡Oh, sí! ¡Bueno… pues que te jodan a ti también!

Swain contuvo la risa.

El karanadon rugió de indignación y se alejó de Swain, en dirección a los ascensores. Estaba ganando velocidad cuando una tercera voz gritó:

—¡Eh!

El karanadon frenó en seco por tercera vez.

—¡Sí, tú! —Era Hawkins.

Swain desvió la mirada de los ascensores al área de préstamos, impresionado.

El karanadon, totalmente confundido en esos momentos, se volvió para mirar a Hawkins. Swain aprovechó la oportunidad y corrió hacia los ascensores.

—¡Eh, aquí! ¡Eh, tío! ¿Qué hay de nosotros?

El karanadon se giró parsimonioso. Resopló con desdén.

Bum.

Swain alzó la vista hasta el visualizador numérico situado encima del ascensor de la izquierda. El ascensor estaba bajando del «2» al «1». Estaba bajando. ¿Qué demonios? El segundo ascensor, el de la derecha, con las puertas combadas hacia dentro y al que Swain había visto por última vez a medio camino entre la segunda y la primera planta, no parecía funcionar siquiera.

Bum. Bum. Bum.

—¡Eh! —gritó de nuevo Hawkins. Pero esa vez la bestia no respondió. Siguió avanzando hacia Swain y los demás, hacia los ascensores.

Bum. Bum. Bum.

—¡Eh! —El karanadon no se detuvo. Siguió corriendo hacia los ascensores.

—Tenemos un problema —dijo Selexin sin emoción alguna.

—Un problema muy serio —asintió Swain.

Bum. Bum. Bum.

Swain se volvió. Opciones. Opciones. No había ninguna. Comprobó los números sobre los ascensores. El de la izquierda seguía en la primera planta. El derecho, quieto.

Se quedó mirando los ascensores unos instantes y de repente tuvo una idea.

—Rápido —dijo mientras se dirigía al ascensor de la derecha—. Selexin, Holly, coged el otro lado de la puerta y tirad. Tenemos que abrirla.

Bum. Bum. Bum.

El karanadon se estaba acercando, ganando velocidad conforme los iba teniendo más cerca.

Las puertas del ascensor comenzaron a abrirse lentamente.

—Seguid tirando —dijo Swain. El oscuro hueco de los ascensores se abrió ante ellos.

Bum.

—Eso es —dijo Swain mientras se metía entre las puertas y, con las piernas extendidas, empezaba a empujarlas, aún mirando a la sala de estudio. El oscuro hueco de los ascensores se abrió a sus espaldas.

Fue entonces cuando Swain se percató del silencio. Nada de pisadas retumbantes.

El karanadon se había detenido.

Lentamente, con cuidado, Swain levantó la cabeza.

¡Estaba justo ahí!

A metro y medio.

Y estaba allí quieto, cerniéndose inquietantemente sobre ellos tres, con ese enorme cuerpo oscuro que los empequeñecía. El monstruo ladeó la cabeza y miró a Swain. Una de sus alargadas y puntiagudas orejas se retorció.

—Holly, Selexin —susurró Swain—. Quiero que los dos os agarréis a mis piernas. Uno a cada una. Ahora mismo.

—Papá... —Holly empezó a sollozar.

—Agárrate a mi pierna, cariño.

Se oyó un ruido y Swain vio que eran las garras de la bestia arañando el suelo de mármol.

Preparándose para atacar.

Holly se agarró a la pierna izquierda de Swain. Selexin cogió la derecha.

—Agarraos fuerte —dijo Swain mientras tomaba aire. El karanadon levantó la extremidad delantera.

El golpe fue rápido, pero no lo suficiente. No golpeó nada porque en ese momento Swain saltó hacia atrás, a la oscuridad del hueco de los ascensores.

El cable del ascensor estaba resbaladizo, pero Swain logró asirse.

Había tres cables verticales y Swain estaba sujeto al del medio. Tras él, las puertas del ascensor se habían cerrado automáticamente tan pronto como había dejado de sostenerlas.

El hueco de los ascensores estaba completamente oscuro y en relativo silencio. Podían oír los rugidos del karanadon al otro lado de las puertas.

—Selexin —dijo Swain. Su voz resonó con fuerza en el hueco de los ascensores—. Agárrese al cable.

Este extendió la mano y cogió el cable.

—Muy bien. Ahora deslícese por él hasta bajar al ascensor.

Se deslizó por el cable lleno de grasa hasta desaparecer en la nebulosa oscuridad del hueco de los ascensores.

—Holly, ¿estás bien?

—Sí. —Un sollozo.

—Muy bien, ahora es tu turno. Estira el brazo y agarra el cable.

—Va-vale.

Con la mano temblorosa, Holly intentó coger el cable. Sus dedos vacilaron durante una eternidad a escasa distancia del resbaladizo cable de metal. Lo atrapó.

Y entonces, de repente, las puertas del ascensor se abrieron.

Una luz azulada se filtró por el hueco de los ascensores, silueteando la monstruosa forma del karanadon, que sostenía las puertas abiertas.

Se encontraba a poca distancia y Swain estaba completamente expuesto, sujeto al cable del ascensor y con Holly colgando de su pierna.

La bestia rugió con fuerza, se asomó al hueco de los ascensores y golpeó violentamente a Swain, que soltó un poco el cable y cayó un segundo antes de que el golpe impactara en él.

Swain bajó cual peso muerto a la oscuridad, con el cable zumbando en sus manos mientras descendía a toda velocidad con Holly aferrada a su pierna izquierda. Se deslizaron con gran rapidez. La grasa del cable evitó que Swain se abrasara las manos. Llegaron al techo del ascensor derecho. Selexin estaba allí, esperando.

La trampilla de la cabina seguía abierta y la luz del interior encendida. El ascensor se encontraba en el mismo sitio donde lo habían dejado, cuando Swain, Balthazar y los dos guías habían cruzado para encontrarse con Hawkins y Holly en la cabina contigua.

—Entremos, a ver si podemos llegar a otra planta —dijo Swain mientras cogía a Holly de la mano y la bajaba al interior del ascensor. Selexin fue el siguiente en descender. Por último, Swain saltó al interior.

Con la luz del ascensor, Swain pudo ver lo mucho que se habían manchado. La grasa negra del cable cubría sus ropas. Se llevó la mano a la mejilla. Había dejado de sangrar.

—¿Adónde vamos? —preguntó Selexin.

—Creo que deberíamos irnos a casa, papá —sugirió Holly.

—Buena idea —dijo Swain.

Selexin dijo:

—Bueno, será mejor que se nos ocurra algo...

De repente el ascensor se movió y salieron despedidos al otro lado.

—Oh, Dios mío —dijo Swain—. ¡El cable!

El ascensor se sacudió con violencia, arrojándolos al suelo. Un crujido resonó por todo el hueco del ascensor.

—¡Tiene el cable!

La cabina se inclinó y Selexin se golpeó en la cabeza contra la pared lateral y cayó al suelo, inconsciente. Swain intentó llegar al panel de los botones, pero del tirón cayó hacia atrás. Se golpeó la nuca contra una de las puertas y durante un segundo no vio nada salvo lucecitas. Todo el ascensor se estremeció de nuevo por la tensión ejercida sobre el cable.

Y entonces, con la misma rapidez con que había empezado, el movimiento cesó y la cabina volvió a quedarse quieta.

Holly estaba acurrucada en el rincón, chupándose sin cesar el dedo pulgar. Selexin estaba boca abajo en el suelo, inconsciente. Swain consiguió a duras penas ponerse en pie y, mientras se frotaba la nuca, alzó la vista hacia la trampilla.

Acababa de colocarse justo debajo cuando notó que el ascensor se movía de nuevo. Otro tirón. Pero no como los anteriores. No había sido lateral, sino ascendente.

El ascensor se movió de nuevo y Swain notó cómo le fallaban las rodillas.

Y entonces supo lo que pasaba.

Estaban subiendo.

¡Los estaba subiendo por el hueco de los ascensores!

—Vale —dijo para sí—, ¿cómo demonios vamos a salir de esta?

La cabina siguió ascendiendo, raspándose con los muros de hormigón del hueco del que pendía.

Swain miró por entre la trampilla y distinguió los brazos del karanadon tirando del cable.

Seguían subiendo.

Tiene que haber una salida, pensó. *Tiene que haberla.*

El karanadon rugió. Estaban cerca, quizá a tan solo una planta de él. La trampilla seguía abierta. El karanadon estaba contemplando el ascensor con furia animal mientras tiraba de los cables.

Los cables, pensó Swain.

Meditó unos instantes la idea. Era peligroso, sí. Pero podía funcionar. En ese momento no le parecía que tuvieran muchas más opciones. Se encogió de hombros. Qué demonios, era mejor que nada.

Miró de nuevo a Holly. Seguía chupándose el pulgar en una esquina del ascensor.

Sí, podía funcionar.

Tenía que funcionar.

Y, tras eso, Swain subió por la trampilla al techo del ascensor.

La sala de lectura estaba más cerca de lo que pensaba.

Se encontraban a algo más de dos metros por debajo de las puertas de la tercera planta donde estaba el karanadon y el ascensor seguía subiendo.

El karanadon lo vio. Y se detuvo.

Swain se quedó quieto, encima del ascensor, contemplando a la enorme bestia.

De repente el karanadon lo atacó con una de sus garras. Swain retrocedió, fuera de su alcance. La bestia golpeó de nuevo y erró.

—¡Vamos! —gritó Swain—. ¡Puedes hacerlo mejor!

La enorme bestia rugió de la frustración y lo atacó de nuevo, con más dureza en esa ocasión, fallando de nuevo, pero alcanzando a uno de los cables.

El cable se cortó como si fuera un hilo y el ascensor se tambaleó. Pero el karanadon seguía sosteniéndolo… ¡Con una mano!

La enorme bestia lo golpeó de nuevo, y Swain se echó a la izquierda. Erró y el segundo cable se cortó.

Uno más, se dijo a sí mismo Swain. *Uno más y se acabó.*

Aquello estaba siendo ya demasiado para el karanadon. Rugió de nuevo con frustración animal, como un perro ladra a un gato al que jamás alcanzará.

—Vamos, grandullón —se burló Swain—. Un golpe más y todo terminará.

Fue entonces cuando el karanadon levantó el brazo por última vez.

Pero no lo golpeó.

Saltó.

¡Al techo del ascensor!

Swain no tuvo tiempo ni de sorprenderse. ¡El ascensor empezó a caer en picado!

Un chirrido estridente perforó los oídos del doctor cuando el ascensor comenzó a descender en caída libre por el hueco. El viento lo golpeó por todas partes y las chispas prendieron en cada rincón de la cabina en descenso.

La enorme bestia seguía al otro lado del techo, ajena a lo que había hecho, mirando a Swain.

¿Qué criatura es tan estúpida de saltar a un ascensor que ella misma está sosteniendo?, pensó Swain.

Pero en esos momentos no tenía tiempo para pensar. Se metió por la trampilla y aterrizó con dureza en el suelo.

—¡Agáchate! —le gritó a Holly por encima del chirrido de la cabina en descenso—. ¡Túmbate en el suelo! ¡Pon la cabeza sobre los brazos!

El ascensor rugió.

Holly hizo lo que se le había dicho y se pegó al suelo. Swain se colocó junto a ella, la cubrió con el brazo e hizo lo mismo: se tumbó boca abajo, estirando bien las piernas y hundiendo la cabeza en su otro antebrazo, usándolo como cojín.

El último de los cables ya debe de haberse roto, supuso mientras yacía en el suelo, aguardando la colisión que se produciría en cualquier momento.

El karanadon metió su enorme cabeza por la pequeña trampilla. Quería entrar, pero no cabía.

La cabina rugió mientras saltaban chispas por todas partes y su estridente chirrido se volvía más y más y más intenso.

Y entonces alcanzó el foso.

El impacto fue aterrador.

Swain sintió cómo todo su cuerpo se estremecía con violencia cuando el ascensor pasó de más de cincuenta kilómetros por hora a cero en un segundo.

Los músculos de sus antebrazos protegieron su cabeza. Y su cuerpo, puesto que ya estaba pegado al suelo, amortiguó gran parte de la fuerza del impacto.

Lo mismo ocurrió con Holly. Swain confió en que Selexin estuviera bien, pues antes de la caída ya estaba en el suelo, inconsciente.

Cuando el ascensor alcanzó el foso con un terrible bang, el techo cedió y la enorme bestia cayó y se golpeó contra el suelo del ascensor, aterrizando sobre su estómago, justo al lado de Swain, en una nube de polvo y trozos de plástico.

Transcurrió un minuto.

Swain levantó despacio la cabeza.

Lo primero que vio fue el morro negro y arrugado y las enormes fauces del karanadon justo delante de sus ojos. La cabeza de la criatura era tan grande como todo su cuerpo.

Se dispuso a levantarse. La bestia no se movió.

Swain corrió a mirar la pulsera y suspiró. La luz verde había vuelto. El karanadon estaba durmiendo.

Se incorporó. Los escombros que tenía sobre la espalda cayeron al suelo. Casi la mitad del techo del montacargas había cedido por el peso de la bestia y en esos momentos había trozos del techo y cristales de los tubos fluorescentes por todas partes.

Santo Dios, pensó, era como si hubiera detonado una bomba: polvo blanco flotando en el aire, el techo combado, las luces que quedaban estaban parpadeando, la otra mitad destruida.

Swain se levantó. Se tocó el moratón que empezaba a formársele en la nuca. Le dolía la parte baja de la espalda del tremendo impacto. Retiró el brazo de su hija.

—¿Holly? —le dijo en voz baja—. ¿Estás bien?

Esta se estiró como si acabara de salir de un profundo y doloroso sueño.

—¿Q…Qué?

Swain cerró los ojos aliviado y la besó en la frente.

—¿Estamos aún aquí, papá? —dijo entre sollozos con la cabeza aún hundida entre sus antebrazos.

—Sí, cariño. Seguimos aquí. —Sonrió.

Al otro lado del ascensor, Selexin gimió. Levantó lentamente la cabeza y miró a Swain, aún un poco disperso. Entonces vio el inerte pero vivo cuerpo del karanadon.

—No me lo puedo creer…

—Qué me va a contar —le respondió con sequedad Swain.

—¿Dónde estamos?

—En el foso del hueco de los ascensores, supongo. Tomamos el camino de bajada rápido.

—Oh —dijo distraído Selexin.

No parecía demasiado preocupado en esos momentos, y por ello, Swain tampoco se preocupó. Imaginó que podrían quedarse algún tiempo allí. El karanadon no iba a despertarse en un futuro cercano, y nadie podría encontrarlos en el ascensor.

Se sentó, colocó con cuidado a Holly en su regazo y se apoyó contra la pared de la cabina destrozada y sonrió con tristeza a la destrucción que lo rodeaba.

Bob Charlton detuvo su Chevy en un semáforo en rojo y marcó el número de su despacho. Apenas si había dado señal cuando Rudy respondió:

—Teléfono de Robert Charlton.

—Rudy —dijo Charlton.

—Sí, señor. ¿Dónde está?

—En estos momentos, metido en un atasco. Estoy volviendo. Llegaré allí en unos cinco minutos.

Al otro lado de la línea, Rudy Baker calló y miró nervioso a su alrededor.

—Muy bien, señor —dijo—. ¿Hay algo que quiera que haga mientras tanto? ¿Busco algo?

La voz de Charlton dijo:

—Sí, mira en el ordenador a ver si la Biblioteca Pública fue conectada a la red de suministro eléctrico cuando hicimos eso en el Registro Nacional de Lugares Históricos unos meses atrás. Si es así, echa un vistazo a los registros y saca los planos y mira a ver si puedes encontrar dónde está la maldita válvula amplificadora.

—Eh… claro. —Vaciló de nuevo.

—¿Qué ocurre, hijo? —dijo Charlton—. ¿Pasa algo allí?

—No, aquí no —mintió Rudy—. Lo veo ahora.

—De acuerdo. —Charlton colgó.

En el despacho, Rudy se inclinó hacia delante y colgó el teléfono.

—Bien hecho —dijo una voz a sus espaldas—. Ahora, ¿por qué no toma asiento con el resto de nosotros y así podemos esperar todos juntos a que su jefe regrese?

Charlton salió a toda prisa del ascensor y recorrió con paso apretado el pasillo hasta su despacho.

Miró el reloj.

Eran las 7:55 p. m.

Confió en que Rudy hubiera conseguido esos documentos sobre la biblioteca. Así, con un poco de suerte, podría tener la red de suministro en funcionamiento a eso de las diez.

Entró en su despacho y frenó en seco.

Rudy estaba sentado en la silla tras el escritorio de Charlton. Alzó la vista con impotencia.

Cinco hombres más, todos con trajes oscuros, estaban sentados en fila delante del escritorio.

Charlton echó a andar y uno de los tipos se levantó y fue hacia él. Era bajo y fornido, pelirrojo y con bigote puntiagudo del mismo color.

—Señor Charlton, agente especial John Levine. —Le enseñó su identificación—. Seguridad Nacional.

El supervisor del turno de noche examinó la identificación. Se preguntó que querría la Agencia de Seguridad Nacional de Con Ed.

—¿Cuál es el problema, señor Levine?

—Oh, no hay ningún problema —respondió con prontitud Levine.

—Entonces, ¿qué puedo hacer por usted? —Los ojos de Charlton deambularon por su despacho, escudriñando a los cuatro hombres que seguían sentados.

Eran grandes, de espaldas anchas. Dos de ellos llevaban gafas de sol a pesar de que eran ya casi las ocho de la tarde. Resultaban de lo más intimidantes.

—Por favor, señor Charlton, tome asiento. Tan solo hemos venido a hacerle unas preguntas en relación a sus pesquisas sobre la Biblioteca Pública de Nueva York.

—No estoy buscando nada sobre la biblioteca en sí —dijo Charlton mientras se sentaba en la silla libre. Levine se sentó enfrente—. Estoy buscando un fallo en nuestro suministro eléctrico. Hemos recibido muchas llamadas de esa zona quejándose de que no tenían electricidad.

Levine asintió.

—Ajá. Entonces, aparte de encontrarse en la misma zona, ¿cuál es la conexión entre esas quejas y la biblioteca?

—Bueno —dijo Charlton—, la biblioteca se encuentra en el Registro Nacional de Lugares Históricos. Ya sabe, uno de esos edificios antiguos que no pueden demolerse.

—Lo sé.

—La cuestión es que conectamos algunos de ellos a la red principal de suministro hace algunos meses y hemos descubierto que, si se les va la luz, todo el maldito sistema cae con ellos.

Levine asintió de nuevo.

—Entonces, ¿por qué ha empezado por centrarse en ese edificio? Sin duda habrá otros en ese sector que merezcan una atención similar.

—Señor Levine, llevo diez años haciendo esto y una avería o corte en la red puede suponer un montón de problemas. Y eso significa que hay que comprobar todo. Cada posibilidad. En ocasiones se trata de niños que cortan los cables con la sierra de cadena de su padre, en otras tan solo es una sobrecarga. Siempre me ha parecido más prudente ir primero a comprobarlo con la policía para ver si han detenido a alguien en la zona.

—¿Ha ido a la policía? —Levine arqueó una ceja.

—Sí.

—¿Y averiguó algo?

—Sí. De hecho, fue la policía la que me condujo a la biblioteca.

—Si no le importa que le pregunte —dijo Levine—, ¿a qué comisaría fue?

—A la del decimocuarto distrito policial —respondió Charlton.

—¿Y qué le dijeron?

—Me dijeron que habían pillado a un ladrón de ordenadores de tres al cuarto en la biblioteca anoche, y que aquello guardaba relación con la muerte de un vigilante de seguridad. También pude ver al tipo...

—¿Un guardia asesinado? —Levine se inclinó hacia delante.

—Sí.

—¿Un guardia de la biblioteca?

—Sí.

—¿Y la policía dice que fue asesinado anoche?

—En efecto. Anoche —dijo Charlton—. Encontraron al ladrón a su lado, cubierto de la cabeza a los pies con sangre del tipo.

Levine miró a los otros agentes. A continuación dijo:

—¿Creen que lo hizo el ladrón?

—No, era un tipo pequeño y escuálido. Pero creen que es posible que se topara con los que lo hicieron. Que intentaran asustarlo. Algo así.

Levine, inmerso en sus pensamientos, paró de hablar. Poco después, le preguntó con voz muy seria:

—¿Ha puesto la policía a algún hombre en el interior del edificio? ¿En el interior de la biblioteca?

—El detective con el que hablé me dijo que tenían a dos agentes allí —dijo Charlton—. Ya sabe, custodiando el edificio durante la noche hasta que algún equipo pueda ir mañana.

—Entonces, ¿hay agentes de policía en el interior del edificio en este instante?

—Eso me contaron.

Ante aquello, Levine se giró hacia sus hombres y asintió al que tenía más cerca, que se levantó de inmediato.

—La comisaría del decimocuarto distrito —le dijo Levine. Miró de nuevo a Bob Charlton—. Señor Charlton, ¿recuerda el nombre del detective con el que habló?

—Sí. El capitán Henry Dickson.

Levine se volvió hacia el agente que estaba en pie y asintió con la cabeza. El agente no respondió. Salió raudo de la habitación.

Levine miró a Charlton de nuevo.

—Señor Charlton, nos ha sido de gran ayuda. Le doy las gracias por su cooperación.

—No hay de qué —dijo Charlton mientras se levantaba de su silla—. Si esto es todo, caballeros, tengo una red de suministro que arreglar, así que si me disculpan, he de irme a comprobar si la biblioteca…

Levine se levantó y le puso la mano en el pecho a Charlton, deteniéndolo.

—Lo lamento, señor Charlton, pero me temo que sus indagaciones sobre la Biblioteca Pública de Nueva York terminan aquí.

—¿Qué?

Levine habló con calma.

—Este asunto ya no es competencia suya o de su empresa, señor Charlton. La Agencia de Seguridad Nacional se encargará de ahora en adelante.

—Pero ¿qué pasa con el suministro? —le objetó Charlton—. ¿Y la electricidad? Tengo que restablecer el servicio.

—Puede esperar.

—Y una mierda puede esperar. —Charlton dio un paso al frente, enfadado..

—Siéntese, señor Charlton.

—No, no voy a sentarme. Este es un problema muy serio, señor Levine. —Se contuvo—. Me gustaría hablar con su superior.

—Siéntese, señor Charlton —dijo el agente especial, esa vez de manera más autoritaria. Dos agentes se apostaron inmediatamente a ambos lados de Charlton. No lo tocaron, simplemente se quedaron quietos a su lado.

Charlton se sentó. Frunció el ceño.

Levine dijo:

—Todo lo que voy a decirle es esto, señor Charlton. En las últimas dos horas, la biblioteca se ha convertido en objeto de una investigación por parte del gobierno de Estados Unidos. Una investigación que no se detendrá porque doscientos neoyorquinos no puedan ver su programa favorito por una noche.

Charlton permaneció sentado en silencio. Levine fue a la puerta.

—Sus indagaciones han concluido, señor Charlton. Se le avisará cuando pueda proceder. —Levine cruzó la puerta, llevándose a un agente consigo y dejando al supervisor en el despacho con Rudy y los otros dos agentes.

Charlton no podía creérselo.

—¿Qué? ¿Va a retenerme aquí? ¡No puede hacer eso!

Levine se detuvo en la puerta.

—Oh, sí que puedo, señor Charlton, y lo haré. En virtud del artículo 50 de la legislación de los Estados Unidos, un agente posee la autoridad para detener a todo aquel que considere pertinente en un caso de seguridad nacional durante el tiempo que la investigación se prolongue. Se quedará aquí, señor Charlton, con su ayudante, bajo supervisión, hasta que esta investigación haya concluido. Gracias por su cooperación.

Ya en el pasillo, Levine entró en el ascensor y sacó su móvil.

—Aquí Marshall —dijo una voz interrumpida por constantes interferencias al otro lado de la línea.

—Señor, soy yo, Levine.

—Sí, John. ¿Cómo ha ido?

—Bien y mal, señor.

—Dígame primero las buenas noticias.

Levine dijo:

—Es sin duda la biblioteca.

Una pausa. A continuación:

—¿Sí?

—Y hemos cogido a Charlton justo a tiempo. Iba a marcharse para allá.

—Bien.

Levine calló durante un momento y se toqueteó nervioso el bigote.

La voz de Marshall dijo:

—¿Y las malas noticias?

Levine se mordió el labio.

—Tuvimos que detenerlo, señor.

Se hizo el silencio al otro lado de la línea.

—No había elección, señor Marshall. Teníamos que mantenerlo lejos de la biblioteca.

El hombre llamado Marshall parecía estar reflexionando sobre lo que le acababan de decir. Finalmente habló, casi para sí.

—No, no. No pasa nada. Charlton estará bien. Además, si esto sale a la luz, la Agencia no se verá afectada por lo que pueda decir. ¿Algo más?

Levine contuvo la respiración.

—Hay dos policías dentro del edificio.

—¿Dentro?

—Sí.

—Oh, joder —dijo la voz de Marshall—. Eso sí que es un problema.

Levine aguardó en silencio, aunque seguían oyéndose las interferencias. Marshall estaba pensando. Cuando habló, su voz sonó resuelta.

—Tendremos que llevarlos con nosotros.

—¿A los policías? ¿Podemos hacer eso?

Marshall dijo:

—Están contaminados. No parece que tengamos muchas más opciones.

Levine dijo:

—¿Qué quiere que haga ahora?

—Vaya a la biblioteca y, por el momento, que nadie lo vea. La gente de Sigma llegará enseguida —dijo Marshall—. Yo aterrizaré en un par de minutos. Hay un coche esperándome en la pista, así que estaré allí en una media hora.

—Sí, señor.

Levine colgó.

James A. Marshall estaba sentado en el compartimiento ejecutivo del avión Lear del director de la Agencia Nacional de Seguridad cuando este comenzó a descender en LaGuardia.

Como agente a cargo de Sigma, la división ultrasecreta de la NSA, Marshall tenía oficialmente su base en Maryland, pero últimamente pasaba la mayor parte de su tiempo en los estados del oeste, Nuevo México y Nevada.

Marshall era un hombre alto de cincuenta y dos años de edad, prácticamente calvo, con barba canosa y unas cejas oscuras y arqueadas que se estrechaban en el puente de su nariz, le que le confería una expresión de perpetua seriedad. Había estado a cargo de la división Sigma, la élite en cuanto a descubrimientos de alta tecnología se refería, durante los últimos seis años.

En la década de los ochenta, la NSA había sido el orgullo de la Inteligencia estadounidense, con miles de millones de algoritmos de codificación que se convertirían en la base de sus mundialmente famosos ordenadores descifradores. Entonces, en 1990, Sigma añadió más prestigio si cabía a la institución al emplear tecnología semiconductora para lograr el mayor descubrimiento en la historia de la comunicación y el descifrado de mensajes: la computación cuántica.

Pero, con el deshielo de la Guerra Fría, la descodificación de mensajes cifrados empezó a ser menos prioritaria a ojos del Gobierno. Los presupuestos se redujeron. El dinero fue desviado a otros sectores del Ejército y la Inteligencia. La NSA tenía que encontrar algo nuevo en lo que destacar, algo que justificara la continuación de su existencia. De lo contrario acabaría siendo absorbida por el Ejército.

A James Marshall y a la división Sigma se les encomendó la tarea de encontrar ese nuevo campo de especialización.

Y así, los recursos de Sigma se centraron en un objetivo completamente nuevo y distinto. Solo que este objetivo no requería de la creación de nueva tecnología, sino que más bien se centraba en la búsqueda, el descubrimiento y el descifrado de una tecnología muy especial.

Tecnología altamente avanzada.

Tecnología que el hombre por sí mismo no podía crear.

Pero tecnología para la que la NSA, y solo la NSA, con sus nuevos superordenadores de computación cuántica, se hallaba en una posición única y privilegiada a la hora de descifrar y explotar.

Tecnología extraterrestre.

Marshall cogía todo aquello con pinzas. Sí, las Fuerzas Aéreas, el rival directo de la NSA a ese respecto, habían construido almacenes subterráneos en Nuevo México y Nevada. Pero a pesar de todos aquellos reportajes de la televisión que aseguraban que estos habían encontrado, capturado y estudiado naves y formas de vida extraterrestres (uno de esos reportajes especiales había llegado a sugerir incluso que la tecnología tras los bombarderos furtivos provenía de tales estudios), sus almacenes estaban irrefutable e inequívocamente vacíos.

En resumen, las Fuerzas Aéreas no habían encontrado nada. Y en la competitiva búsqueda de presupuesto, eso había proporcionado a la NSA una oportunidad...

Como la de esta noche, pensó Marshall.

Y, conforme su avión descendía, miró por centésima vez el documento impreso que llevaba en su regazo.

Dos horas antes, exactamente a las 6:00 p. m., hora estándar del este, un satélite de la NSA, el LandSat 5, en el transcurso de un barrido aleatorio en el extremo nordeste de Estados Unidos, había detectado y cuantificado un desplazamiento electrónico inusualmente largo que parecía emanar de la isla de Manhattan.

El desplazamiento no había figurado en los barridos previos, y su amperaje era peligrosamente similar a las frecuencias codificadas electrónicas grabadas y registradas que previamente habían empleado las guerrillas del Norte de África, en concreto las de Libia.

Y, tras los atentados del Once de Septiembre, nadie en la NSA estaba dispuesto a correr riesgo alguno.

La respuesta había sido inmediata.

Los resultados del LandSat 5 habían sido enviados inmediatamente al cuartel general de la Agencia en Fort Meade, Maryland. Un satélite de vigilancia electrónica KH-11E (más conocido por su alias: Espía), había sido confiscado de la Oficina Nacional de Reconocimiento y reprogramado para que pasara por encima de Nueva York.

Por pura casualidad, el Espía resultó estar en el lugar y momento adecuados y se situó sobre la escena en cuestión de pocos minutos, y los primeros resultados pronto estuvieron en manos del equipo de gestión de crisis de la Agencia en Maryland, equipo en el que se encontraba Marshall.

Una vez se hubieron analizado los resultados, en el espacio de nueve minutos todos los registros de la comunicación entre el control de satélite en Maryland, LandSat 5 y el Espía habían sido destruidos.

El LandSat 5 fue reconfigurado para su amaraje inmediato en algún punto del océano Pacífico, mientras que el Espía siguió monitorizando la zona de Manhattan.

Fue entonces cuando la misión se les asignó a James Marshall y a sus hombres de la división Sigma.

No disponían de mucho tiempo y Marshall no había desperdiciado un segundo.

Había corrido al aeropuerto y, mientras él se subía al Lear del director, otro miembro de Sigma ya estaba preparando el comunicado de prensa que explicaría la desafortunada y lamentable pérdida de dos satélites.

Así que, allí estaba, en el Lear del director de la NSA, listo para aterrizar en Nueva York. Marshall cogió su maletín para poder echar un último vistazo al informe del Espía.

A juzgar por el largo tramo temporal que cubría el informe, el Espía podía mantener su campo de visión sobre un único objetivo durante cincuenta minutos. Marshall leyó la transcripción.

LSAT-560467-S
TRANSCRIPCIÓN DE DATOS 463/511-001
EMPLAZAMIENTO DEL OBJETO: 231.957 (Costa nordeste: NY, NJ)

N.º	HORA/ET	UBICACIÓN	LECTURA
1.	18:03:48 Long Isl.	Sobrecarga energía aislada/origen: DESCONOCIDO	
		Tipo energía: DESCONOCIDA / Duración: 0:00:09	
2.	18:03:58 N. Y.	Sobrecarga energía aislada/origen: DESCONOCIDO	
		Tipo energía: DESCONOCIDA / Duración: 0:00.06	
3.	18:07:31 N. Y.	Sobrecarga energía aislada/origen: DESCONOCIDO	
		Tipo energía: DESCONOCIDA / Duración: 0:00:05	
4.	18:10:09 N. Y.	Sobrecarga energía aislada/origen: DESCONOCIDO	
		Tipo energía: DESCONOCIDA / Duración: 0:00:07	
5.	18:14:12 N. Y.	Sobrecarga energía aislada/origen: DESCONOCIDO	
		Tipo energía: DESCONOCIDA / Duración: 0:00:06	
6.	18:14:37 N. Y.	Sobrecarga energía aislada/origen: DESCONOCIDO	

		Tipo energía: DESCONOCIDA / Duración: <u>0:00:02</u>
7.	18:14:38 N. Y.	Sobrecarga energía aislada/origen: DESCONOCIDO
		Tipo energía: DESCONOCIDA / Duración: <u>0:00:02</u>
8.	18:14:39 N. Y.	Sobrecarga energía aislada/origen: DESCONOCIDO
		Tipo energía: DESCONOCIDA / Duración: <u>0:00:02</u>
9.	18:14:40 N. Y.	Sobrecarga energía aislada/origen: DESCONOCIDO
		Tipo energía: DESCONOCIDA / Duración: <u>0:00:02</u>
10.	18:16:23 N. Y.	Sobrecarga energía aislada/origen: DESCONOCIDO
		Tipo energía: DESCONOCIDA / Duración: 0:00:07
11.	18:20:21 N. Y.	Sobrecarga energía aislada/origen: DESCONOCIDO
		Tipo energía: DESCONOCIDA / Duración: 0:00:08
12.	18:23:57 N. Y.	Sobrecarga energía aislada/origen: DESCONOCIDO
		Tipo energía: DESCONOCIDA / Duración: 0:00:06
13.	18:46:00 N. Y.	Sobrecarga energía aislada/origen: DESCONOCIDO
		Tipo energía: DESCONOCIDA / Duración: 0:00:34

Marshall frunció el ceño.

Por el momento la transcripción no le decía nada.

Doce sobrecargas importantes de una energía desconocida, cuyo origen también era desconocido, habían tenido lugar en Nueva York entre las 6:03 y las 6:46 p. m.

Además de eso, estaba la primera sobrecarga, que se había producido en algún punto de Long Island. También resultaba peculiar la última sobrecarga; peculiar porque había durado treinta y cuatro segundos, más del triple que cualquiera de las restantes. Por no mencionar las cuatro sobrecargas consecutivas de dos segundos de duración que Marshall había subrayado.

Todo aquello conformaba un rompecabezas, un rompecabezas que Marshall quería resolver.

Y las noticias de Levine eran buenas. La intervención de los teléfonos de Ed Con habían merecido la pena, si bien no había sido una actuación del todo legal. La teoría de que importantes sobrecargas de energía afectarían a los sistemas eléctricos locales había resultado ser correcta.

Robert Charlton los había conducido al origen de las sobrecargas de energía: la Biblioteca Pública de Nueva York.

Ahora tenían el emplazamiento. E iban a capturar a lo que quiera que estuviera allí.

Ese pensamiento hizo sonreír abiertamente a James Marshall en el mismo momento en que el Lear tocaba la pista de aterrizaje de LaGuardia.

Hawkins dejó a Balthazar en el suelo y lo apoyó en la pared de hormigón del cuarto del conserje. A continuación se dejó caer, sin respiración, al lado del enorme hombre barbudo.

—Pesas un huevo, cabrón. ¿Lo sabías?

El cuarto del conserje era un completo caos. La tela metálica que dividía en dos el espacio había cedido por la salida del karanadon. Había restos de cajas de madera aplastadas por todas partes. Y sin la enorme puerta hidráulica, la entrada no era más que un descomunal boquete en la pared.

Hawkins miró a Balthazar. No tenía buen aspecto. Sus ojos seguían inyectados en sangre y se le estaba formando una erupción en la piel de alrededor. Aún tenía saliva de la bestia en su poblada barba.

Balthazar gimió y a continuación, como si estuviera poniéndose a prueba, puso una mano en el suelo para levantarse, pero al instante cayó torpemente contra la pared.

Tendrían que esconderse allí un tiempo. Pero primero, pensó Hawkins, había que hacer algo con esa puerta.

Selexin finalmente se levantó y echó a andar por el ascensor hasta el enorme cuerpo del karanadon inconsciente. Se agachó y contempló las enormes fauces que sobresalían de su hocico negro.

Puso cara de asco.

—Repulsivo —dijo—. Realmente repulsivo.

Swain tenía a Holly en el regazo. Tras quejarse de un fuerte dolor de cabeza, se había quedado dormida al momento.

—Sí, tampoco tiene muchas luces —dijo—. ¿Había visto uno antes? ¿Así de cerca?

—No, jamás. No creo que haya nadie que haya visto a un karanadon tan cerca y haya vivido para contarlo.

Swain asintió y los dos se quedaron mirando a la enorme bestia negra en silencio. Luego añadió:

—¿Qué hacemos ahora entonces? ¿Lo matamos? ¿Podemos matarlo?

—No lo sé. —Selexin se encogió de hombros—. Nadie ha hecho eso antes.

Swain hizo una mueca y extendió las manos.

—¿Qué puedo decir?

Selexin frunció el ceño sin comprender.

—Discúlpeme, pero me temo que no lo entiendo. ¿Cómo que qué puede decir?

—No se preocupe. Es una forma de hablar.

—Oh.

—Sí —dijo Swain—. Como «que te jodan».

Selexin se sonrojó.

—Oh, sí. Eso. Bueno, tenía que decir algo. Mi vida estaba también en peligro, ya sabe.

—Es muy temerario decirle algo así a una cosa como esa. —Swain asintió con la cabeza hacia el karanadon.

—Oh, bueno…

—Pero también muy valiente. Y lo necesitaba. Gracias.

—No es nada.

—En fin, gracias de todas maneras —dijo Swain—. Por cierto, ¿puede hacer eso? ¿Ayudarme?

—Bueno —dijo Selexin—. Técnicamente, no. No me está permitido ayudarlo físicamente en ninguna pelea, ya sea contra un contendiente o contra el karanadon. Pero considerando lo que Bellos ha hecho al traer los hoodayas al Presidian, bueno, todo es posible.

Swain se volvió para mirar al karanadon. Las alargadas y puntiagudas cerdas del lomo ascendían y descendían al unísono con su respiración fuerte y cansada. Era increíblemente grande.

—Entonces ¿podemos matarlo?

—Creía que usted no mataba a víctimas indefensas —dijo Selexin.

—Eso solo vale para personas.

—Balthazar no era una persona y usted no lo mató. Es informe, recuerde. Estoy seguro de que le sorprendería la verdadera forma de Balthazar.

Swain dijo:

—De acuerdo, pues solo para cosas que se parecen a personas. Y además —dijo mientras miraba al karanadon—, Balthazar no me habría arrancado la cabeza si hubiera decidido luchar contra mí.

Selexin puso cara de ir a objetar, pero se contuvo. Tan solo dijo:

—Vale.

—¿Y bien? ¿Qué opina? ¿Podemos matarlo? —preguntó Swain.

—No veo por qué no. Pero ¿con qué lo matará?

Echó un vistazo al ascensor. No había gran cosa que emplear como arma. El techo estaba hecho con una fina placa de yeso y la mitad había desaparecido, destrozada por la caída del karanadon. Trozos enormes e irregulares de cristal esmerilado de los tubos fluorescentes yacían desperdigados por el suelo. Swain cogió uno. En su mano resultaba un arma de lo más patética.

Selexin se encogió de hombros.

—Podría funcionar. No obstante, también cabe la posibilidad de que únicamente sirva para despertarlo.

—Mmm. —A Swain no le gustó esa posibilidad.

No quería despertar al karanadon. Estaba bien como estaba. Inconsciente. Pero ¿por cuánto tiempo? Y matar algo que era más grande y fuerte que un oso pardo con un fragmento de plástico no parecía muy verosímil.

En ese momento, la garra derecha del karanadon se movió y aplastó algo que zumbaba alrededor de su hocico. A continuación la garra retomó su posición, junto al costado de la criatura, y la bestia prosiguió con su duermevela como si nada hubiera ocurrido.

Swain lo miró fijamente. Inmóvil.

El karanadon bufó y se giró de costado.

—¿Sabe? Ahora que lo pienso, no estoy tan seguro de que matarlo sea una buena idea —susurró Selexin.

—Yo estaba pensando lo mismo —dijo Swain—. Vamos, en marcha. —Se puso en pie y levantó a Holly.

—Vamos cielo, hora de irse.

Holly se estiró, aún atontada.

—Me duele la cabeza…

—¿Adónde vamos? —preguntó Selexin.

—Arriba —dijo Swain mientras señalaba al enorme agujero en el techo del ascensor.

Tras abrir las puertas exteriores del ascensor, Swain se asomó a la luz amarillenta y débil y vio filas y filas de librerías extendiéndose a izquierda y derecha.

El depósito.

Estaban encima de lo que quedaba del techo del ascensor destrozado, a unos quince metros por debajo del nivel del suelo de la planta -2. El foso de hormigón del hueco de los ascensores estaba, al parecer, muy por debajo de la última planta.

Swain trepó primero. Se hallaban en alguna parte del depósito.

Recordó cuando habían encontrado a Hawkins en esa planta y habían visto a Reese por vez primera, y también la carrera por el laberinto de librerías hasta alcanzar la seguridad de la caja de la escalera. Pero eso, rememoró, había ocurrido al otro lado de la planta.

Se volvió hacia el hueco de los ascensores y ayudó a Holly y a Selexin a subir.

—Me acuerdo de esta zona del laberinto —dijo Selexin mientras veía las estanterías a su alrededor—. Reese.

—Así es.

—Papá, me duele la cabeza —dijo Holly, cansada.

—Lo sé, cariño.

—Quiero ir a casa.

—Yo también —dijo mientras le acariciaba la cabeza—. A ver si podemos encontrar algo para tu dolor de cabeza y, al mismo tiempo, un sitio donde escondernos. Vamos.

Echaron a andar por un largo pasillo transversal. Tras recorrer cierta distancia, el pasillo llegaba a una unión en «T». Habían encontrado la pared occidental del depósito. Caminaron junto a ella, pero no habían recorrido ni veinte metros cuando Swain se percató de algo extraño.

Justo delante de ellos, pegado al muro exterior de librerías, había algo entreabierto que sobresalía al pasillo. Algo rojo.

Cuando se acercaron, Swain vio lo que era.

Una puerta.

Una puerta pequeña, de color rojo, ligeramente entreabierta. Estaba empotrada en la pared exterior de las librerías, casi imperceptible. Swain la había visto porque había pasado prácticamente a su lado. Cualquiera que echara un vistazo somero al depósito no la vería.

La puerta roja tenía un cartel.

—«Prohibido el acceso al personal» —leyó Selexin en voz alta—. ¿Qué se supone que significa eso?

Pero Swain no le estaba prestando atención a Selexin. Ya estaba arrodillado delante de la puerta, contemplando su base.

El guía dijo:

—Pensaba que al personal se le permitiría tener acceso a todo el lugar…

—Shh —dijo Swain—. Mire eso.

Selexin y Holly se pusieron en cuclillas a su lado y contemplaron el libro que yacía en el suelo, entre la puerta y su marco.

—Es como si mantuviera la puerta abierta… —dijo el hombrecillo.

—Es lo que hace —dijo Swain—. O al menos evita que se cierre.

—¿Por qué? —preguntó Holly.

Swain frunció el ceño.

—No lo sé.

Miró el pomo de la puerta. Por el lado de la biblioteca, había una cerradura en el sencillo picaporte de color plateado. Al otro lado, sin embargo, no vio ningún cierre ni cerradura. Cerca de las bisagras vio el mecanismo de cierre.

—Tiene un resorte —dijo—. Para asegurarse de que siempre se cierre. Por eso alguien puso el libro.

—¿Por qué no se permite el acceso del personal? —le preguntó Selexin.

—Probablemente porque esta puerta no tenga nada que ver con la biblioteca. Y en el depósito solamente pueden entrar los trabajadores de esta. Yo diría que probablemente sea un contador de electricidad o de gas. Algo así —dijo Swain—. Algo que el personal no puede tocar.

—Oh.

Holly dijo:

—¿Podemos salir por aquí?

Swain miró a Selexin.

—No lo sé. ¿Podemos?

—Se supone que el laberinto tiene que estar sellado en el momento en que se produce la electrificación. No sé qué ocurriría si una entrada no estuviera bien cerrada en ese momento. Pero puedo imaginármelo.

—Imagíneselo pues.

—Bueno. —Selexin se asomó por el borde de la pequeña puerta roja con el cartel «Prohibido el acceso al personal»—. No hay ninguna señal visible de electrificación. Y a menos que haya otra puerta tras esta que estuviera cerrada en el momento de la electrificación, mi suposición es que tal vez acabemos de encontrar una salida del laberinto.

—¿Una salida? —preguntó esperanzada Holly.

—Sí.

—¿Está seguro? —le susurró Swain.

—Solo hay una manera de averiguarlo —dijo Selexin—. Tenemos que ver si hay otra puerta tras esta.

—¿Tenemos? —dijo Swain, pensativo.

—Bueno, sí —dijo Selexin—. A menos que se le ocurra otra manera.

De cuclillas en el suelo, Swain miró al hombrecillo y dijo:

—Lo cierto es que sí.

Y, tras decir eso, Stephen Swain sacó el brazo izquierdo, el que llevaba la pulsera, por el hueco entre la pequeña puerta roja y su marco.

Al momento oyeron un fuerte e insistente bip proveniente del exterior de la puerta y, tras un par de segundos, Swain volvió a meter el brazo.

El pitido cesó al instante.

Todos miraron la gruesa pulsera gris. En el visualizador de la pantalla podía leerse en esos momentos:

INICIALIZADO—6
SECUENCIA DE DETONACIÓN INICIALIZADA.
SECUENCIA DE DETONACIÓN CANCELADA EN *14:57*
REINICIADA.

El 14:57 estaba parpadeando.

Swain sonrió a Selexin.

—No hay puerta exterior. Esta es la última.

—¿Cómo lo sabes, papa? —preguntó Holly.

—Porque la pulsera de tu padre está programada para inicializar una secuencia de detonación de quince minutos tan pronto como perciba que está fuera del campo de energía de este laberinto—dijo Selexin.

—¿Qué? —dijo Holly.

Swain dijo:

—Lo que quiere decir es que, si salgo fuera del campo electrificado que rodea a todo este edificio, la pulsera estallará, a menos que entre de nuevo en quince minutos.

—¿Y ves eso? —Selexin señaló el 14:57 parpadeante—. La cuenta atrás comenzó cuando sacó la muñeca por la puerta.

—Lo que significa que —prosiguió Swain—, una vez que estemos fuera de esa puerta, nos encontraremos fuera del campo eléctrico y fuera del laberinto.

—Eso es —dijo Selexin.

—Pues vámonos —dijo Holly—. Salgamos de este lugar.

—No podemos —dijo Swain con tristeza—. O al menos yo no puedo. No aún.

—¿Por qué no? —preguntó Holly.

—Por la pulsera. —Selexin suspiró.

Swain asintió.

—No puedo quitarla. Y si no puedo quitármela, solo duraré quince minutos antes de que explote.

—Entonces será mejor que encontremos una manera de quitársela —dijo Selexin.

—¿Cómo? —dijo Swain mientras se sacudía la muñeca. El brazalete era resistente y fuerte, una esposa de acero—. Mírela, es dura como una piedra. Necesitaríamos un hacha o un martillo para abrirla, y alguien lo suficientemente fuerte como para romperla.

—Me apuesto a que Balthazar podría —dijo Holly—. Es muy grande. Y seguro que también muy fuerte.

—Y la última vez que lo vimos, no podía ni sostenerse en pie por sí solo —dijo con amargura Selexin.

—Ni siquiera sabemos si Hawkins y él siguen con vida —dijo Swain—. Tiene que haber otra forma.

Selexin dijo:

—Quizá haya por aquí un tornillo de banco que podamos usar para abrirla.

—¿En una biblioteca? No es muy probable.

Frustrado, Selexin se sentó junto a la puerta entreabierta, contemplando la ruta de escape que no podía utilizar. Swain también miraba hacia la puerta, inmerso en sus pensamientos. Holly, mientras, se agarraba con fuerza a su brazo.

—Bueno, antes de nada —dijo Swain—, tengo que sacaros de aquí. Después, encontraré la manera de quitarme esto y nos veremos fuera. —Resopló—. Quizá debería ir a buscar a Bellos y preguntarle si le gustaría intentarlo. Estoy seguro de que le gustaría.

—Sin duda es lo suficientemente fuerte —dijo Selexin.

—Pero ¿lo haría? —dijo Swain.

—Encantado —respondió una voz de barítono tras él.

Swain se volvió.

Allí, ante él, en uno de los pasillos perpendiculares a la pared occidental, estaba Bellos.

Swain sintió un escalofrío al contemplar a aquel hombre. Su cuerpo, su rostro, sus cuernos, todo él era negro. Salvo la coraza dorada.

Y era alto, más de lo que le había parecido antes. Más bien dos metros quince.

—Saludos, compañero. Ante ti se halla Bellos…

—Sé quién eres —le dijo Swain.

Bellos ladeó la cabeza, sorprendido.

—¿Dónde están tus hoodayas? —le preguntó Swain con calma mientras Selexin y Holly se levantaban lentamente a su lado—. No luchas sin ellos, ¿verdad?

Bellos rió con maldad. Cuando lo hizo, Swain vio que algo tintineaba en su costado, algo que pendía del cinturón.

Era la máscara que el konda usaba para respirar.

Swain recordó con horror cómo lo había descrito Selexin momentos antes: el coleccionista de trofeos.

De repente, advirtió que Bellos llevaba un segundo objeto sujeto al cinturón, algo que relucía con la luz amarillenta del depósito. Swain abrió los ojos de par en par cuando vio de qué se trataba.

Era una placa del Departamento de Policía de Nueva York.

La compañera de Hawkins…

Bellos habló, sacando a Swain de sus pensamientos.

—Estás intentando mostrar un coraje del que careces, pequeño hombre. No hay hoodayas aquí. Solo estamos tú y yo.

—¿De veras? —dijo Swain—. No te creo.

Bellos dio un paso adelante.

—Usas palabras valientes para ser un hombre que está *moriturus*.

—*Moriturus* —repitió Swain. Por el rabillo del ojo buscó a los hoodayas, pues se temía que de un momento a otro al menos dos de ellos aparecieran por alguno de los pasillos cercanos—. A punto de morir, vaya. Si ese es el caso, ¿por qué no *osculare asinum meum*?

Bellos frunció el ceño, sin comprender.

—¿*Osculare asinum meum?* —repitió, perplejo—. ¿Que te bese qué?

Swain le dio disimuladamente una patada al libro colocado entre la puerta roja y su marco. La puerta con resorte comenzó al instante a cerrarse y Swain la sujetó con la mano (tras la espalda).

—Cuando ataquen —le susurró a Selexin y a Holly—, quiero que salgáis por la puerta. No os preocupéis por mí.

—Pero…

—Tan solo hacedlo —dijo Swain sin apartar la vista de Bellos.

Bellos resopló.

—¿Piensas quedarte allí, hombrecillo, o vas a luchar?

Swain no dijo nada. Miró a la izquierda. A continuación a la derecha. Aguardando a los hoodayas.

Y sucedió.

De repente, sin previo aviso. No por los lados, sino de frente. Por detrás de Bellos.

Era un solo hoodaya, que se abalanzó con las garras directo hacia Swain.

Con la mano que le quedaba libre, el doctor le soltó un manotazo de revés a la criatura, golpeándolo en la cabeza, enviándolo al suelo con un gemido.

Aprovechó entonces para abrir la puerta a sus espaldas.

—¡Vamos! —le gritó a Selexin y a Holly—. ¡Vamos! ¡Vamos!

Y entonces el segundo hoodaya atacó.

Este salió de la izquierda y golpeó a Swain por el costado, tirándolo al suelo y haciendo que soltara en la caída la puerta.

La puerta con resorte empezó a cerrarse.

El segundo hoodaya saltó de nuevo sobre Swain mientras este rodaba hasta colocarse boca arriba. Levantó el brazo a la desesperada y consiguió agarrarle el cuello al animal. Sus enormes fauces se abrieron y cerraron en un intento desesperado por llegar a su cara, pero Swain tenía el brazo completamente estirado.

Las garras lo acosaron de modo frenético, intentando desgarrarle el pecho, pero no eran lo suficientemente largas. Así que le alcanzaron en el brazo. Cinco tajos aparecieron al momento en el antebrazo de Swain.

Fue entonces cuando este vio que la puerta se estaba cerrando.

—¡La puerta! —les gritó a Selexin y a Holly.

Pero Holly y Selexin no se movieron. Se quedaron donde estaban, completamente inmóviles, mirando a la derecha, al muro de libros.

Swain miraba desesperado a la puerta, que estaba cerrándose a toda velocidad. Estaba ya casi cerrada del todo cuando, a la desesperada, estiró la pierna y metió el pie entre la puerta y el marco.

—¡Vamos! —gritó mientras soltaba una patada para abrirla de nuevo y al mismo tiempo forcejeaba con el hoodaya.

Pero Selexin y Holly no se movían.

Estaban mirando cómo el tercero y cuarto hoodaya se acercaban inquietantemente por el pasillo.

Swain, aún sujetando al segundo hoodaya con el brazo, se arrodilló. El animal decidió probar una nueva táctica. En vez de retorcerse sin cesar y de atacarlo con las garras, agarró el antebrazo de Swain con ambas garras, se aferró a él y empezó a apretar con la esperanza de que el humano le soltara el cuello.

—¡Dios! ¡Vamos! ¡Marchaos! —gritó Swain mientras sujetaba con el pie la puerta—. ¡No podré sostener la puerta por mucho más tiempo!

Aun así, Holly y Selexin no se movieron, y cuando finalmente vio qué era lo que estaban mirando, a Swain se le vino a la cabeza un pensamiento demasiado tardío.

¿Adónde ha ido el primer hoodaya?

El animal lo embistió con una velocidad aterradora y los tres se precipitaron por la puerta abierta. Swain chocó contra el marco y cayó al pasillo oscuro que había tras la abertura con los dos hoodayas.

—¡No! —gritó cuando vio que la puerta empezaba a cerrarse de nuevo y que iba a dejarlo fuera de la biblioteca.

Todavía tenía al segundo hoodaya cogido del cuello. Lo golpeó sin piedad dos veces contra el duro suelo de hormigón y el cuadrúpedo le soltó el brazo y Swain arrojó su cuerpo inerte y se precipitó hacia la puerta a punto de cerrarse.

Había ruido por todas partes. Los chillidos de los hoodayas, un fuerte bip electrónico proveniente de su pulsera y después… después el peor de todos: los gritos de Holly en el interior de la biblioteca.

Swain aterrizó a poca distancia de la puerta y el resto del recorrido lo hizo deslizándose sobre su pecho, con los brazos estirados…

Demasiado tarde.

La puerta se cerró.

El cierre hizo clic.

Y un estallido cegador de chisporroteante electricidad azul emergió de las bisagras y el pomo de la puerta.

Electrificada.

Durante un aterrador instante, se hizo el silencio, roto únicamente por el fuerte y persistente bip que provenía de la pulsera de Swain. La miró. En esos momentos ponía:

INICIALIZADO—6
SECUENCIA DE DETONACIÓN INICIALIZADA.
14:55
Y CONTANDO.

Stephen Swain contempló la puerta con horror.
Estaba fuera del laberinto.

Cuarto movimiento
Domingo, 1 de diciembre, 8:41 p. m.

Holly y Selexin echaron a correr por uno de los pasillos del depósito.

La niña no oía nada salvo su frenética respiración mientras recorrían los estrechos desfiladeros de librerías. A su lado, el hombrecillo la tenía cogida de la mano y tiraba de ella, mirando cada dos por tres a su espalda.

Llegaron a un cruce de pasillos y zigzaguearon a izquierda y derecha para abrirse paso hacia la parte central de la enorme planta subterránea.

Holly había empezado a gritar tan pronto como había visto a Swain precipitarse por la puerta bajo el peso de los dos hoodayas, pero Selexin había vuelto de repente a la vida y la había cogido de la mano, tirando de ella hacia el pasillo más cercano.

Podían oír tras ellos los gruñidos y rugidos de los hoodayas, que los perseguían a toda velocidad.

No estaban muy lejos.

Y cada vez ganaban más velocidad.

Selexin tiró de Holly con más fuerza. Tenían que seguir corriendo.

Swain escudriñó el oscuro pasadizo a su alrededor. Débiles luces fluorescentes iluminaban el estrecho pasillo.

El hoodaya que tenía a sus pies gimió. Yacía en el suelo, aturdido por los golpetazos que le había dado contra el suelo.

Al otro no lo veía por ninguna parte.

Swain se puso en cuclillas al lado del hoodaya que yacía en el suelo. Este siseó desafiante, pero sus heridas eran demasiado graves como para moverse.

Miró su pulsera. La cuenta atrás seguía avanzando.

14:30
14:29
14:28

No había tiempo que perder. Disponía de catorce minutos para volver a entrar antes de que la pulsera estallara.

No. Más importante todavía. Tenía catorce minutos para volver junto a Holly.

Swain hizo una mueca de asco y cogió al hoodaya herido por el cuello. Este forcejeó débilmente, un gesto inútil. A continuación Swain cerró los ojos y le dio un último golpe en la cabeza contra el suelo. El animal quedó inerte al instante. Muerto.

Swain soltó el cuerpo y echó a andar con cautela por el estrecho pasillo.

Seguía sin ver al otro hoodaya.

Al final del pasillo, llegó a una pequeña sala llena de contadores de electricidad cuadrados en las paredes. Un enorme cartel encima de estos rezaba: «Válvula amplificadora».

Swain se fijó en que la electricidad azul se filtraba de manera intermitente por un agujero del techo hasta el contador de la válvula amplificadora, provocándole un cortocircuito. *A Con Ed le va a encantar esto*, pensó.

Había una entrada al otro lado del cuarto.

Sin puerta.

Con la pulsera pitando incesantemente, Swain cruzó la entrada y se encontró de repente en las vías del metro de Nueva York.

En el túnel reinaba el silencio. Las paredes estaban todas pintadas de negro, con largos tubos fluorescentes blancos a cada quince metros aproximadamente. Una vieja puerta de madera se balanceaba junto a la entrada. Swain se preguntó cómo la habrían sacado de las bisagras.

Oyó un crujido a su derecha.

Swain se volvió.

¡El otro hoodaya estaba allí!

A menos de tres metros, de espaldas, con la cabeza agitándose violentamente de un lado a otro. En la boca, los restos de lo que otrora había sido una rata.

Swain estaba a punto de alejarse de la criatura cuando oyó un leve zumbido proveniente de las entrañas del túnel. Las vías que tenía junto a él empezaron a zumbar.

A vibrar.

Una tenue luz apareció tras doblar la curva del túnel.

De repente un vagón de metro se abrió paso a través del silencio, con las ruedas chirriando y sus ventanas fuertemente iluminadas destellando a su paso.

Swain se tiró al suelo al instante y, con la luz del tren, advirtió que el hoodaya alzaba la cabeza y lo veía.

El tren rugió, levantando motas de polvo y suciedad, arrojándolas a la cara de Swain. Este apretó con fuerza los ojos.

Y entonces, en un instante, el tren se fue, y el túnel volvió de nuevo al silencio. La pulsera seguía pitando.

Levantó la cabeza.

El túnel estaba vacío. Miró al lugar donde había estado el hoodaya…

No estaba.

Se volvió.

Nada.

Podía sentir los latidos de su corazón retumbándole en la cabeza. El antebrazo derecho le ardía porque se le había metido en los cortes el polvo que había levantado el tren. Empezó a sudar.

13:40

13:39

13:38

No tenía tiempo para eso. Rodó hasta colocarse de costado y entonces notó algo en el bolsillo de los vaqueros.

Era el auricular del teléfono. Se había olvidado por completo de él. Holly se lo había devuelto cuando estaban en la primera planta. Se metió la mano en el otro bolsillo.

Las esposas.

Y el Zippo inservible de Jim Wilson.

Miró de nuevo la cuenta atrás.

13:28

Y CONTANDO.

Las palabras estaban parpadeando.

Dios, pensó, *y contando. ¡Lo sé! ¡Lo sé!*

Mierda.

Escudriñó con cautela el túnel a su alrededor para ver si veía al hoodaya. El tiempo se estaba acabando. Tenía que volver a entrar.

Y entonces, sin ruido alguno, el animal lo atacó por detrás, abalanzándose sobre su espalda, quedando ambos sobre las vías del tren. Las esposas cayeron al suelo; el mechero, también.

El hoodaya le saltó a la espalda, pero Swain rodó rápidamente y se alejó de él.

Cual felino, el hoodaya aterrizó de pie y al instante se giró y se abalanzó de nuevo sobre Swain. Este lo agarró por el cuello y cayó de espaldas entre las vías del tren.

El hoodaya siseó y chilló mientras intentaba a la desesperada librarse de su contrincante. Agitó sus garras afiladas en todas direcciones. Una de ellas le arrancó a Swain los botones de la camisa, rasgándole el pecho, y la otra le golpeó con fuerza el brazo.

Este yacía boca arriba en las traviesas de hormigón entre las vías del tren, con el brazo extendido, sujetando al hoodaya fuera de sí. Era mejor que le rajara el antebrazo las veces que quisiera a que se lo hiciera por todo el cuerpo…

Y entonces se quedó inmóvil.

Lo oyó.

Un zumbido lejano.

El hoodaya no le prestó atención y siguió retorciéndose sin cesar.

Entonces, a ambos lados de Swain, las vías empezaron a zumbar. A vibrar.

Oh, no…

¡Oh, no!

Swain tenía la cara pegada a la vía del tren y los ojos a la altura de uno de los ganchos redondos dispuestos en el interior de las vías que los fijaban a las traviesas.

Los ganchos, pensó.

El hoodaya seguía retorciéndose cuando, de repente, Swain se giró.

Buscando.

El zumbido se hizo más fuerte.

Miró desesperadamente a su alrededor. *¿Dónde estarán?*

Más fuerte.

Dónde…

Por ahí. Allí. Siguió buscando…

Podía oír el repiqueteo metálico del tren acercándose. Estaría allí de un momento a otro…

¡Allí!

Las esposas yacían en el suelo, junto a otro enorme gancho redondo dispuesto en el interior de las vías.

Swain estiró la otra mano y las cogió y con un rápido movimiento le colocó una al hoodaya alrededor del cuello.

¡Clic!

El animal se sobresaltó al ver la esposa alrededor de su cuello.

Swain alzó la vista y vio que la neblinosa luz blanca iba haciéndose más y más grande. El zumbido en esos momentos era ya muy fuerte.

Entonces, soltó rápidamente al hoodaya y cerró la otra esposa en el gancho situado en el interior de la vía.

¡Clic!

El chillido de las ruedas de acero llenó el aire. El tren tomó la curva.

Swain agarró al animal de la cola y, tras salirse de las vías, tiró de él.

Las esposas se tensaron al instante.

Y el hoodaya quedó con la cabeza esposada al gancho del interior de la vía y el cuerpo fuera.

El tren pasó junto a Swain y se oyó un crujido terrible cuando las ruedas de acero aplastaron el hueso del cuello del hoodaya y lo decapitaron.

El tren rugió y sus ventanas centellearon para, a continuación, desaparecer por el túnel.

Se hizo el silencio de nuevo, salvo por los incesantes bips de la pulsera.

La sangre empezó a rezumar lentamente del cuerpo decapitado de la criatura de Bellos. Swain se tocó las gotas de sangre que le habían salpicado cuando el tren le había separado la cabeza al animal.

Soltó el cuerpo y miró de nuevo la pulsera.

11:01
11:00
10:59
Y CONTANDO.

Solamente le quedaban once minutos para entrar.

No había mucho tiempo.

Swain cogió a toda prisa el mechero, se levantó del negro suelo del túnel subterráneo y echó a correr por las vías hacia la oscuridad.

John Levine estaba sentado en su Lincoln negro en la Quinta Avenida. Estaba aparcado al otro lado de la calle donde se encontraba la entrada principal a la Biblioteca Pública de Nueva York.

El edificio parecía estar en la más completa calma. Ni ruido. Ni movimiento. Sus dos leones guardianes contemplaban plácidamente la noche.

Levine miró el reloj. Las 8:45 p. m. Marshall ya debería estar allí.

El móvil sonó.

—Levine —dijo la voz—. Soy Marshall. ¿Está en la biblioteca?

—Sí, señor.

—¿Es seguro?

—Eso parece, señor —dijo Levine—. Aquí hay un silencio sepulcral.

—Muy bien, entonces —dijo Marshall—. El equipo de inserción está de camino. Llegarán allí en cinco minutos. Yo estaré en dos. Rompa el precinto policial. Quiero un perímetro de unos treinta metros alrededor del edificio. Y Levine...

—¿Sí, señor?

—Haga lo que haga, no toque el edificio.

Selexin y Holly podían ver en esos momentos las escaleras.

Más adelante, a menos de treinta metros de ellos, la escalera de uso exclusivo para personal que conducía, por entre los restantes depósitos, al área de préstamos de la sala principal de lectura.

Siguieron corriendo por el estrecho pasillo entre resuellos.

Estaban acercándose a la intersección de dos pasillos cuando, de repente, un hoodaya se interpuso en su camino con las garras levantadas y las fauces abiertas.

Holly y Selexin frenaron en seco y el animal aterrizó en el suelo ante ellos.

Se puso en pie de nuevo, bloqueándoles el paso. No muy lejos de la criatura, los dos vieron la puerta abierta que daba a las escaleras.

Selexin se giró para volver por donde habían venido, pero se quedó quieto.

Allí, tras ellos, acercándose lentamente por el estrecho pasillo, estaba el segundo hoodaya.

Swain recorrió a la carrera el túnel subterráneo en dirección a una luz que había tras la curva.

Era una estación de metro. La de la calle Cuarenta y Dos.

10:01

10:00

9:59

Emergió a la luz de la estación y subió al andén desde las vías.

Un murmullo creció entre el puñado de usuarios del suburbano que aguardaban ese domingo por la noche en el andén. Todos retrocedieron horrorizados cuando Swain se abrió paso a empellones, ajeno al aspecto que debía de tener.

Tenía los vaqueros llenos de grasa y la camisa (negra de la suciedad del metro, de la grasa del ascensor y de la sangre del hoodaya) abierta del cuello al ombligo. Una línea vertical carmesí le recorría el pecho, mientras que su antebrazo derecho estaba empapado en sangre de los profundos cortes que le había infligido el hoodaya. La cicatriz de su mejilla izquierda no se veía con toda aquella mugre.

Swain se abrió paso entre la multitud, corrió a los tornos y subió a toda prisa las escaleras hasta la superficie.

—¿Qué hacemos ahora? —susurró atemorizada Holly.

—¡No lo sé, no lo sé! —dijo Selexin.

Los dos hoodayas estaban a ambos lados del pasillo, acorralando a Holly y al guía en el centro.

Selexin, de metro veinte, y Holly, más o menos de la misma medida, apenas si superaban en altura a los dos animales.

El hombrecillo miró con angustia a su alrededor, a las librerías que se extendían hasta el techo. Parecían formar un muro impenetrable a cada lado del pasillo.

El hoodaya que tenían delante se acercó. El otro no se movió.

Holly vio por qué.

Al segundo, el que estaba evitando que se replegaran, le faltaba la garra izquierda. Solo había un muñón ensangrentado al final de su huesuda extremidad negra. Debía de haber sido al que Balthazar había clavado a la barandilla de mármol con su cuchillo en la segunda planta.

Holly agarró a Selexin del codo y señaló al hoodaya, y este también lo vio.

El hombrecillo se alejó del primer animal para ir hacia el herido, sin dejar de contemplar las impenetrables paredes de librerías a ambos lados.

Un momento, pensó.

Miró de nuevo las librerías.

No eran para nada impenetrables.

—Rápido —dijo—. Coge los libros. Esos de ahí. —Señaló el estante inferior—. Cógelos y empieza a lanzárselos.

Fue hacia el último estante, cogió un montón y se los lanzó al hoodaya ileso, golpeándole el rostro. Este rugió enfadado.

Un segundo libro lo golpeó. A continuación un tercero. El cuarto acertó al hoodaya herido.

—Sigue tirándolos —dijo Selexin.

Continuaron arrojando libros a los cuadrúpedos, que retrocedieron levemente. Holly lanzó otro y fue a coger más cuando, de repente, comprendió lo que Selexin estaba haciendo.

No solo estaba valiéndose de los libros para mantener a raya a los hoodayas. Los estaba usando para abrir un agujero en la librería. Cuantos más libros lanzaran, mayor sería el agujero en el estante. Pronto la pequeña podría ver el siguiente pasillo paralelo.

—¿Estás preparada? —dijo Selexin mientras tiraba otro libro y lastimaba a la criatura en su pata mutilada. El hoodaya aulló de dolor.

—Creo que sí —dijo ella.

El hoodaya sano empezó a acercarse.

—Muy bien —dijo Selexin—. ¡Vamos!

Sin pensárselo dos veces, Holly se coló por el agujero de la librería y aterrizó en el pasillo contiguo.

Pero Selexin permaneció donde estaba.

El hoodaya herido se acercó con cautela.

Los dos animales estaban cercando al hombrecillo.

—¡Vamos! —gritó Holly desde el siguiente pasillo—. ¡Pasa!

—Aún no. —Selexin no apartó los ojos de los hoodayas—. Todavía no. —Lanzó otro libro al animal herido. Lo alcanzó. El hoodaya siseó enfadado.

—¡Vamos! —gritó Holly.

—Prepárate para correr, ¿vale? —dijo Selexin.

Holly miró nerviosa a su pasillo. A un lado veía la caja de la escalera. Al otro...

Se quedó inmóvil.

Estaba Bellos.

Avanzando a grandes zancadas por el pasillo hacia ella.

—Selexin, salta. ¡Salta ahora! —gritó.

—Aún no están lo suficientemente cerca…

—¡Salta! ¡Ya casi está aquí!

—¿Quién…? —Selexin quedó momentáneamente sorprendido. Los hoodayas ya estaban muy cerca—. ¡Oh, Bellos! —dijo cuando cayó en la cuenta.

Se lanzó por el agujero de la librería y aterrizó torpemente a los pies de Holly. Ella lo ayudó a ponerse en pie y echaron a correr hacia la caja de la escalera.

Tras ellos, Bellos se unió a la carrera.

Corrieron con todas sus fuerzas por el pasillo. Holly podía oír los gruñidos del animal sano mientras avanzaba por el pasillo paralelo.

Llegaron a las escaleras a toda prisa y las subieron de dos en dos, haciendo caso omiso de la escena del crimen que había cerca de la entrada.

Oyeron tras ellos el inconfundible sonido de las garras cuando el primer hoodaya alcanzó las escaleras. A ese sonido le siguió rápidamente un golpe sordo cuando el animal patinó con el suelo resbaladizo y se estrelló contra la pared.

Casi sin respiración, Holly y Selexin siguieron subiendo hasta que ya no oyeron nada a sus espaldas.

La caja de la escalera estaba en silencio.

Siguieron ascendiendo apresuradamente.

Y entonces oyeron una voz, al principio de las escaleras, que resonó con fuerza por la reducida caja de la escalera.

—¡Seguid corriendo! —La voz de Bellos resonó—. ¡Sigue corriendo, hombrecillo! ¡Os encontraremos! ¡Siempre! La caza ha comenzado y tú eres el premio. Te daré caza y te encontraré, y cuando lo haga, hombrecillo, ¡desearás que otro te hubiera encontrado primero!

Cesó de hablar. Y, mientras Holly y Selexin seguían subiendo, una risa maléfica atronó por las escaleras.

—Aquí vienen —le dijo Levine a Marshall, junto al coche del primero.

Una enorme furgoneta negra dobló la esquina y se detuvo justo detrás del Lincoln de Levine. Parecía una furgoneta de televisión, con una parabólica en el techo y luces parpadeantes de policía.

Levine se protegió los ojos de los faros cegadores de la furgoneta cuando un hombre fornido, vestido con el uniforme de combate azul de los SWAT, se bajó del asiento del copiloto y se puso en posición de firme delante de Marshall.

Era Harold Quaid.

El comandante Harold Quaid.

Levine no había trabajado con él, pero su reputación lo precedía. Al parecer, Quaid se había concedido a sí mismo el título de comandante (no existía ese rango en la NSA) al asumir el mando del equipo de campo de la división Sigma. Corría el rumor de que en una ocasión había matado a un civil por equivocación mientras seguía una pista falsa sobre un posible alienígena. No se había abierto ninguna investigación al respecto.

Esa noche vestía exactamente igual que un miembro de los SWAT: ropa de combate, chaleco antibalas, botas, gorra, funda de pistola.

—Señor —le dijo Quaid a Marshall.

—Harry. —Marshall asintió—. Puntuales.

—Como siempre, señor.

Marshall se volvió hacia Levine.

—¿Han acordonado la zona?

—Están terminando ahora mismo —dijo Levine—. Se ha precintado todo el edificio. Treinta metros. Parte del parque incluso.

—¿Nadie ha tocado el edificio?

—Han recibido instrucciones precisas.

—Bien —dijo Marshall. En el último barrido del satélite Espía, que en esos momentos apuntaba directamente a la Biblioteca Pública de Nueva York, se había detectado una cantidad inusualmente grande de energía electromagnética emergiendo de la superficie exterior del edificio. Marshall no quería correr ningún riesgo.

Se volvió hacia Quaid.

—Espero que sus hombres estén preparados. Esto es muy gordo.

Quaid sonrió. Fue una sonrisa fría y escueta.

—Estamos listos.

—Será mejor que así sea —dijo Marshall—, porque tan pronto como averigüemos cómo anular el campo eléctrico que rodea el edificio, van a entrar.

Por primera vez en esa noche, Stephen Swain estudió el exterior de la Biblioteca Pública de Nueva York.

Era un ejemplo sencillo y a la vez esplendoroso de arquitectura colosal, tanto en escala como en concepto. Tres enormes plantas, que ocupaban prácticamente dos calles, llenas de ventanas en forma de arco rodeadas de mármol e imponentes columnas de estilo corintio.

En la parte posterior se hallaba el parque Bryant, un espacio multifuncional que albergaba tanto circos o mercados como carpas de la Semana de la Moda; una preciosa zona verde empequeñecida por la jungla de rascacielos que había ido creciendo a su alrededor con el transcurso de los años.

Allí, bajo la lluvia, Swain echó un vistazo a la biblioteca por la parte trasera, en diagonal desde el otro lado de la calle, desde el acceso a la boca de metro de la calle Cuarenta y Dos. Respiraba entrecortadamente y las heridas del pecho y los brazos le ardían.

Y la pulsera seguía emitiendo su bip.

8:00

7:59

7:58

Se le estaba acabando el tiempo y la situación no tenía visos de mejorar: la biblioteca había sido sellada.

Una línea continua de precinto policial se extendía alrededor del enorme edificio, de farola en farola y semáforo en semáforo. Conformaba una imagen de lo más inusual: la Quinta Avenida y la calle Cuarenta y Dos, dos de las calles principales de Nueva York, bajo la lluvia nocturna y sin tráfico alguno.

En el parque Bryant, la policía había incluido en el cordón los árboles más cercanos al edificio, dejando menos de cincuenta metros de espacio abierto entre el precinto y el muro posterior de la biblioteca.

Cerca de media docena de coches sin distintivo formaban un estrecho círculo en la esquina entre la Quinta y la Cuarenta y Dos. Y en el centro de ese círculo, cerniéndose sobre los coches, había una enorme furgoneta negra con una parabólica en el techo. Junto a esta, las luces de la policía giraban sin cesar, bañando el edificio en una estroboscópica neblina azul.

Mierda, pensó Swain mientras contemplaba la furgoneta.

Durante las dos últimas horas lo único que había querido hacer era salir de la biblioteca, alejarlos a Holly y a él de Reese y Bellos y el karanadon y salir de la jaula electrificada en que se había convertido el edificio.

¿Y ahora?

Swain sonrió con tristeza.

Ahora tenía que entrar.

Entrar y evitar que la bomba que llevaba en la pulsera explotara. Entrar de nuevo en la jaula, donde Reese y Bellos y el karanadon lo aguardaban para matarlo.

Pero lo más importante de todo, tenía que entrar y salvar a Holly. Solo de pensar que su única hija estaba atrapada en el interior de la biblioteca con esos monstruos se ponía enfermo. La idea de que quedara atrapada allí después de que él muriera lo hacía sentir terriblemente mal. Ya había perdido a su madre. No iba a perder a su padre.

Pero todavía tenía que atravesar aquellos muros electrificados.

¿Y quién era esa gente?

7:44

Los ojos de Swain se posaron en unas sombras en la parte posterior del edificio de la biblioteca. Oscuridad. Bien. Era una posibilidad.

Swain cruzó la calle.

El parque Bryant era muy bonito, amplio y verdoso, con anchas y horizontales avenidas llenas de plátanos de sombra en sus cuatro lados, solo que en esos momentos los árboles más cercanos a la biblioteca estaban unidos y rodeados por el precinto policial.

Justo fuera del perímetro, acurrucada en mitad del césped central del parque, había un espléndido quiosco blanco. Lo habían colocado en otoño para la representación de unas obras de Shakespeare y también para obras de teatro infantiles. Consistía esencialmente en un escenario circular elevado, independiente, con seis delgadas columnas sujetando un bonito techo abovedado que se elevaba seis metros del escenario. Una barandilla con exquisita celosía lo rodeaba.

Aquella estructura resultaba de lo más llamativa. Swain recordó que había llevado a Holly a ver las obras que se habían celebrado allí (obras tipo *El mago de Oz*, con humo de colores y un hábil uso de la trampilla del centro del escenario).

Swain cruzó el parque y se agazapó tras el escenario del quiosco, fuera del campo de visión de los policías.

Veinte metros hasta un banco junto a los árboles.

Treinta metros del banco hasta la biblioteca.

Estaba a punto de echar a correr hacia el banco cuando vio una papelera a su lado.

Se detuvo y se puso a pensar.

Si habían precintado el edificio, era probable que hubiera alguien patrullando fuera, manteniendo a raya a posibles intrusos. Tenía que encontrar una manera...

Swain rebuscó entre la papelera y encontró algunos periódicos viejos y arrugados. Estaba cogiendo un puñado cuando vio algo más.

Una botella de vino.

La cogió y observó que todavía quedaba líquido dentro. Excelente. Swain la colocó boca abajo y se echó el vino en las manos. El alcohol hizo que le ardieran las heridas.

Entonces, con la botella y los periódicos en la mano, fue hacia el banco.

7:14

7:13

7:12

Rodó hasta colocarse contra la base del banco y se metió las manos en los bolsillos. El teléfono roto y el mechero que no producía llama seguían allí. Se maldijo a sí mismo por haberse dejado las esposas en las vías del tren.

Vio el muro posterior del edificio.

Menos de treinta metros.

Respiró profundamente.

Y echó a correr al descubierto.

Levine, apoyado en el capó del Lincoln, bostezó. Marshall y Quaid habían ido a la entrada del aparcamiento de la calle Cuarenta mientras que a él le habían dejado a cargo de la vigilancia de la parte delantera del edificio.

Su radio cobró vida. Sería Higgs, el agente al frente del equipo de vigilancia al que acababa de dar órdenes.

—Sí —dijo Levine.

—Hemos comprobado el lado norte del complejo del edificio. Aquí no hay nada, señor —dijo la voz metálica de Higgs.

—De acuerdo —respondió Levine—. Sigan rodeándolo y pónganse en contacto conmigo si ven algo.

—Recibido, señor.

Levine apagó la radio.

Swain llegó al muro posterior del edificio y se agazapó entre las sombras.

Respiraba con dificultad y el corazón le iba a mil por hora.

Miró el muro.

7:01

7:00

6:59

Allí. Cerca de la esquina noroeste.

Swain corrió hacia esa dirección y se tiró al suelo.

La radio crepitó de nuevo.

—Nos estamos acercando a la esquina noroeste…

Swain yacía junto al muro posterior, aún con los periódicos y la botella.

Estaba observando unas pequeñas ventanas enrejadas dispuestas en el muro a ras del suelo, no muy lejos de la esquina noroeste del edificio. Pudo quitar la verja de la tercera ventana sin problema. Examinó la ventana que había tras ella. Estaba vieja y polvorienta, y parecía como si nadie la hubiera abierto en años. La pulsera emitió otro bip.

6:39

Se acercó más y vio un rayo irregular azul saliendo del marco de la ventana.

Oyó el ruido de una ramita al romperse.

Había alguien cerca.

Swain se colocó los periódicos alrededor de su cuerpo y rodó hasta colocarse boca arriba, contra el muro de la biblioteca, con los ojos a escasos centímetros de las chispas de electricidad que surgían de la ventana.

Silencio.

Salvo por un leve bip… bip… bip…

¡La pulsera!

Swain se metió la muñeca izquierda bajo el cuerpo para amortiguar el sonido de los bips en el mismo momento en que vio tres pares de botas de combate doblar lentamente la esquina.

———

El agente especial de la NSA Alan Higgs bajó su M-16 y pestañeó al ver aquella figura agazapada contra el muro.

Un cuerpo sucio, acurrucado en posición fetal, cubierto de periódicos en un fútil intento por combatir el frío. Su ropa no eran sino harapos y su rostro estaba cubierto de suciedad.

Un vagabundo.

Higgs se llevó la radio a la boca.

—Aquí Higgs.

—¿Qué ocurre?

—Un vagabundo, eso es todo —informó el hombre mientras le daba un toque al cuerpo con la bota—. Acurrucado cerca del edificio. No me extraña que nadie lo viera cuando levantaron el perímetro.

—¿Algún problema?

—No —contestó Higgs—. Este tipo ni se habrá dado cuenta de que han levantado un perímetro a su alrededor. No se preocupe por ello, señor. Lo sacaremos de aquí enseguida. Corto.

Higgs se agachó y zarandeó a Swain por el hombro.

—Eh, amigo —dijo.

Swain gimió.

Higgs asintió a los otros dos agentes que, como él, iban vestidos como los SWAT. Los dos se colgaron el M-16 y se agacharon para coger al hombre.

Cuando lo hicieron, el vagabundo gimió sonoramente y rodó adormilado hacia ellos, estirando una mano y pegándosela a la cara de uno de los agentes, como si les estuviera diciendo: «Marchaos, estoy durmiendo».

El agente hizo una mueca y retrocedió.

—Dios, este tipo apesta.

Higgs podía oler el vino desde donde estaba.

—Cogedlo y sacadlo de aquí.

Swain se pegó el brazo de la pulsera contra el estómago y lo tapó con el periódico mientras lo llevaban lejos de la biblioteca, de regreso al parque.

Para sus oídos, el bip era más fuerte que nunca, tenían que estar oyéndolo.

Pero los dos hombres que lo llevaban no parecían percatarse. Es más, era como si intentaran mantener sus cuerpos todo lo lejos que les fuera posible de Swain.

Este empezó a sudar.

Aquello le estaba llevando mucho tiempo.

Quería mirar la pulsera. Ver cuánto tiempo le quedaba.

No podían llevárselo.

Tenía que volver a entrar.

—¿Llamamos a una ambulancia? —le preguntó uno de los dos al tercero, presumiblemente su superior, que encabezaba la marcha.

Swain aguardó en tensión la respuesta.

—No —dijo el tercero—. Déjenlo fuera del perímetro. Que la policía se encargue de él después.

—Recibido.

Swain suspiró aliviado.

Pero si no iban a trasladarlo a un hospital para limpiarlo, y si no eran agentes de policía, entonces quedaban todavía dos preguntas por responder: ¿adónde lo llevarían y quiénes eran?

Los hombres, fuertemente armados, condujeron a Swain hasta el perímetro y posteriormente al parque, hacia el quiosco.

Vale. Ya podéis soltarme, habló para sí Swain. *Estáis tardando mucho....*

Subieron con él los escalones de la edificación circular y lo dejaron sobre el escenario de madera.

—Aquí está bien —afirmó el de mayor rango.

—Bien —dijo aquel a quien Swain le había restregado la mano en la cara mientras le soltaba el brazo.

—Vamos, Farrell. Tampoco huele tan mal —dijo el superior.

Swain respiró de nuevo. Su cuerpo estaba relajándose.

Todavía quedaba tiempo.

Ahora idos, chicos. Así. Marchaos....

—Un momento... —dijo el que se llamaba Farrell.

Swain se quedó inmóvil.

Farrell estaba mirándose los guantes.

—Señor, este tipo está sangrando.

Oh, mierda.

—¿Que está qué?

—Está sangrando, señor. Mire.

Mantén la calma. Mantén la calma.

No van a acercarse.

No van a mirarte el brazo...

Todo el cuerpo de Swain se tensó cuando Farrell le mostró sus manos enguantadas y el superior se acercó.

———

Higgs examinó la sangre que manchaba los guantes de Farrell. A continuación miró a Swain, a los periódicos que cubrían sus brazos, a la sangre que se había filtrado por el papel. El fuerte olor a vino persistía.

Finalmente dijo:

—Probablemente se haya caído en la basura y se haya cortado. Déjenlo aquí, informaré por radio. Si lo creen necesario, que vengan los otros después a echarle un vistazo. No creo que este tipo vaya a ir a ninguna parte. Vamos, volvamos al trabajo.

Echaron a andar hacia la biblioteca.

Swain no se atrevió a moverse hasta que el sonido de las pisadas se hubo desvanecido en la noche.

Levantó lentamente la cabeza.

Estaba en el quiosco, en el escenario. Miró la pulsera:

2:21

2:20

2:19

—¿Por qué no os tomáis más tiempo la próxima vez, chicos? —dijo en voz alta. No podía creerse que solo hubieran transcurrido cuatro minutos. Le había parecido una eternidad.

Pero en esos momentos solo le quedaban dos minutos. Tenía que ponerse en marcha.

Y ya.

Miró una última vez a la barandilla con celosía blanca del escenario del quiosco, se puso en pie y bajó las escaleras.

2:05

Fue hasta los árboles precintados y se detuvo debajo de uno de ellos.

Agarró una rama que pendía a poca altura y la arrancó del árbol. A continuación echó a correr al descubierto, hacia el muro posterior de la biblioteca.

1:51

1:50

1:49

En las sombras del muro posterior, Swain llegó a la ventana a ras del suelo que había visto antes y se puso de rodillas. Apretó enérgicamente la gruesa rama de madera y rogó a Dios para que funcionara.

Golpeó con fuerza la ventana. El cristal se hizo añicos al instante y salió despedido hacia todas partes.

Inmediatamente después, sin embargo, una rejilla chisporroteante de electricidad de un color azul plateado cobró vida por todo el ancho de la ventana.

A Swain le pudo el desaliento.

Oh, no. Oh… no.

1:36

Tragó saliva.

No había pensado que eso fuera a ocurrir. Había confiado en que el agujero sería lo suficientemente grande como para que la electricidad no pudiera salvar la anchura de la ventana.

Pero el espacio era demasiado pequeño.

Y ahora tenía un muro de líneas irregulares, entrecruzadas, de pura electricidad ante sí.

1:20

1:19

1:18

Solo quedaba un minuto.

¡Piensa, Swain! ¡Piensa! ¡Tiene que haber alguna manera! ¡Tiene que haberla!

Pero su mente era en esos momentos una masa borrosa de pánico e incredulidad. Haber llegado tan lejos para acabar así…

Imágenes de aquella noche se sucedieron en su mente.

Reese en el depósito. Hawkins. El aparcamiento. Balthazar. La segunda planta. Cuando Bellos y a los hoodayas habían derrotado al konda en el vestíbulo…

1:01

1:00

0:59

… La sala de las fotocopiadoras y las esposas en la puerta. La tercera planta. El cuarto del conserje dentro del área de préstamos. El karanadon. El hueco del montacargas. De vuelta al depósito. La puerta roja. Cuando había caído tras la puerta con los hoodayas.

El exterior. El túnel. El metro.

0:48

0:47

0:46

Aguarda.

Faltaba algo.

Algo que se le había pasado por alto. Algo que le decía que había una manera de entrar.

0:37

0:36

0:35

¿Qué era? ¡*Mierda!* ¿Por qué no podía recordarlo? Vale, cálmate. Piensa. ¿Dónde ocurrió?

¿Abajo? No. ¿Arriba? No. En algún punto intermedio.

La segunda planta.

¿Qué había ocurrido en la segunda planta?

Había visto a Bellos y a sus hoodayas atacando al konda. Después Balthazar había arrojado un cuchillo y había inmovilizado a uno de ellos a la barandilla de mármol...

0:29

0:28

0:27

Entonces habían corrido a la sala de fotocopias.

Holly...

Y luego la puerta. Y las esposas.

0:20

0:19

0:18

¿Qué era?

Holly...

¡Estaba allí! En algún lugar recóndito de su cerebro. ¡Una manera de entrar! ¿Por qué no podía recordarlo?

0:14

0:13

0:12

¡*Piensa, maldita sea, piensa!*

0:11

0:10

Swain frunció el ceño.

0:09

Miró a izquierda y derecha. No había más ventanas. No tenía adónde ir.

0:08

Piensa. El vestíbulo. Bellos. Los hoodayas.

0:07

Balthazar lanzando su cuchillo.

0:06

La sala de fotocopias. Holly. *Holly...*

0:05

¿Holly? Algo sobre Holly.

0:04

¿Algo que Holly dijo?

0:03

¿Algo que Holly hizo?

0:02

Y cuando la cuenta atrás llegó a su fin, Stephen Swain se topó de bruces con la triste realidad.

Estaba muerto.

Quinto movimiento
Domingo, 1 de diciembre, 8:56 p. m.

En el cuarto del conserje que se encontraba dentro del área de préstamos de la tercera planta, Paul Hawkins se sentó al lado de Balthazar y asintió, satisfecho.

Al otro lado, delante de la entrada abierta del cuarto, había un enorme charco de alcohol de quemar altamente inflamable y, junto a Hawkins, una caja de cerillas de las de toda la vida, con la punta de fósforo. Había sido una grata sorpresa haber encontrado todo aquello en los estantes del cuarto de mantenimiento.

En esos momentos se sentía algo más seguro. Cualquier invitado no deseado que cruzara la entrada se encontraría con...

Y entonces, de repente, lo oyó.

Las ventanas que tenían encima repiquetearon levemente, mientras que el suelo se sacudió.

Hawkins no sabía a qué podía deberse.

Pero parecía una explosión amortiguada.

Selexin y Holly se detuvieron al final de la estrecha caja de la escalera de uso exclusivo del personal cuando el pasamano de latón empezó a temblar.

—¿Lo has oído? —preguntó nervioso Selexin.

—Lo he sentido —dijo Holly—. ¿Qué crees que ha sido?

—Parecía una especie de deflagración. Una explosión. Proveniente de fuera...

Dejó de hablar.

—Oh, no...

—¡Despejado! —gritó de nuevo el «comandante» Harry Quaid.

Marshall se agachó tras la pared que había en la parte superior de la rampa mientras Quaid doblaba la esquina y se unía a él.

La segunda explosión detonó desde la base de la rampa de entrada por la que se accedía al aparcamiento. Una nube de humo gris recorrió la rampa y salió disparada a la calle Cuarenta, pasando a gran velocidad junto a Marshall y Quaid.

Fragmentos de metal (los restos de lo que había sido la verja de acero que cerraba el aparcamiento subterráneo de la biblioteca) repiquetearon con fuerza en el suelo.

El humo se dispersó y Marshall, Quaid y una pequeña cohorte de agentes de la NSA descendieron por la rampa carbonizada, sorteando los retorcidos trozos de metal desperdigados.

Marshall se detuvo al final de la rampa y contempló impresionado lo que tenía ante sí.

Al otro lado de la enorme abertura rectangular del aparcamiento, llenando el gigantesco socavón redondo resultante de la explosión, justo en la mitad de la verja de acero, había una enorme rejilla de brillante electricidad azulada que chisporroteaba y crepitaba, y que cada pocos segundos arrojaba largos rayos de alto voltaje.

Marshall se cruzó de brazos cuando Quaid se puso a su lado y contempló la rejilla de luz entrelazada que tenían ante sí.

—Lo sabíamos —dijo Quaid sin apartar los ojos del muro de luz azul.

—Sí, lo sabíamos —dijo Marshall—. Electrifican todo el edificio, lo sellan para que nada pueda entrar o salir…

—Sí.

—Entonces, ¿por qué lo han hecho? —preguntó Marshall—. ¿Qué demonios está pasando en el interior de este edificio que se supone que no podemos ver?

Holly y Selexin llegaron al final de la estrecha caja de la escalera de uso exclusivo para el personal de la biblioteca, al lugar donde esta se abría tras los mostradores del área de préstamos. El hombrecillo se asomó por la puerta abierta.

El área de préstamos era un caos.

Absoluto.

Un reguero de pura destrucción recorría toda la sala de lectura, desde la zona de préstamos del centro de la planta hasta los ascensores, en el rincón más alejado. Los escritorios, aplastados por el peso del karanadon, yacían hechos añicos y desperdigados por el suelo.

Con la tenue luz azulada de la ciudad, Selexin a duras penas podía discernir la puerta que daba al cuarto del conserje, a menos de quince metros, tras su pequeña caja de escalera. Todo estaba muy oscuro, en completo silencio. No parecía haber nadie allí en esos momentos. Selexin se preguntó qué les habría ocurrido a Hawkins y Balth...

De repente una sombra apareció delante del cuarto del conserje.

Una sombra oscura, que apenas destacaba de la tenue y azulada oscuridad, del tamaño de un hombre pero mucho más delgada, moviéndose furtivamente tras los mostradores del área de préstamos, en dirección al cuarto del conserje.

Selexin se agachó tras la puerta de la caja de la escalera, confiando en que no los hubiera visto.

A continuación cogió a Holly de la mano y corrieron a la puerta más cercana, la puerta que conducía a la sala del catálogo público de la biblioteca.

En el cuarto del conserje, Hawkins se recostó con cautela contra la pared de hormigón. Estaba observando a Balthazar, que caminaba con cuidado por el cuarto.

Ahora que sus ojos estaban ya limpios de la saliva de Reese y su visión aparentemente restablecida, Balthazar parecía estar recuperando las fuerzas.

Unos minutos antes, había conseguido levantarse por sí mismo. Y en esos momentos estaba caminando.

Hawkins se asomó por la entrada, con cuidado de no pisar el charco de alcohol de quemar que había vertido, y echó un vistazo al área de préstamos.

Todo estaba en silencio.

No había nadie fuera.

Se volvió y vio que Balthazar seguía caminando de un lado a otro de la habitación y, por ello, no reparó en que una criatura asomaba con sigilo su cabeza triangular por la entrada.

Esta miró al interior de la habitación y ladeó lentamente la cabeza de un extremo al otro, observando tanto a Hawkins como al criseano.

No hizo ningún ruido.

Hawkins se giró distraído y la vio. Se quedó petrificado.

Su cabeza era alargada, un triángulo isósceles plano que descendía en punta. No tenía ojos. Ni orejas. Ni boca. Era tan solo un triángulo plano y negro, ligeramente más alargado que la cabeza de un hombre.

Estaba allí quieta, en la entrada.

El cuerpo estaba fuera de su campo de visión, pero Hawkins pudo distinguir sin dificultad su alargado y delgado «cuello».

A pesar de que todo cuanto había visto hasta el momento era básicamente «animal» (extremidades, piel), aquella cosa, lo que quiera que fuera, era totalmente extraterrestre.

Su «cuello» era como un collar de perlas blancas que flotaba tras aquella cabeza triangular bidimensional hasta unirse, presumiblemente, a un cuerpo que seguía fuera de su campo de visión.

Hawkins siguió mirando a la criatura con la misma curiosidad con que esta lo miraba a él.

Entonces Balthazar habló. Una voz ronca, profunda.

—Códex.

—¿Qué? —dijo Hawkins—. ¿Qué es lo que has dicho?

Balthazar señaló al extraterrestre.

—Códex.

El códex se acercó, sin esfuerzo, grácilmente, flotando en el aire.

Atravesó el umbral del cuarto y fue entonces cuando Hawkins vio que no tenía cuerpo.

La ristra de perlas que conformaba su cuello medía cerca de metro y medio y pendía de su cabeza. La punta se curvaba hacia arriba, sin tocar en ningún momento el suelo. Y al final de la cola, brillando con fuerza, había una luz verde en una banda de metal gris.

El códex era otro contendiente.

La cola se movía de un lado a otro como la de una serpiente, flotando por encima del suelo.

—Oh, joder. —Hawkins agarró la caja de cerillas y sacó una. La encendió contra el suelo.

La llama de la luz blanca hizo al códex vacilar. Se detuvo delante del charco de alcohol metílico.

Hawkins sostuvo la cerilla en lo alto mientras la llama iba quemando la madera blanca del fósforo, ennegreciéndola.

Tragó saliva.

—Bah, qué demonios —dijo. Tiró la cerilla al charco.

Levine estaba delante de la biblioteca cuando su radio cobró vida.

—¡Señor! ¡Señor! ¡Hay luz! Repito: ¡tenemos luz! Parece un incendio. En la tercera planta. Parte trasera. Ventanas centrales.

—Voy para allá —dijo Levine. Cambió la frecuencia de la radio—. ¿Señor?

—¿Qué pasa? —James Marshall parecía molesto por la interrupción.

—Señor —dijo Levine—, tenemos confirmación de actividad en el interior de la biblioteca. Repito, confirmación de actividad en el interior de la biblioteca.

—¿Dónde?

—Tercera planta. Parte trasera, en el centro.

Marshall dijo:

—Diríjase allí. Vamos de camino.

Las paredes del cuarto del conserje relucieron con un brillante amarillo cuando una cortina de llamas ascendió del charco de alcohol de quemar, engullendo al códex.

Hawkins y Balthazar retrocedieron ante el fuego y se cubrieron los ojos. No podían ver al alienígena tras la ardiente cortina cegadora.

Y entonces este emergió.

Flotando, hacia delante. Por entre las llamas. Ajeno al fuego. Se alejó de este.

—Oh, joder —dijo Hawkins mientras retrocedía.

Balthazar habló de nuevo, una sola palabra, en un tono monótono.

—Vete.

Hawkins dijo:

—¿Qué?

Balthazar estaba mirando fijamente al códex.

—Vete —repitió con solemnidad.

Hawkins no sabía qué hacer. El códex se cernía inmóvil ante ellos. Incluso aunque lo sorteara, todavía tenía que atravesar el fuego, un fuego que había prendido para mantener a raya a posibles intrusos. En ningún momento se le había pasado por la cabeza que ese mismo fuego evitaría que pudiera salir.

No había salida. No tenía adónde ir.

Balthazar se volvió hacia Hawkins y lo miró fijamente.

—Vete… ¡Ahora!

Y tras eso, Balthazar se abalanzó sobre el códex.

Hawkins observó atónito que el códex saltaba en ese mismo instante y rodeaba tres veces con su cuerpo el cuello de Balthazar.

El criseano intentó zafarse con ambas manos de aquel ser. Retrocedió, dando tumbos, hasta lo que quedaba de la tela metálica que dividía la sala, tropezó y cayó al suelo, tras los estantes atiborrados de productos de limpieza.

Hawkins seguía allí, impactado, observando sobrecogido la batalla, cuando Balthazar le gritó:

—¡Vete!

Hawkins parpadeó y se giró al instante. Vio que el fuego se extendía por el cuarto y reptaba por el suelo hacia él. Vio en el suelo la botella polvorienta de alcohol metílico que había usado, a escasos centímetros de las llamas.

Demasiado tarde.

Las llamas devoraron la botella en el mismo momento en que Hawkins se arrojaba a una pila de cajas de madera cercana.

Con tan intenso calor, la botella de cristal, todavía medio llena, estalló cual cóctel Molotov, arrojando misiles de cristal y fuego en todas direcciones.

Tras la tela metálica, Balthazar estaba de nuevo en pie, forcejeando con el códex.

Cayó de espaldas contra los estantes de madera y estos cedieron bajo su peso. Botellas de cristal con alcohol, envases de plástico de limpiadores y detergentes y una docena de aerosoles rodaron por el suelo.

Hawkins contempló impotente cómo se esparcían por allí limpiadores, diversos envases con sus carteles rojos que advertían «No mezclar con detergentes u otros agentes químicos», y aerosoles altamente inflamables con sus propias etiquetas de aviso.

El fuego avanzaba inexorablemente por la habitación.

—Oh, Dios mío. —Sus ojos se posaron en los productos químicos que yacían en la trayectoria del fuego.

Tras la tela metálica, el cuerpo del códex seguía rodeando la garganta de Balthazar, quien tenía el rostro contorsionado por el dolor y las mejillas rojas.

Hawkins se volvió para alertarle del fuego y en ese instante sus miradas se cruzaron, y Balthazar, con la vista fija en Hawkins, apretó con más fuerza el cuerpo serpenteante del códex.

Hawkins reconoció la certeza en los ojos de Balthazar: sabía lo que iba a ocurrir. El fuego. Los productos químicos. Se iba a quedar en el cuarto. E iba a sujetar al códex para que permaneciera con él.

—¡No! —gritó Hawkins cuando cayó en la cuenta—. ¡No puedes!

—Vete —acertó a decir Balthazar.

—Pero mor…. —El policía advirtió que las llamas reptaban a gran velocidad por el suelo. Tenía que tomar una decisión y rápido.

—¡Vete! —gritó Balthazar.

Hawkins se rindió. No había más tiempo. Balthazar tenía razón. Debía irse.

Se volvió para contemplar la pared de fuego que se acercaba rápidamente y, tras mirar una última vez a Balthazar enfrascado en la pelea con el códex, Hawkins dijo en voz baja:

—Gracias.

A continuación, se cubrió la cara con el antebrazo y se lanzó al fuego.

Levine llegó a la parte trasera de la biblioteca en el mismo momento en que Quaid y Marshall llegaban corriendo. El agente encargado del perímetro, Higgs, los aguardaba.

—Allí arriba —dijo este, mientras señalaba dos ventanas de la tercera planta, justo por debajo de las enormes ventanas arqueadas de la sala principal de lectura.

Allí se veía una luz amarilla brillante, con destellos ocasionales de llamaradas anaranjadas.

—Santo Dios. —Marshall negó con la cabeza—. Este maldito edificio está ardiendo. Lo que faltaba.

—¿Qué hacemos? —dijo Levine.

—Entrar —dijo Quaid sin más mientras contemplaba las ventanas en llamas—. Antes de que no quede nada.

—Bien. —Marshall, pensativo, frunció el ceño—. ¡Mierda! ¡Mierda! —A continuación dijo—: Levine.

—Sí, señor.

—Llame a los bomberos. Pero cuando lleguen aquí, pídales que aguarden. No queremos que entren hasta que hayamos podido echar un buen vistazo al interior. Los quiero aquí por si el fuego se descontrol…

—¡Eh! Un segundo… —gritó Quaid. Había echado a andar hasta un lateral del edificio y en esos momentos se encontraba en el rincón noroeste.

—¿Qué ocurre? —dijo Marshall.

—Pero qué coño… —Quaid se puso en cuclillas para examinar algo.

—¿Qué pasa? —Marshall lo siguió.

Quaid estaba a menos de veinte metros del muro, prácticamente en la esquina noroeste del edificio. Se volvió hacia el grupo.

—Agente especial Higgs, ¿está usted al mando de la vigilancia esta noche?

—Sí, señor.

—Dígame, ¿han encontrado a alguien por aquí antes? ¿Alguien que anduviera cerca de este muro?

Higgs no comprendía qué sucedía. Quaid estaba mirando la base del muro, observando lo que parecía una pequeña ventana cerca del suelo.

—Bueno… esto, sí, señor. Sí, en efecto —dijo Higgs—. Encontramos a un vagabundo borracho dormitando junto a esa pared no hace mucho.

—¿Estaba aquí? ¿Cerca de esta ventana? —preguntó Quaid.

—Eh, sí. Así es, señor.

—¿Y dónde está ese vagabundo borracho ahora, Higgs? —preguntó Quaid mientras se arrodillaba sin dejar de mirar la base del edificio.

Marshall, Levine y Higgs se acercaron.

Higgs tragó saliva.

—Lo dejamos en el quiosco ese de allí, señor. —Señaló a sus espaldas—. Iba a llamar para que se encargaran de él, pero no creí que hubiera ninguna prisa.

—Agente especial Higgs, quiero que vaya al quiosco y encuentre a ese vagabundo ahora mismo.

Higgs se marchó a toda prisa.

Quaid miró a los demás mientras estos observaban lo que él había estado mirando.

—¿Pero qué…? —acertó a decir Levine.

—Fíjense —dijo Marshall mientras examinaba la rejilla de electricidad que se había extendido por la ventana a ras del suelo. Había pequeños fragmentos de cristal en la hierba, alrededor de la ventana rota.

No había nadie.

Quaid se acercó a la ventana. Era lo suficientemente grande como para pasar por ella. ¿Pero por qué alguien la rompería? Eso no tenía ningún sentido.

A menos que quisiera entrar.

Higgs llegó corriendo. Habló casi sin aliento.

—Señor, el vagabundo ha desaparecido.

Hawkins atravesó las llamas y cayó al suelo, tras los mostradores gemelos del área de préstamos.

Comprobó que todo estuviera bien. Sus pantalones y su parka de policía habían sobrevivido intactos al fuego. Pero por algún motivo la cabeza le picaba horrores.

Se llevó la mano a la coronilla y de repente sintió un calor abrasador.

¡Tenía el pelo ardiendo!

Se quitó a toda prisa la parka y apagó el fuego de su cabeza con ella. El calor cesó rápidamente y volvió a respirar.

El cuarto del conserje estaba en esos momentos completamente en llamas, iluminando toda la zona de préstamos exterior. Lenguas de fuego se abrían paso por la entrada.

No podía quedar mucho, pensó.

Hawkins se arrastró hasta un lado de la entrada y se apoyó contra la pared.

Solo tuvo que esperar unos segundos.

Los productos químicos del interior del cuartito combinaron bien. Después de que el primer aerosol estallara en una bola de gas azul, se produjo una reacción en cadena de explosiones químicas.

La pared de hormigón tras Hawkins se resquebrajó bajo la presión de la onda expansiva cuando una fulgente esfera ígnea se abrió paso por la entrada del cuarto del conserje, pasando prácticamente a su lado, prendiendo la superestructura de madera del área de préstamos e iluminando con una brillante luz amarilla la enorme sala de lectura.

Marshall, Levine y Quaid alzaron la vista a la par cuando toda la tercera planta del edificio se encendió cual bombilla ardiente, iluminando la noche.

Sus radios cobraron vida al instante.

—El fuego se está extendiendo...

—Las ventanas acaban de reventar...

—Hostia puta —musitó Levine.

Fue como un trueno.

Un trueno cercano, atronador.

Todo el edificio tembló bajo el peso de las explosiones.

En la planta superior del edificio, Holly y Selexin intentaron agarrarse a la desesperada al pasamano para no caerse.

La sala delantera de la tercera planta de la Biblioteca Pública de Nueva York es la que lleva el nombre de Edna Barnes Salomon, una oscura e imponente sala llena de expositores y vitrinas con raros y valiosos ejemplares de la literatura. Primeras ediciones de los clásicos estadounidenses, una copia manuscrita de la Declaración de Independencia de Jefferson, por no mencionar la pieza más valiosa de toda la biblioteca: una de las biblias originales de Gutenberg. Del techo pendía una maraña de unidades de aire acondicionado y conductos de ventilación de aluminio que proporcionaban al ambiente la humedad necesaria para preservar tan preciados libros. La sala estaba flanqueada por otras habitaciones acristaladas.

Las explosiones de la sala de lectura estaban creciendo en intensidad y la parte delantera del edificio era la que se estaba llevando la peor parte.

Las paredes de cristal de los cuartos contiguos estallaron alrededor de Holly y Selexin. Las vitrinas cayeron de sus soportes y se estrellaron contra el suelo.

El guía tiró de Holly y se ocultaron bajo una de las vitrinas expositoras de mayor tamaño del centro de la sala. Se acurrucaron juntos, tapándose las orejas, mientras el edificio se estremecía y las explosiones retumbaban y los cristales y los manuscritos caían de las cajas y expositores a su alrededor, al suelo.

Un caos. Un caos absoluto.

En el área de préstamos, Hawkins se tapó las orejas cuando las llamaradas salieron disparadas por la entrada.

Los dos mostradores de préstamos de madera estaban envueltas en fuego que, cual lanzallamas, se había iniciado en el cuarto del conserje.

Las explosiones eran más fuertes en esos momentos, más de lo que se había imaginado, más que cualquier otro fuego químico que conociera.

Eran casi… bueno… demasiado grandes.

¿Por qué ha…?

Hawkins se quedó petrificado. Algo más tenía que haber ocurrido. Pero ¿qué?

Y entonces lo vio.

Una pequeña tubería. Una tubería que recorría en horizontal el suelo del área de préstamos, a los pies del mostrador que daba al sur.

Salía del cuarto del conserje hasta la base del mostrador y a continuación descendía abruptamente bajo el suelo hasta otras plantas inferiores...

Una tubería de gas.

Debía de haber una válvula de gas en el cuarto del conserje que no había visto. Del calentador de agua o una...

La tubería se prendió.

Y Hawkins contempló horrorizado que una llama amarilla y azul se propagaba a gran velocidad por toda la longitud de la tubería para, seguidamente, girar como esta, en dirección a las plantas inferiores.

Hawkins observó cómo una llama aislada se alejaba de la tubería hasta una de las columnas de madera que sujetaban la superestructura del área de préstamos. Con un ruido sordo, las columnas se prendieron al instante.

Hawkins se puso en pie de un brinco. Las explosiones del cuarto del conserje estaban empezando a amainar, pero eso ya no importaba.

El fuego se estaba propagando por las tuberías del gas.

Pronto todo el edificio se quemaría.

Tenía que encontrar una salida.

En un pequeño aseo de la planta -1, alguien más estaba sintiendo las estremecedoras explosiones que en esos momentos sacudían toda la Biblioteca Pública de Nueva York.

El doctor Stephen Swain se sentó con la espalda pegada a la pared de azulejos blancos de uno de los cubículos del baño de mujeres de la planta -1. El agua de un lavabo que había junto a él cayó al suelo cuando el edificio a su alrededor se balanceó y sacudió.

Otra explosión resonó y la biblioteca tembló de nuevo, aunque no tanto como en la anterior ocasión. Las explosiones parecían estar perdiendo intensidad.

Swain se miró la pulsera.

INICIALIZADO—6
SECUENCIA DE DETONACIÓN CONCLUIDA EN:
0:01
REINICIADA.

La primera línea parpadeó y a continuación cambió a:

INICIALIZADO—5

Por encima de la cabeza de Swain, en la ventana cercana al techo, la rejilla de electricidad azul seguía zumbando. Tras ella podía oír las voces de los agentes de la NSA.

Se pegó más a los azulejos y respiró profundamente.

Estaba dentro. De nuevo.

Había sido gracias a Holly.

Holly en la segunda planta, en la sala de fotocopias vacía. Cuando los hoodayas habían estado golpeando la puerta y Swain había conseguido mantenerla cerrada con las esposas, había visto a Holly junto a la ventana.

Estaba sosteniendo el auricular del teléfono contra la ventana electrificada. Cuando había acercado el teléfono a la ventana, la electricidad había retrocedido en un amplio círculo.

Lejos del teléfono.

En ese momento, Swain no había sido consciente de lo que había ocurrido, pero ahora sí lo sabía.

No era del teléfono de lo que se había alejado la electricidad, sino del imán que albergaba el aparato en su interior. El auricular de un teléfono es como un altavoz: en su centro se halla un imán de relativa potencia.

Y, como radiólogo, Stephen Swain lo sabía todo sobre magnetismo.

Por lo general, la gente asociaba a los radiólogos con las radiografías, pero en los últimos años los radiólogos se habían dedicado a intentar descubrir nuevas formas de obtener secciones transversales de los cuerpos humanos.

Existen una serie de técnicas que se utilizan para obtener esas secciones transversales. Un método muy conocido es el escáner. Otro más moderno implica la ordenación y unión de partículas atómicas y a eso se le conoce como imagen por resonancia magnética o IRM.

La IRM funcionaba básicamente, tal como le había explicado ese mismo día a la problemática señora Pederman, de acuerdo al principio de que la electricidad reacciona a la interferencia magnética.

Y eso era exactamente lo que había ocurrido cuando Holly había sostenido el teléfono junto a la ventana: las ondas magnéticas habían afectado a la estructura de las ondas electrónicas y, por ello, habían hecho que el muro de electricidad se alejara del imán para mantener su frecuencia.

Para entrar de nuevo, Swain había sacado el auricular del bolsillo de sus pantalones y lo había acercado a la ventana. La electricidad había retrocedido al instante, formando un amplio agujero de más de medio metro en la rejilla y Swain simplemente había metido el brazo por él.

La pulsera, una vez había detectado que se encontraba de nuevo en el interior del campo eléctrico, había detenido inmediatamente la cuenta atrás.

Justo a tiempo.

Tras un minuto retorciéndose con cuidado para asegurarse de que su cuerpo quedaba dentro del círculo magnético de poco más de medio metro abierto en la rejilla eléctrica, Swain se encontró de nuevo en el interior del edificio.

Es más, acababa de meter el pie derecho cuando se había caído del alféizar. La electricidad había vuelto a su sitio y Swain había aterrizado con cierta torpeza en el inodoro que había debajo.

Estaba dentro.

Hawkins había recorrido la mitad de la sala de lectura cuando las explosiones cesaron.

Tan solo el estruendo de un fuego descontrolado persistía. La estructura de la zona de madera que rodeaba el cuarto del conserje estaba ardiendo en esos momentos con fuerza. Toda la sala estaba bañada en una luz parpadeante y brillante.

De pronto, se oyó un crujido a sus espaldas y Hawkins se volvió.

Allí, cerniéndose delante del área de préstamos ardiendo, silueteado por las llamas parpadeantes y amarillentas a su espalda, estaba el códex.

Hawkins se quedó quieto.

A continuación vio que se tambaleaba levemente. El códex no se sostenía en el aire. Empezó a girar vertiginosamente. Y, de repente, levantó la cabeza y cayó abruptamente sobre un escritorio de lectura destruido.

Tras eso, dejó de moverse.

Hawkins suspiró aliviado.

Estaba a punto de volverse hacia la entrada cuando vio algo en el suelo a sus pies. Algo blanco. Con precaución, Hawkins se acercó hasta que descubrió lo que era…

Se quedó petrificado.

Era un guía. O al menos lo que quedaba de él.

Probablemente se tratara del guía del códex, que se había quedado entre los escritorios de la sala de lectura mientras el contendiente había entrado en el cuarto del conserje para matarlos.

El cuerpo del guía yacía en un enorme charco de sangre bajo uno de los escritorios divididos. Estaba retorcido hasta extremos que imposibilitaban reconocerlo.

Pequeños grupos de cortes rojos paralelos le recorrían rostro, brazos y pecho. Uno de ellos le había roto incluso la nariz, y allí el exceso de sangre resultaba especialmente atroz. Unas profundas incisiones en las palmas del guía sugerían un inútil esfuerzo defensivo. Sus ojos y su boca estaban abiertos de par en par en una mueca eterna de terror, una instantánea de sus últimos momentos.

Hawkins se estremeció ante aquella visión. Era brutal, horripilante. Y entonces, cuando se acercó para mirar mejor los cortes por todo el cuerpo del guía, lo supo. Los cortes paralelos indicaban que unas garras…

Los hoodayas de Bellos han hecho esto.

Tenía que salir de allí.

Hawkins se volvió inmediatamente hacia la entrada…

¡Y una enorme mano negra se acercó a su cara!

Y entonces ya no vio nada más.

Stephen Swain salió con cautela del baño de mujeres y vio los ya familiares pasillos de la planta baja y el vestíbulo de la entrada lateral que daba a la calle Cuarenta y Dos.

Miró de nuevo su pulsera y vio que la pantalla había vuelto a cambiar.

INICIALIZADO—4

Otro contendiente estaba muerto. Ahora solo quedaban cuatro.

Swain se preguntó qué contendientes seguirían con vida. Pero desistió. Qué demonios, si tan solo conocía a tres: Balthazar, Bellos y Reese. Incluido él, quizá fueran los cuatro que quedaban.

Tengo que encontrar a Holly, se dijo. *Holly.*

Llegó a los ascensores de uso público. Al otro lado del pasillo, vio los despachos donde él y los demás se habían encontrado con Reese antes. También vio, al final de ese pasillo, la pesada puerta azul que daba al aparcamiento. Estaba abierta.

Swain recorrió el pasillo de suelos de mármol hasta la puerta y la examinó. La habían arrancado de sus bisagras (presumiblemente Reese, cuando los había estado persiguiendo antes).

Rememoró la persecución en el aparcamiento, recordó a Balthazar subiendo por la rampa de hormigón de la planta inferior.

La planta inferior.

La última planta. El depósito.

Allí era donde se había separado de Holly y Selexin, así que era el lugar obvio por el que empezar a buscarlos.

Tenía que llegar hasta allí.

¿Por las escaleras?

No. Había otra manera. Otra manera mejor.

Recordó de nuevo a Balthazar, subiendo la rampa del aparcamiento. Esa era la entrada. Balthazar había venido de un nivel inferior del aparcamiento. Y ese nivel debía de tener una entrada de algún tipo, una puerta que diera al depósito.

Tras eso, Swain cruzó el umbral y salió al aparcamiento.

Desde el exterior aquello parecía una escena sacada de *El coloso en llamas*. La Biblioteca Pública de Nueva York, en el centro de la ciudad, elevándose soberbia en la noche, con llamaradas que sobresalían de las ventanas en arco cercanas al tejado, mientras que las filas de ventanas de la segunda y tercera planta estaban iluminadas por una brillante neblina dorada.

Levine, en la calle Cuarenta y Dos, estaba contemplando cómo ardía la biblioteca.

Tras él, la enorme furgoneta negra de la NSA se alejaba de la acera en dirección al lado de la biblioteca que daba a la calle Cuarenta.

Levine observó a la furgoneta subir la acera y atravesar el parque Bryant por el césped. Después desapareció tras la esquina.

Se volvió y vio faros, montones de faros, y supo lo que eso significaba. Los bomberos habían llegado, seguidos de cerca por los medios.

Las furgonetas de televisión se detuvieron con un chirrido justo en el exterior del perímetro del precinto amarillo. Las puertas correderas se abrieron y salieron los cámaras. Y, tras estos, unas atractivas reporteras fueron bajando de las furgonetas, acicalándose y estirándose la ropa.

Una joven y osada reportera descendió de su furgoneta, pasó por debajo del precinto policial y fue directa a Levine. Le pegó el micrófono a la cara.

—Señor —dijo con su voz más profesional—, ¿puede contarnos qué está ocurriendo exactamente? ¿Cómo se inició el fuego?

Levine no respondió. Se quedó mirando a la joven en silencio.

—Señor —repitió ella—, ¿puede decirnos…?

Levine la cortó. Habló sin elevar la voz y de manera educada, mirando a la joven pero, sin duda, dirigiéndose a los tres agentes de la NSA que había cerca.

—Caballeros, por favor, escolten a esta joven fuera del perímetro e infórmenla de que si ella o quien sea vuelve a cruzar la línea, serán detenidos inmediatamente, acusados de cargos federales por interferir en asuntos de seguridad nacional, condenas que oscilan entre diez y veinte años, dependiendo de mi estado de ánimo.

Los tres agentes dieron un paso al frente y la reportera, boquiabierta, fue conducida de manera ignominiosa tras el perímetro.

Levine estaba mirándole las piernas mientras se la llevaban cuando su radio cobró vida. Era Marshall.

—¿Sí, señor?

—Quaid y yo estamos en la entrada del aparcamiento —dijo Marshall—. ¿Han llegado ya los medios?

—Ya están aquí —dijo Levine.

—¿Algún problema?

—Aún no.

—Bien. De ahora en adelante estaremos aquí abajo. El fuego ha suscitado interés. Habrá que acceder antes de que todo el edificio se venga abajo. ¿Está la furgoneta de camino?

—Acaba de irse —dijo Levine—. En cualquier momento la verá.

La rampa que comunicaba el aparcamiento con la calle se bifurcaba en la Cuarenta.

Marshall se encontraba al principio de la rampa, no muy lejos de la verja de metal que cerraba el aparcamiento. En el centro de la reja, rozando el suelo, se hallaba el enorme círculo de electricidad entrelazada.

A sus espaldas, la furgoneta de la NSA dobló la esquina y bajó, marcha atrás y lentamente, por la rampa.

—Bien —dijo Marshall por la radio al ver la furgoneta—. Ya está aquí. Volveré a llamar. Por ahora, mantenga a los bomberos y a los periodistas tras el precinto, ¿de acuerdo?

—Sí, señor —dijo la voz de Levine. Marshall colgó.

La furgoneta se detuvo, las puertas traseras se abrieron y cuatro hombres con ropa de combate de los SWAT saltaron a la rampa. El primero de ellos, un joven técnico, fue directo a Quaid y los dos se pusieron a hablar en voz baja. A continuación el técnico asintió con vigor y desapareció en el interior de la furgoneta. Reapareció segundos después con una caja plateada de gran tamaño.

Quaid fue junto a Marshall, que estaba delante de la verja de metal electrificada.

Marshall dijo:

—¿Cuándo…?

—Entraremos pronto —dijo Quaid con calma—. Primero tenemos que hacer los cálculos.

—¿Quién va a hacerlos?

—Yo —dijo Quaid.

El técnico colocó la pesada caja en el suelo junto a Quaid, luego se agachó y levantó la tapa plateada. Dentro había tres contadores digitales. Cada uno de ellos mostraba unos números en rojo, que en ese momento estaban en «000000.00».

Quaid sacó entonces un largo cable verde de la caja y lo acercó a la verja de metal. Tenía una bombilla reluciente de acero en el extremo.

Otro agente se acercó y le pasó unos guantes aislantes de color negro y una barra con un gancho en el extremo. Quaid se puso los guantes y colocó la bombilla de acero en el gancho del final de la barra. Tomó aire. Después alejó la barra de su cuerpo hacia la electricidad entrelazada.

La bombilla de acero del extremo de la barra fue iluminándose a medida que se acercaba a la pared de luz azul.

Marshall aguardó en tensión. Quaid tragó saliva.

El equipo de la NSA observaba expectante.

Ninguno de ellos sabía qué ocurriría.

La bombilla tocó la electricidad.

Los contadores de la caja de acero empezaron a subir lentamente, midiendo el voltaje. Los números fueron creciendo.

Y de repente ganaron velocidad.

En la sala Salomon de la tercera planta, Holly y Selexin seguían acurrucados bajo una de las vitrinas centrales. En el suelo, a su alrededor, yacían los restos de las estanterías restantes.

Las paredes de cristal de las salas contiguas estaban resquebrajadas. Peor aún, en la parte delantera de dos de las salas se habían iniciado varios incendios.

Selexin suspiró con tristeza. A su lado, Holly estaba sollozando.

—¿Estás bien? —le preguntó, preocupado—. ¿Te has hecho daño?

—No… quiero a papá —sollozó—. Quiero a mi papá.

Selexin miró hacia la puerta de madera. Estaba cerrada.

—Lo sé. Lo sé. Yo también.

Holly lo miró y Selexin pudo ver el miedo en sus ojos.

—¿Qué le ha pasado? —preguntó. Se sorbió la nariz.

—No lo sé.

—¿Y esas cosas que lo empujaron por la puerta? Espero que hayan muerto. Las odio.

—Créeme —dijo Selexin sin apartar la vista de la puerta—, a mí tampoco me gustan un pelo.

—¿Crees que mi padre volverá a entrar? —le preguntó esperanzada.

—Estoy seguro de que ya está dentro —mintió Selexin—. Y en estos momentos apostaría a que está buscándonos por el edificio.

Holly asintió y se limpió las lágrimas.

—Sí, eso es lo que yo creo también.

Selexin sonrió levemente. Por mucho que quisiera creer que Swain seguía con vida, lo dudaba mucho. El laberinto se sellaba eléctricamente con el único objetivo de evitar que los contendientes entraran. Solo una casualidad inexplicable había creado una abertura en el momento de la electrificación, por lo que era altamente improbable que existiera otra.

Y además, había oído la explosión. Stephen Swain probablemente estaba muerto.

Y entonces, por el rabillo del ojo, Selexin vio movimiento.

Era la puerta.

Se estaba abriendo.

Swain salió a la luz fluorescente blanca del aparcamiento.

Era exactamente tal y como lo recordaba. Asfalto limpio y reluciente, marcas blancas en el suelo, la rampa de bajada en el centro.

Y estaba en silencio. El aparcamiento estaba vacío.

Swain corrió hacia la rampa de bajada. Había empezado a descender por ella cuando oyó que alguien le gritaba.

—¡Hola! ¡Eh!

Swain se volvió, sobresaltado.

—¡Sí, usted! ¡El tipo de dentro!

Swain buscó el origen de los gritos. Su mirada se posó en la rampa de entrada. Estaba en la parte más alejada del aparcamiento, en el lado que daba a la calle Cuarenta, cerrada al mundo exterior por una verja de acero. En la parte inferior de la reja había un agujero, resultado de una explosión, que brillaba con las azuladas líneas entrecruzadas de electricidad.

Tras el agujero de la reja, sin embargo, había un hombre, vestido con la ropa de combate azul de los SWAT.

Y estaba gritando algo.

Holly se quedó inmóvil bajo la vitrina de cristal y madera. Selexin miró hacia la puerta que se abría lentamente.

Salvo por el chisporroteo amortiguado de las llamas provenientes de los focos de fuego de las otras salas de colecciones, la sala Salomon de la Biblioteca Pública de Nueva York estaba en el más completo silencio.

La puerta de madera siguió abriéndose.

Y entonces, lentamente, muy lentamente, una enorme bota negra cruzó el umbral.

La puerta se abrió del todo.

Era Bellos. Estaba solo. Los dos hoodayas restantes no parecían estar con él.

Selexin se llevó un dedo a los labios y Holly, con los ojos llenos de temor, asintió con vigor.

Bellos caminó hasta la zona central abierta de la sala Salomon. Se detuvo delante de la vitrina que contenía la biblia de Gutenberg.

—Oh, sí. Pfff. —murmuró—. Humanos.

Entonces volvió a moverse y sus botas crujieron levemente al pisar los restos de cristales rotos a escasos centímetros de la vitrina bajo la que Selexin y Holly se escondían.

Se paró.

¡Justo delante de ellos!

Holly contuvo la respiración cuando las enormes botas se giraron sobre sí y el cuerpo que las portaba se movía en todas direcciones. Hasta que aquellas rodillas empezaron a doblarse y Holly casi rompe a gritar: ¡Bellos iba a mirar debajo de la vitrina!

El ser se acuclilló y una ola de terror recorrió el cuerpo de Holly.

Los cuernos alargados y puntiagudos aparecieron primero.

A continuación aquel demoníaco rostro oscuro. Boca abajo. Mirándolos.

Y en ese momento, una malévola sonrisa se dibujó en el rostro de Bellos.

En el aparcamiento, Swain se acercó, cauteloso, a la rampa de salida.

—¡Hola! —gritó el hombre tras la reja—. ¿Puede oírme?

Swain no respondió. Siguió avanzando, sin dejar de mirar al hombre que había al otro lado.

Era un tipo fornido, con ropa de combate azul y chaleco antibalas, como si fuera un miembro de los SWAT.

El hombre volvió a gritarle:

—He dicho, ¿puede oírme?

Swain se detuvo a menos de veinte metros de la reja electrificada.

—Puedo —dijo.

El hombre se giró en cuanto oyó la voz de Swain y habló con otra persona a la que el doctor no pudo ver.

El hombre se volvió de nuevo, le mostró sus palmas y habló muy despacio.

—No queremos hacerle daño.

—Sí, y yo vengo en son de paz —dijo Swain—. ¿Quiénes demonios son ustedes?

El hombre siguió hablando con esa voz lenta y articulada que suele emplearse con un niño.

O, quizá, con un extraterrestre.

—Somos representantes del gobierno de los Estados Unidos de América. Somos —extendió sus brazos— amigos.

—Muy bien, amigo. ¿Cuál es su nombre? —dijo Swain.

—Mi nombre es Harold Quaid —respondió este con total sinceridad.

—¿Y a qué departamento pertenece, Harold?

—A la Agencia de Seguridad Nacional.

—Sí, bueno. Tengo malas noticias para usted, Harold Quaid de la Agencia Nacional de Seguridad. No soy el extraterrestre que están buscando. Soy solo un tipo que se encontraba en el lugar equivocado en el momento equivocado.

Quaid frunció el ceño.

—Entonces, ¿quién es usted?

Algo en su cerebro le dijo a Swain que no respondiera a la pregunta.

—Soy solo un hombre.

—¿Y de dónde es?

—De por ahí.

—¿Y qué está haciendo en un edificio que tiene cien mil voltios de electricidad recorriendo sus paredes?

—Como ya le he dicho, Harold, momento y lugar equivocados.

Quaid cambió de táctica.

—Podemos ayudar, ¿sabe? Podemos sacarlo de aquí.

—Ya he estado fuera, gracias —dijo Swain—. Es perjudicial para mi salud.

Quaid se volvió un instante y conversó brevemente con el hombre que tenía detrás. Se volvió hacia Swain.

—Me temo que no he entendido lo último que ha dicho —gritó—. ¿Podría repetirlo? ¿Algo sobre su salud?

—Olvídelo —dijo Swain, cuyo interés en la conversación iba decreciendo.

La NSA no era tan altruista como para ir hasta allí a salvar humanos inocentes atrapados en una biblioteca electrificada. Era algo más gordo, tenía que serlo. La NSA había ido allí para establecer contacto con los extraterrestres. De alguna manera habían averiguado que algo estaba ocurriendo dentro de la biblioteca y ahora querían a los extraterrestres.

Y, presumiblemente, a todo aquel que hubiera entrado en contacto con los extraterrestres.

—No, lo digo en serio —dijo Quaid con tono sensato—. Acérquese un poco más y repítalo.

Swain retrocedió.

—No creo lo que dice, amigo.

—No, no. Por favor, escuche. No vamos a hacerle daño. Se lo prometo.

—Ajá.

—Pero si se acercara un poco más…

El dardo pasó silbando junto a la cabeza de Swain, errando por centímetros.

Había venido de detrás de Quaid, de alguien que debía de haberse colocado tras este mientras entretenía a Swain. Debían de haber disparado el diminuto dardo por entre un hueco del campo eléctrico.

El doctor no se lo pensó dos veces. Se dio la vuelta y echó a correr en dirección a la rampa de bajada en el centro del aparcamiento.

Mientras descendía hacia la planta inferior, lo último que oyó fue la voz resonante de Harold Quaid de la Agencia Nacional de Seguridad gritando a algún pobre subordinado.

En la base de la rampa exterior, Quaid soltó una palabrota.

—¡Joder! ¡Lo teníamos!

Se volvió hacia el agente de Sigma que blandía la pistola de dardos tranquilizantes.

—¿Cómo coño ha fallado? No puedo creerme que no le haya dado…

—Espere, Quaid —dijo Marshall mientras le ponía una mano en el hombro—. Puede que hayamos perdido a ese tipo, pero creo que acaba de tocarnos el gordo. Eche un vistazo allí.

Quaid se volvió.

—¿Un vistazo a qué?

Marshall señaló al aparcamiento y Quaid siguió la línea de su dedo. Casi se le desencaja la mandíbula.

—¿Qué demonios es eso? —musitó.

—No lo sé. Pero lo quiero —dijo Marshall.

A través de la rejilla de electricidad azul se veía perfectamente, fuera lo que fuera aquello.

Era como un dinosaurio monstruoso, bajo y alargado, de más de cuatro metros de largo, con un morro redondeado y romo y dos antenas alargadas que oscilaban rítmicamente de un lado a otro sobre su cabeza.

Quaid y Marshall observaron, casi en trance, cómo la criatura avanzaba lentamente por el aparcamiento. Esta se detuvo al inicio de la rampa de bajada, donde pareció olisquear el suelo un segundo.

A continuación, descendió por la rampa y desapareció de su campo de visión.

—Vaya, vaya, vaya. ¿Qué tenemos aquí? —dijo Bellos mientras miraba bajo la vitrina expositora.

Selexin estaba intentando con todas sus fuerzas que no le temblara el cuerpo, sin éxito. Holly estaba a su lado, petrificada.

—Vaya, hombrecillo, tu memoria es tan corta como tú. Te dije que os encontraría. ¿O acaso se te ha olvidado?

Selexin tragó saliva. Holly tan solo siguió mirando.

—Quizá necesites que te refresque… la… memoria. —Bellos empezó a levantarse—. ¡Salid de ahí abajo!

Holly y Selexin salieron por la parte más alejada de la vitrina. Bellos estaba en el otro lado, con su guía moribundo tendido sobre el hombro. Los focos de fuego parpadeantes de las salas de colecciones cercanas parecían fuera de control en esos momentos.

Bellos ladeó la cabeza con mofa.

—¿Hacia dónde vas a correr ahora, hombrecillo?

Selexin se fijó en la puerta y vio que los dos hoodayas aparecían por esta, cortándoles su única salida.

—Oh-oh —susurró.

Cuando miró de nuevo a Bellos, vio que su coraza dorada estaba en esos momentos salpicada de sangre. En el oscuro antebrazo de este, Selexin vio la pulsera gris sin problemas.

Y vio que la luz verde se apagaba de repente.

La luz roja contigua se encendió.

—Oh-oh —dijo de nuevo Selexin.

Bellos empezó a rodear la vitrina. Parecía no tener prisa. Saboreaba el momento. No parecía haberse percatado de que la luz roja era la que en esos momentos iluminaba su pulsera.

—¿Por qué lo has hecho? —preguntó Selexin.

—¿Hacer qué?

—Incumplir las normas del Presidian. Has hecho trampa. ¿Por qué lo has hecho?

—¿Por qué no?

—Has roto las normas de la competición para vencer. ¿Cómo puedes respetar el premio si no puedes respetar el torneo? Has hecho trampa.

—Si te descubren incumpliendo las normas, eres un tramposo —dijo Bellos mientras bordeaba el extremo de la vitrina alargada de cristal—. No entra en mis planes que me cojan.

—Pero te descubrirán.

—¿Cómo? —preguntó Bellos, como si ya supiera la respuesta a la pregunta.

Selexin habló con rapidez.

—Un contendiente puede delatarte. Puede decir «inicializar» y mostrarle a aquellos que están observando al otro lado que has traído a tus hoodayas.

—Muy valiente tendría que ser para intentar algo así mientras lucha por su vida. Además —dijo Bellos—, ¿quién sabe aquí que tengo a mis hoodayas?

—Yo.

—Pero la última vez que vi a tu amo estaba fuera del laberinto. Y él es el único que puede inicializar el teletransportador de tu casco.

Selexin no respondió. A continuación dijo:

—Reese.

—¿Qué?

—Reese lo sabe —dijo Selexin al recordar que los hoodayas habían atacado a Reese en la segunda planta.

—Pero no sabes si Reese sigue con vida.

—¿Sigue con vida?

—Vale —dijo Bellos—. Supongamos por un momento que Reese sigue con vida.

—Entonces puede delatarte. Puede inicializar el teletransportador del casco de su guía y delatarte.

—¿Y qué hay de su guía?

—¿Perdón? —Selexin frunció el ceño.

—Su guía —dijo Bellos con petulancia—. No creo que pienses que, en caso de que dejara a Reese con vida, permitiría también que su guía hiciera eso.

—¿Mataste al guía de Reese antes de atacarla?

Bellos sonrió.

—En el amor y la guerra, todo vale.

—Inteligente —dijo Selexin—. Pero ¿qué hay de los hoodayas? ¿Cómo planeas sacarlos del laberinto? Me imagino que no piensas dejarlos sin más aquí.

—Confía en mí, los hoodayas ya se habrán marchado del laberinto mucho antes de que yo sea teletransportado como el vencedor del Presidian —dijo Bellos.

Selexin frunció el ceño.

—Pero ¿cómo? ¿Cómo puedes sacarlos del laberinto?

—Simplemente utilizaré el mismo método que empleé para traerlos.

—Pero eso requeriría de un teletransportador… —dijo Selexin— y de las coordenadas del laberinto. Y nadie salvo los organizadores del Presidian conocen la localización del laberinto.

—Al contrario —Bellos miró a Selexin—, los guías conocéis las coordenadas del laberinto. Tenéis que saberlo, porque se os teletransporta con cada contendiente al laberinto.

Selexin reflexionó sobre lo que Bellos le acababa de decir.

El proceso de teletransportación implicaba que se enviara a un guía al planeta del contendiente. Allí, el guía y el contendiente entraban en un teletransportador, solos. Una vez dentro, el guía introducía las coordenadas del laberinto y los dos eran teletransportados.

El caso de Selexin, claro está, había sido diferente, puesto que los humanos nada sabían de teletransportadores ni del teletransporte. Swain y él habían sido teletransportados por separado.

—Pero aun así necesitarías un teletransportador para sacar a los hoodayas de aquí —dijo Selexin—. Y en la Tierra no existen.

Bellos se encogió de hombros con indiferencia, dándole la razón.

—Supongo que no.

Selexin estaba en esos momentos enfadado.

—Te olvidas de que todo esto se basa en que estás dando por sentado que serás el último contendiente en quedar con vida en el laberinto. Y eso está aún por determinar.

—Ese es un riesgo que estoy dispuesto a correr.

—Tu bisabuelo venció el quinto Presidian sin necesidad de trampas —dijo Selexin con malicia—. Imagina qué pensaría de ti ahora.

Bellos hizo un gesto desdeñoso con la mano.

—No lo entiendes, ¿verdad? Mi gente espera que venza en esta competición, al igual que lo esperaban de mi bisabuelo.

—Pero no eres el cazador que era tu bisabuelo, ¿verdad, Bellos? —le dijo Selexin con brusquedad.

Bellos entrecerró los ojos.

—Vaya, vaya. Qué valiente te pones cuando estás a punto de reunirte con tu creador, hombrecillo. Mi bisabuelo hizo lo que tuvo que hacer para ganar el Presidian. Y así haré yo. Distintos métodos, sin duda, pero, hombrecillo, debes comprender que el fin justifica los medios.

—Pero…

—Creo que ya hemos charlado suficiente —le cortó Bellos—. Es hora de que mueras.

Lentamente, Bellos recorrió el largo del exhibidor y se acercó hacia Selexin y Holly. El guía miró desesperado a su alrededor. No había adónde huir. Ni dónde esconderse.

Se quedó quieto donde estaba, delante de Holly, observando cómo Bellos se iba acercando.

Y entonces, lenta, silenciosamente, algo por detrás de Bellos atrajo su atención.

Movimiento.

Arriba.

Tras uno de los conductos del aire acondicionado del techo.

Sigilosa, muy sigilosamente, un cuerpo oscuro y larguirucho empezó a desplegarse del techo sobre Bellos.

No emitió sonido alguno.

Bellos no lo había oído, y seguía acercándose a Selexin y Holly mientras, tras de sí, la alargada criatura se erguía hasta alcanzar sus inquietantes dos metros setenta y cinco de altura.

Selexin estaba mudo de asombro.

Era el Racnid.

El séptimo y último contendiente del Presidian. Era como un enorme insecto palo, con la cabeza pequeña y múltiples extremidades. Vio sus ocho huesudas patas expandirse lentamente, preparándose para agarrar el cuerpo de Bellos y estrujarlo hasta matarlo.

Entonces, súbitamente, el Racnid cerró violentamente sus brazos alrededor de Bellos con una velocidad pasmosa, levantándolo del suelo.

Al principio, Selexin y Holly se quedaron estupefactos por la celeridad del ataque. Había sucedido tan rápido. El pausado e inquietante descenso del Racnid se había transformado al instante en una violencia brutal. Y entonces, de repente, Bellos estaba por los aires, atrapado por el insecto, forcejeando con su nuevo oponente.

Los hoodayas reaccionaron al momento.

El sano galopó desde la entrada y saltó encima del exhibidor para a continuación arrojarse sobre el Racnid con las fauces abiertas para defender a su amo. El segundo, herido, se movió renqueante pero con el mismo fervor; trepó a la vitrina y se abalanzó sobre la presa.

El elemento de sorpresa parecía ya no contar, pues el Racnid, al confrontarse con la aparición inesperada de los dos hoodayas, se soltó del techo entre gritos. Aterrizó con un fuerte golpe en la vitrina que había debajo, rompiéndola, mientras agitaba desesperado sus ocho extremidades para repeler el ataque triple.

Holly y Selexin estaban observando sobrecogidos la escena cuando de repente se les vino a la cabeza el mismo pensamiento.

Hay que salir de aquí.

Corrieron a la entrada y alcanzaron el pasillo exterior.

Tenían dos opciones: ir al vestíbulo del ascensor para uso público al final del pasillo o regresar a la sala principal de lectura por la sala central del catálogo.

—¿Qué camino? —preguntó Holly.

—Por ahí —dijo con firmeza Selexin mientras miraba hacia la zona del ascensor—. Antes vi a otro contendiente dentro de la sala de lectura.

Apenas habían dado cinco pasos por el corredor cuando oyeron un ensordecedor pero familiar rugido procedente de las inmediaciones del ascensor.

—El karanadon —dijo Selexin—. Vuelve a estar despierto. Vi la luz roja en la pulsera de Bellos. Vamos. —Cogió a Holly de la mano—. Por aquí.

Recorrieron de nuevo el trayecto del pasillo y, cuando pasaron junto a la puerta que daba a la sala Salomon, Selexin miró de reojo a su interior y pudo ver a Bellos encima de la vitrina, a horcajadas sobre Racnid, enfrascados en la pelea.

Pero Bellos sin duda llevaba ventaja.

Racnid estaba inmovilizado bajo él, boca arriba, impotente, chillando cual demente mientras uno de los hoodayas le arrancaba una extremidad. El Racnid gritó de dolor. Al otro lado, el cuadrúpedo restante, el herido, estaba ocupado con el guía del insecto.

Y entonces Bellos le rompió el cuello al Racnid y los alaridos cesaron al instante. Bellos se levantó, llamó a los hoodayas que estaban tras él y apuntó la cabeza de su guía hacia el cuerpo inerte que había sobre la vitrina rota.

—¡Inicializar! —gritó.

Una pequeña esfera de brillante luz blanca apareció sobre la cabeza del guía y Selexin se quedó embobado mirándola.

Holly le tiró del brazo.

—¡Vamos!

El pequeño guía se apartó de la puerta y los dos se apresuraron a entrar en la sala del catálogo.

Lo primero que le llamó la atención a Swain de la planta inferior del aparcamiento fue su tamaño. Era mucho más pequeña que la planta superior y, aparentemente, una adición reciente al edificio. Probablemente lo utilizara la gente que acudía a las conferencias que se celebraban en el salón de actos de la biblioteca. Y no tenía salida para los coches. Se podía aparcar ahí, pero había que subir a la planta superior para salir a la calle.

Había tres puertas, cada una en una pared distinta. La primera, en dirección sur, tenía estampada con letras grandes: «Salida de emergencia». En la pared occidental había otra con un cartel que rezaba: «Al depósito». Una tercera puerta, más vieja, se encontraba en el lado este del aparcamiento. Faltaban algunas letras de la placa: «Sala de cal   . Prohibido el paso».

Había un coche en el aparcamiento.

Un único coche.

Un Honda Civic pequeño, estacionado en la pared oeste junto a la puerta que daba al depósito, aguardando pacientemente el regreso de su dueño.

Swain se puso tenso al pensar en que quizá hubiera alguien más en la biblioteca. El propietario del coche, alguien a quien no hubieran visto aún.

No, se dijo a sí mismo. *No puede ser.*

Luego empezó a pensar en las otras posibilidades, como la de precipitarse con ese tres puertas sobre la rejilla electrificada, y lograr quizá salir de la biblioteca.

Pero cuando se acercó al Civic, todos aquellos fatuos pensamientos se desvanecieron.

Suspiró.

El propietario del coche no iba a estar allí.

Y el coche no atravesaría ninguna rejilla electrificada.

Ese coche no iría a ninguna parte.

Swain miró con tristeza los dos cepos amarillos que inmovilizaban el vehículo al suelo del aparcamiento y, a continuación, la línea azul del asfalto.

El coche había estado aparcado en un reservado para discapacitados y, puesto que no llevaba el distintivo en el parabrisas, las autoridades le habían colocado los cepos.

Swain sonrió con tristeza mientras contemplaba aquel automóvil inservible. En el hospital lo había visto miles de veces y siempre había pensado que las personas que aparcaban en las plazas de los discapacitados merecían que les fuera inmovilizado el coche.

Pero en esos momentos, en el aparcamiento de la Biblioteca Pública de Nueva York, un coche así no le servía para nada. Un arma sin balas.

Fue entonces cuando Swain oyó el siseo.

Se volvió.

—Nunca te rindes, ¿verdad? —dijo en voz alta.

Y allí, a los pies de la rampa de bajada, moviendo la cola de un lado a otro, balanceando sus antenas y con sus fauces triples salivando sin cesar, se hallaba la primera contendiente a la que Stephen Swain había conocido esa noche.

Reese.

Holly y Selexin atravesaron la sala central del catálogo y se detuvieron delante de las puertas de la estancia principal de lectura de la biblioteca.

Selexin vaciló ante las puertas cerradas de la enorme sala de estudio al recordar la sombra que había visto antes, la sombra del códex.

—Las puertas están cerradas —susurró Holly.

—Sí... —dijo Selexin como si fuera algo obvio.

—Bueno...

—¿Bueno qué?

Holly se acercó.

—Bueno, no las cerramos. Cuando estuvimos aquí antes, nos fuimos sin más. No cerramos las puertas. ¿Recuerdas?

Selexin no lo recordaba, aunque en ese instante le daba igual si las puertas habían estado cerradas o no. A algún lado tenían que dirigirse.

—Probablemente tengas razón —dijo mientras cogía el pomo de la puerta derecha—. Pero en estos momentos no tenemos otro sitio al que ir.

El hombrecillo giró el pomo y abrió la puerta del todo.

Y entonces se cayó de espaldas.

A su lado, Holly se dio la vuelta y empezó a vomitar.

—¡Acérquenlo! ¡Acérquenlo! —gritó Quaid. Había empezado a llover con más fuerza, pero Quaid no se había dado ni cuenta.

Los cuatro agentes de la NSA que transportaban «aquello» resoplaron y gruñeron al dejarlo en el suelo, junto a la reja electrificada.

Cuando lo hicieron, Quaid miró la caja plateada con los contadores.

En el del medio podía leerse en esos momentos: 120485,05.

Ciento veinte mil voltios. Ciento veinte mil voltios de corriente eléctrica pura y sin delimitar. Era como una verja electrificada, pero sin la verja.

Quaid centró su atención en el objeto que los cuatro agentes habían llevado hasta él. Se trataba de la gruesa carcasa que portaba la unidad de almacenaje de radiación portátil de la división Sigma.

Una UAR portátil es básicamente una cámara magnetizada y presurizada, sellada al vacío y dispuesta en el interior de un cubo de plomo de metro veinte de altura. Se emplea para guardar cualquier objeto radioactivo descubierto en el campo hasta poder ser trasladado para su posterior estudio en las Instalaciones de Almacenamiento de Radiación Electromagnética de Ohio.

En otras palabras, era un termo gigante rodeado de una carcasa gruesa de plomo de metro veinte de altura.

Quaid había ordenado que desmontaran la UAR portátil de la furgoneta y que sacaran la caja de plomo parcialmente magnetizada.

—No funcionará —dijo Marshall mientras contemplaba aquel cubo al que en esos momentos le faltaban las caras superior e inferior.

—Ya veremos —dijo Quaid.

—Ese campo eléctrico lo penetrará.

—Al final sí, pero quizá no de inmediato.

—¿Y eso qué significa?

—Significa que tal vez nos dé el tiempo suficiente como para meter a un par de hombres dentro.

Marshall frunció el ceño.

—No estoy seguro.

—No tiene que estar seguro —respondió con brusquedad Quaid—. Porque usted no va a ser quien va a entrar.

Selexin no apartó en ningún momento la mirada de la puerta de la sala de lectura. A su lado, Holly seguía con arcadas y los ojos vidriosos.

Lenta, torpemente, Selexin se puso en pie mientras contemplaba con los ojos fuera de sus órbitas el interior de la sala.

Allí, perfilado contra el resplandor del fuego del interior de la sala de lectura, colgado boca abajo del techo y chorreando sangre, estaba el cuerpo salvajemente mutilado del agente del Departamento de Policía de Nueva York Paul Hawkins.

En la planta inferior del aparcamiento, Swain mantuvo la mirada fija en la cola de Reese, intentando evitar todo contacto visual con sus antenas paralizantes.

Ella avanzó.

Hacia él.

Lentamente.

Entonces, de repente, le falló la extremidad trasera y se tambaleó levemente.

Fue entonces cuando Swain recordó dónde había visto por última vez a Reese. Había sido en la segunda planta, cuando los hoodayas la habían atacado y él y los demás habían huido a las escaleras.

No había duda. Reese estaba herida. Magullada y dolorida por una pelea con los hoodayas de la que a duras penas había salido con vida.

Swain se miró. Estaba cubierto de mugre negra del hueco de los ascensores y del túnel del metro. Miró a continuación la pulsera:

INICIALIZADO—3

Otro contendiente había muerto. Ya solo quedaban tres. El Presidian estaba a punto de concluir y los contendientes restantes estaban heridos, sucios y exhaustos. En esos momentos era ya una batalla de resistencia.

Se produjo una repentina llamarada anaranjada a la derecha y Swain vio una tubería de gas cerca del techo.

Miró de reojo a Reese, que seguía intentando avanzar, y a continuación al Honda Civic que había a su lado, de nula utilidad para él.

Entonces alzó la vista de nuevo hasta la tubería de gas, a la llama azul y amarillenta que empezaba a prenderse a lo largo. Los ojos de Swain recorrieron la tubería. Esta desaparecía en la pared, justo por encima de la misteriosa puerta con la placa: «Sala de cal   . Prohibido el paso».

Entonces un pensamiento escalofriante se le vino a la cabeza.

Gas. Tuberías de gas.

«Sala de cal   .»

La sala de calderas.

Oh, Dios...

La llama azul y amarilla siguió su veloz progresión por el techo, recorriendo la tubería de gas. De pronto, desapareció por la pared situada encima de la puerta.

Le siguió un largo silencio.

Y entonces...

La explosión fue enorme. Como si hubiera disparado un cañón, la puerta de la sala de calderas salió despedida, rompiéndose en mil pedazos, seguida de una nube de humo y llamas. Swain fue arrojado por la onda expansiva al capó del Civic.

Quaid se tambaleó ligeramente cuando el suelo tembló. Una explosión, en alguna parte del edificio.

—Tenemos que entrar ya —le dijo a Marshall.

—¿Cuántos?

—Todos los que podamos.

—¿Cómo sabe que podrá pasar? —preguntó Marshall.

—¿Cómo sabe que no? —le preguntó Quaid.

Marshall frunció el ceño.

—Nadie antes ha visto algo así…

Quaid lo miró fijamente, esperando a que le diera la orden.

A continuación, Marshall entrecerró los ojos:

—De acuerdo. Hágalo.

Swain rodó por el capó del Honda y vio que Reese se volvía hacia la sala de calderas en llamas.

Los rociadores de incendios cobraron vida al instante, bañando todo el aparcamiento con sus chorros de agua. Era como estar en medio de una tormenta: explosiones atronadoras provenientes de la sala de calderas entre la lluvia incesante de los rociadores.

Swain se afanaba en quitarse el agua de los ojos mientras intentaba ver qué estaba haciendo Reese. A su izquierda, a medio camino entre Reese y él, vio de reojo la puerta de la pared occidental del aparcamiento, la puerta que quería.

Aquella con el cartel que rezaba: «Al depósito».

—¿Listos? ¡Empujen! —gritó Quaid.

El equipo de la NSA cogió la carcasa de plomo y la empujó hacia la reja electrificada del aparcamiento.

Quaid les había ordenado que colocaran el cubo de lado, de manera tal que sus caras abiertas, la superior y la inferior, apuntaran hacia la chisporroteante rejilla de electricidad azul.

Cuando el cubo de plomo estaba ya a treinta centímetros de la electricidad, Quaid, vestido en ese momento con ropa de asalto (casco, chaleco antibalas), les ordenó que se detuvieran.

Marshall le pasó un fusil de asalto M-16, equipado con una unidad colgante que se asemejaba a un lanzagranadas M-203, salvo por el hecho de que tenía dos protuberancias plateadas y afiladas en el extremo en vez de un cañón. Era una bayoneta táser, una versión moderna de un arma antigua. En vez de llevar un arma blanca afilada en el extremo del fusil, lo que llevaba eran dos mil voltios.

—Armas de fuego —dijo Marshall.

—No hay que salir de casa sin ellas —dijo Quaid mientras cogía el arma.

Marshall se metió la mano en el abrigo.

—Una cosa más —dijo mientras sacaba una hoja de papel del bolsillo. Era la lista de las horas y los registros de los picos de energía tomados por el satélite Espía—. ¿Tiene su copia?

Quaid se dio un golpecito en el bolsillo trasero.

—¿No cree que a estas alturas ya sé algo del tema? Trece picos de tensión después de que captáramos el campo de electricidad inicial en la ciudad. Ese es el punto de partida. Trece cosas que tenemos que encontrar.

—Si es que consigue entrar —dijo Marshall.

—Sí —dijo Quaid con seriedad—. Si consigo entrar. Asegúrese de estar preparado para todo lo que le traiga.

—Si no estamos preparados, será porque estaremos dentro con usted.

—Bien. —Quaid se volvió a los agentes que lo rodeaban—. De acuerdo, chicos. Hagámoslo.

Los agentes empezaron a empujar el cubo de plomo hacia el muro de electricidad entrelazada. Quaid caminaba despacio tras ellos, contemplando la apertura trasera del cubo. El extremo delantero de este tocó la electricidad.

Saltaron chispas.

Quaid se agachó al momento para mirar por entre la parte posterior abierta del cubo de plomo. Podía verse el otro lado a través de este. La electricidad no había podido atravesar el plomo.

Los agentes de la NSA siguieron empujando hasta colocar el cubo mitad dentro, mitad fuera, del muro de electricidad.

El plomo seguía resistiendo.

En esos momentos disponían de un túnel por el que Quaid podía arrastrarse y atravesar el muro electrificado.

Arma en ristre, Quaid se metió dentro del cubo y, por un instante, desapareció, para inmediatamente emerger al otro lado de la rejilla de electricidad con el pulgar en alto.

—De acuerdo —gritó—. Que entren los demás.

El resto del equipo de inserción de la NSA, todos ellos armados con M-16 provistos de táser, se pusieron en fila tras el cubo.

El primer agente de la fila, un joven latinoamericano llamado Martinez, se metió de cabeza en el cubo.

De repente, se oyó un inquietante crujido justo cuando las piernas de Martinez desaparecieron en el interior del túnel.

—¡Rápido, muévase! ¡Antes de que ceda! —gritó Marshall.

Entonces, sin previo aviso, el cubo de plomo se partió cual ramita bajo el peso del muro de electricidad en el mismo momento en que Martinez salía por el otro lado, con la mano que blandía el arma en último lugar. El cubo se desplomó al momento, cortado por la mitad, al igual que el M-16 de Martinez, que quedó sesgado a la altura del seguro del gatillo, sin alcanzar los dedos del joven soldado por milímetros.

El muro volvió a estar en su sitio.

Quaid y Martinez se habían quedado atrapados dentro.

—¿Están bien? —preguntó Marshall a través de la reja.

—Con un arma menos, pero bien —dijo Quaid mientras le pasaba a Martinez su pistola SIG-Sauer para reemplazar el M-16 seccionado del joven—. Supongo que a partir de ahora estamos solos. Volveremos pronto.

Quaid y Martinez echaron a correr por el aparcamiento en dirección a la rampa de bajada.

Marshall observó cómo se marchaban. Cuando finalmente hubieron desaparecido, esbozó una sonrisa.

Estaban dentro de la biblioteca.

Sí.

Swain se encontraba en un lateral de la planta inferior del aparcamiento, empapado por la lluvia de los rociadores. Al otro lado, las llamas salían de la sala de calderas, inmunes al incesante torrente de agua de los rociadores del techo.

Reese seguía avanzando, renqueante, hacia él.

Era como si de algún modo estuviera dispuesta a alcanzarlo a pesar de las protestas de su cuerpo herido; estaba consumida por una obsesión que no cesaría hasta que Swain estuviera muerto.

Él empezó a pensar. No podía matar a Reese, era demasiado grande y fuerte. E incluso aunque estuviera herida, podía hacerle pedazos en una pelea.

¿Cómo lo haces?, pensó. *¿Cómo se mata a una cosa así?*

Fácil. No se hace.

Sigues corriendo.

Swain retrocedió un paso y sintió que sus piernas rozaban el Honda. Estaba cerca de la pared oeste.

Avanzó hacia la pared, lejos del coche, hacia la puerta que daba al depósito.

Reese se desplazaba con rapidez, en paralelo a sus movimientos, cortándole la salida.

Swain se detuvo a unos tres metros del Honda, de espaldas a la pared. Podía sentir el agua de los rociadores repiqueteándole en la cabeza.

Miró a sus pies, al enorme charco de agua que estaba formándose a su alrededor. Ni siquiera tenía un centímetro de profundidad, pero se extendía por todo el suelo de hormigón conforme los rociadores seguían soltando agua.

Estaba pisando el charco. Reese también.

Sus ojos siguieron la trayectoria del agua.

El charco parecía desviarse en todas direcciones, incluso hacia la pared que daba a la calle Cuarenta, hacia la puerta que rezaba «Salida de emergencia».

La salida de emergencia.

El cerebro de Swain empezó a funcionar a toda velocidad.

La salida de emergencia tendría que ser una puerta exterior, una puerta que condujera directamente fuera.

Y si era así, entonces…

Se quedó petrificado, horrorizado. Reese estaba aún frente a él. El charco creciente de agua reptaba lentamente hacia la salida de emergencia.

Si era una puerta exterior, entonces estaría electrificada.

Y si el charco de agua llegaba hasta allí…

—Oh, Dios —dijo Swain en voz alta al ver el agua que le tocaba los pies—. Oh, Dios.

¡Corre!, le gritó su mente. *¿Adónde? Adonde sea.*

—¡No se mueva! —gritó una voz.

Swain alzó la cabeza.

Reese se volvió.

Había dos hombres en la rampa situada en el centro del aparcamiento.

Era Harold Quaid, de la Agencia Nacional de Seguridad, y otro agente, los dos vestidos con ropa de combate de los SWAT. Quaid llevaba un M-16 un tanto extraño y el otro una pistola plateada.

El doctor se quedó quieto.

Miró hacia la salida de emergencia, a los rociadores del techo que no parecían ir a detenerse, al charco que continuaba acercándose a la puerta.

Está a menos de un metro.

Debió de moverse, porque Quaid le volvió a gritar:

—¡Hablo en serio! ¡No se mueva!

Swain se quedó inmóvil.

El agua estaba ya cerca de la puerta.

Reese avanzó hacia la izquierda de Swain, lejos de Quaid.

Quaid y su compañero salieron de la rampa con sus respectivas armas en ristre, mirando a Reese y a Swain. Pisaron el agua.

El charco estaba en esos momentos a medio metro de la puerta.

La lluvia de los rociadores seguía cayendo.

Swain quería correr...

—¡Quédese donde está! —gritó Quaid mientras lo apuntaba amenazadoramente—. ¡Voy a acercarme!

Treinta centímetros...

El agua estaba ya casi en la puerta.

Que les den, pensó Swain. *De un modo u otro, voy a morir.*

—¡No se mueva! —gritó Quaid cuando Swain rompió a correr en dirección al Civic del rincón, chapoteando a cada paso.

Las armas de Quaid y Martinez cobraron vida.

Swain corrió pegado a la pared de hormigón, a pocos centímetros por delante de los agujeros de bala que iban apareciendo en esta.

No voy a conseguirlo, pensó mientras las gruesas gotas de agua de los rociadores le golpeaban el rostro. *No voy a...*

Se tiró al coche.

El agua llegó a la puerta.

Swain aterrizó sobre el capó del Honda con un golpe sordo y se cubrió la cabeza con las manos. En ese mismo instante, los disparos cesaron.

No estaba muy seguro de qué se había esperado oír. El silbido de corrientes electroestáticas atravesando el agua. Un grito de Quaid quizá, a quien había visto por última vez en medio del charco, disparándole.

Pero no ocurrió nada.

Nada de nada.

El aparcamiento se sumió en el más completo de los silencios, salvo por el chorro de agua de los rociadores.

Swain apartó lentamente las manos de la cabeza y vio que Quaid y el otro agente de la NSA (que seguían cerca de la rampa central con los pies en el charco de agua) lo observaban con curiosidad.

Reese, sin embargo, no aparecía por ninguna parte.

El charco había llegado a la salida de emergencia y había avanzado por debajo de la puerta sin provocar incidente alguno.

A Swain solo se le ocurría una explicación. No era una puerta exterior. No había sido electrificada. Tenía que haber otra puerta detrás.

Seguía lloviendo con fuerza.

Y entonces, de repente, con gran fiereza, Reese apareció tras el segundo agente de la NSA y la caja torácica de este estalló, reemplazada al instante por el extremo apuntado de la cola, que sobresalía grotescamente de su pecho.

Quaid se volvió, pero fue demasiado lento.

Reese ya estaba moviéndose. Sacó su cola de Martinez y dejó que el cuerpo cayera al suelo, como un muñeco de trapo, para a continuación abalanzarse sobre Quaid, golpeándolo y arrojándolo al suelo encharcado.

Debía de haber rodeado la rampa de subida, pensó Swain, y luego había salido tras los dos agentes que lo habían estado amenazando.

Amenazando a su presa.

Pero Quaid no iba a rendirse sin oponer resistencia. Rodó hasta ponerse boca arriba cuando Reese saltó sobre su pecho con sus fauces salivosas y antenas oscilantes. Quaid cogió el M-16, lo sacó fuera del agua y disparó

249

fútilmente al techo. Al mismo tiempo, a Swain le pareció ver que un destello de luz blanca salía despedido de la unidad extra unida al cañón del fusil de asalto de Quaid.

El forcejeo prosiguió bajo la incesante lluvia, pero Reese era demasiado pesada, demasiado fuerte.

Su gruesa extremidad derecha golpeó el brazo derecho de Quaid, el que blandía el arma, y Swain oyó el horripilante ruido de un hueso al romperse.

El arma dejó de disparar al momento y mientras el brazo de Quaid se partía en dos, el M-16 salió volando, repiqueteó por el suelo encharcado y aterrizó a poca distancia del Civic de Swain.

Quaid, con el rostro lleno de saliva, gritó como un loco cuando la sangre empezó a salir a borbotones de su codo partido. Con el otro brazo intentó en vano alejar a Reese.

Entonces Swain vio la cola de Reese arquearse lenta y grácilmente tras sus antenas oscilantes, fuera del campo de visión de Quaid.

Swain no tuvo tiempo ni de moverse.

La cola descendió con fuerza.

Mucha fuerza.

La punta penetró en la cabeza de Quaid y esta estalló en sangre cuando le perforó el cráneo hasta salir por el otro lado. El cuerpo de hombre se retorció con la violencia del golpe, sus pies se elevaron del suelo y, a continuación, quedó complemente inerte.

Swain observó horrorizado cómo Reese extraía como si nada su cola del cráneo del hombre muerto. La cabeza ensangrentada cayó al suelo con un golpe sordo.

A continuación miró a Swain.

Y siseó con furia.

Tu turno.

Reese se alejó del cadáver de Quaid con el cuerpo en tensión, revigorizada por el olor a batalla.

La lluvia de los rociadores golpeaba con fuerza su lomo, similar al de un dinosaurio.

Swain se bajó del Honda, mirándola con cautela, preguntándose cómo demonios proceder. Y entonces, por el rabillo del ojo, lo vio.

El M-16 de Quaid.

En el agua, a su derecha, a menos de cinco metros. Abandonado.

Swain no perdió un segundo. Se tiró a por el arma.

Reese saltó hacia él.

Los dedos de Swain se golpearon con dureza contra el suelo cuando agarró el arma, la sacó del charco y se volvió para mirar a Reese.

Apretó el gatillo.

Clic.

¡No tenía balas! Quaid había debido gastar toda la munición cuando había disparado como un loco hacia el techo.

¡No era justo!

Reese estaba en esos momentos muy cerca. Saltó hacia él bajo la lluvia y voló por el aire con las extremidades delanteras levantadas y las fauces abiertas. Un caimán enorme al ataque.

Swain dio una voltereta a la izquierda en el mismo y preciso momento en que Reese llegaba al lugar donde él había estado instantes antes, aterrizando en el agua con un sonoro chapoteo.

Swain rodó hasta ponerse en pie, se volvió para ver dónde estaba Reese…

Y entonces sintió un peso enorme que le aplastó el pecho y lo arrojó hacia atrás. Había sido la cola de Reese, que lo había golpeado en el torso.

Salió despedido a causa del impacto y aterrizó abruptamente sobre el capó del Honda aparcado.

La suspensión del coche se estremeció por el peso y, antes de ser siquiera consciente, en sus tímpanos resonó el ruido más terrorífico que había oído en su vida. Abrió los ojos y vio que estaba contemplando las fauces abiertas de Reese a quince centímetros de él.

Conformaban una imagen de lo más peculiar: Swain, boca arriba, en el capó de un Civic, con los brazos extendidos y Reese, erguida, con las patas traseras en el suelo del aparcamiento y las delanteras firmemente apoyadas sobre el capó, a ambos lados del humano.

Bajó el morro hasta su pecho, como si estuviera olisqueándolo, oliéndolo, saboreando su victoria.

Swain apartó la vista, pues no se atrevía a mirarle a las antenas, a la vez que intentaba mantenerse lejos del torrente de saliva que le caía en esos momentos por el pecho.

Por entre la lluvia de los rociadores, pudo ver en la pared cercana su sombra combinada, el cuerpo de Reese sobre el suyo, encima de la silueta del coche.

Lo tenía.

Reese siseó con furia.

En ese momento, en la pared, Swain vio la sombra de la cola de Reese levantándose.

Ya está.

Era el fin.

Reese lo sabía. Swain, también.

Entonces, de repente, lo notó. Aún seguía en su mano, sujeta por el extremo de la culata y, como si de un nuevo amanecer se tratara, Swain lo vio claro. Miró al rostro sin ojos de Reese y dijo:

—Lo siento.

Y tras eso, Swain apretó el segundo gatillo del M-16, el gatillo del táser del cañón del arma, y disparó al charco de agua que había bajo el coche.

Un rayo de electricidad refulgió en el extremo del táser y tocó el agua.

Al instante, una llama cegadora de luz iluminó el aparcamiento cuando miles de rayos irregulares y blancos serpentearon por la superficie del agua a impactante velocidad.

Reese aulló de agonía cuando la electricidad del táser cruzó del agua a su cuerpo a través de sus extremidades posteriores, que seguían apoyadas en el suelo del aparcamiento.

Se convulsionó violentamente, con terribles espasmos, haciendo que el Honda empezara a temblar.

Swain intentó mantenerse lejos de ella mientras absorbía la sobrecarga de electricidad.

Y entonces, con una última electrocución, Reese vomitó sobre el pecho de Swain, un vómito parduzco de lo más repugnante, antes de alzarse sobre sus patas traseras y caer al suelo, al charco de agua. Muerta.

Por su parte, el Honda Civic, con Swain aún encima, resistió el envite de la electricidad porque, al llegar a los neumáticos, no pudo ir más allá, y todos sus intentos por subir al coche quedaron frustrados por el caucho.

Instantes después, los rociadores pararon.

El aparcamiento estaba de nuevo en silencio.

Pegado al capó del Civic, Swain volvió a respirar. La llama inicial de luz blanca había cesado y solo unos leves destellos de electricidad parpadeaban en el agua.

El pico de electricidad del táser se había disipado. El agua había vuelto a la normalidad.

La bayoneta se había estropeado al entrar en contacto con el agua. Swain la tiró al suelo.

Miró a Reese. Resultaba extraño, pero muerta parecía más grande incluso de lo que aparentaba en vida. También vio los cuerpos inertes de los agentes de la NSA, Quaid y Martinez, en el suelo encharcado.

Negó con la cabeza, atónito, preguntándose cómo demonios había logrado sobrevivir a aquella confrontación.

Entonces su pulsera emitió un bip.

INICIALIZADO—2

Ahora solamente quedaba otro contendiente en el edificio, y aún no había encontrado a Holly y a Selexin.

Swain respiró profundamente y se bajó del coche. Sus pies tocaron el suelo con un leve chapoteo.

Aquello no había acabado aún.

—Tenemos que hacerlo —dijo Selexin con apremio.

—Tú puedes. Yo no —dijo Holly.

—No voy a dejarte aquí.

—Entonces podemos quedarnos aquí los dos. —Holly se cruzó de brazos.

Seguían en el interior de la sala de catálogo, fuera de la sala principal de lectura.

Holly, tras haber visto el cuerpo mutilado de Hawkins suspendido del techo y haber vomitado, se había desplomado contra la pared más cercana con la mirada en blanco. En esos momentos se negaba en redondo a entrar en la sala de estudio, pues eso implicaba pasar junto al cuerpo y, lo que era todavía peor, pisar la sangre.

Selexin miró a sus espaldas nervioso. Tras los viejos catálogos podía ver la puerta abierta que daba a la sala Salomon. En la otra dirección, frente a él, dentro de la sala de lectura y colgando boca abajo, vio cómo el cuerpo de Hawkins se balanceaba suavemente del techo.

Quienquiera que hubiera hecho eso (Selexin sospechaba que habían sido Bellos y los hoodayas), le había sacado los brazos de las articulaciones y le había arrancado la cabeza, de ahí el enorme charco de sangre bajo el cuerpo oscilante. El cuerpo de Hawkins estaba plagado de cortes paralelos. Cortes de garras. De garras de hoodayas. Unido al brillo inquietante de las llamas en la sala de lectura, resultaba una imagen particularmente espeluznante.

—Puedes cerrar los ojos —sugirió Selexin.

—No.

—Puedo llevarte.

—No.

—Tienes que entenderlo. No podemos quedarnos aquí.

Holly siguió callada.

Selexin negó con la cabeza, frustrado, y volvió a mirar a sus espaldas.

Y se quedó petrificado.

Y entonces se giró hacia Holly y la levantó con brusquedad, quisiera ella o no.

—Oye…

—¡Shhh!

—¿Qué estás haciendo…?

—Vamos a entrar. Ahora mismo —dijo Selexin mientras tiraba de la niña hacia la puerta, mirando una y otra vez a sus espaldas.

Holly, forcejeando, siguió su mirada por la sala del catálogo.

—Te he dicho que no quiero…

Paró de hablar cuando sus ojos se posaron en la entrada más alejada. Un tenue rectángulo de luz se extendía en el suelo, y lenta, muy lentamente, Holly vio cómo una sombra oscura empezaba a extenderse también sobre ella.

El origen de la sombra apareció y Holly observó horrorizada cómo un hoodaya entraba en la sala y la miraba fijamente a los ojos.

La unidad incorporada al M-16 tenía escrito: «Taser Bayonet- 4500».

Santo Dios, pensó Swain mientras contemplaba el cuerpo de Harold Quaid. Parecía el nombre de un modelo nuevo de motocicleta.

Swain había visto antes a personas que habían sufrido la descarga de una táser. Por lo general se recuperaban con algo parecido a una resaca monumental, principalmente porque los táser de la policía tenían un voltaje mínimo.

Pero el de ese fusil no era la estándar de la policía. Y si Quaid era realmente de la NSA, quién sabía el voltaje que podría tener.

Swain miró de nuevo a Reese, boca abajo en el charco superficial de agua. Una cosa sí que estaba clara: los táser de la NSA no solo aturdían. Esa llevaba voltaje suficiente como para matar a Reese.

Sostuvo el M-16 en sus manos. Con el cargador vacío y el táser gastado, no le servía para nada. Lo soltó y se agachó para examinar los cuerpos de Quaid y Martinez. Quizá llevaran algo consigo.

La SIG-Sauer de Martinez, o lo que quedaba de ella, yacía medio sumergida en el agua. Estaba completamente aplanada (supuso que Reese le habría pasado por encima) y en ese momento no era más que metal retorcido y resortes rotos.

Swain hurgó en los bolsillos de los uniformes de aquellos dos hombres. Encontró un par de walkie-talkies Motorola de pequeño tamaño, baterías extra para el táser, cargadores para la SIG-Sauer, dos porras extensibles y dos granadas de gas CS cada uno.

Se preguntó si a los karanadon les afectaría el gas lacrimógeno. Probablemente no. Si usaba las granadas, pensó, como mucho lograría hacerse daño a sí mismo. Las radios no le eran de ninguna ayuda. Después de todo, ¿con quién iba a hablar? Y tampoco tendría muchas oportunidades con las porras extensibles si luchaba contra alguien como Bellos. No, Harold Quaid y su compañero tenían poco que ofrecerle.

Se preguntó cómo habrían logrado entrar en la biblioteca. Por el aparcamiento probablemente. Pero algo tenía que haber salido mal, de lo contrario habrían metido a más tipos con ellos, y mucha más artillería. Sin duda no tenían pensado ir a la caza de extraterrestres con solo dos armas entre los dos.

Entonces Swain encontró algo.

En el bolsillo trasero de Quaid. Una hoja de papel. Una lista:

LSAT-560467-S
TRANSCRIPCIÓN DE DATOS 463/511-001
EMPLAZAMIENTO DE OBJETO: 231.957 (Costa nordeste: NY, NJ)

N.º	HORA/ET	UBICACIÓN	LECTURA
1.	18:03:48 Long Isl.	Sobrecarga energía aislada/origen: DESCONOCIDO	
		Tipo energía: DESCONOCIDA / Duración: 0:00:09	
2.	18:03:58 N. Y.	Sobrecarga energía aislada/origen: DESCONOCIDO	
		Tipo energía: DESCONOCIDA / Duración: 0:00:06	
3.	18:07:31 N. Y.	Sobrecarga energía aislada/origen: DESCONOCIDO	
		Tipo energía: DESCONOCIDA / Duración: 0:00:05	
4.	18:10:09 N. Y.	Sobrecarga energía aislada/origen: DESCONOCIDO	
		Tipo energía: DESCONOCIDA / Duración: 0:00:07	
5.	18:14:12 N. Y.	Sobrecarga energía aislada/origen: DESCONOCIDO	
		Tipo energía: DESCONOCIDA / Duración: 0:00:06	
6.	18:14:37 N. Y.	Sobrecarga energía aislada/origen: DESCONOCIDO	
		Tipo energía: DESCONOCIDA / Duración: 0:00:02	
7.	18:14:38 N. Y.	Sobrecarga energía aislada/origen: DESCONOCIDO	
		Tipo energía: DESCONOCIDA / Duración: 0:00:02	
8.	18:14:39 N. Y.	Sobrecarga energía aislada/origen: DESCONOCIDO	
		Tipo energía: DESCONOCIDA / Duración: 0:00:02	
9.	18:14:0 N. Y.	Sobrecarga energía aislada/origen: DESCONOCIDO	
		Tipo energía: DESCONOCIDA / Duración: 0:00:02	
10.	18:16:23 N. Y.	Sobrecarga energía aislada/origen: DESCONOCIDO	
		Tipo energía: DESCONOCIDA / Duración: 0:00:07	
11.	18:20:21 N. Y.	Sobrecarga energía aislada/origen: DESCONOCIDO	
		Tipo energía: DESCONOCIDA / Duración: 0:00:08	
12.	18:23:57 N. Y.	Sobrecarga energía aislada/origen: DESCONOCIDO	
		Tipo energía: DESCONOCIDA / Duración: 0:00:06	
13.	18:46:00 N. Y.	Sobrecarga energía aislada/origen: DESCONOCIDO	
		Tipo energía: DESCONOCIDA / Duración: 0:00:34	

Swain contempló la lista, estupefacto.

Números y horas y sobrecargas de energía y la repetición constante de la palabra «Desconocida/o». Y en teoría todo aquello tenía que ver con la biblioteca.

Trece picos de energía en total. Uno en Long Island y doce en la ciudad de Nueva York.

Vale.

Swain miró las horas de los primeros picos.

18:03:48. Una sobrecarga de energía, de origen y tipo desconocidos, detectada en Long Island y de una duración de nueve segundos.

Exactamente diez segundos tras esa sobrecarga inicial, a las 6:03:58 p. m., se había producido otro pico de energía en Nueva York.

Bien. Eso era fácil. Esos habían sido Swain y Holly cuando los habían teletransportado desde su casa hasta la biblioteca, en el centro de Manhattan.

Seis picos más de prácticamente la misma duración, de cinco a ocho segundos, eran los demás contendientes y sus guías, teletransportados a la biblioteca para la celebración del Presidian.

Swain recordó que Selexin ya estaba dentro de la biblioteca cuando él había llegado. Su teletransportación debía de haber ocurrido con demasiada anterioridad como para figurar en esa lista.

Pero todavía quedaban cinco picos de energía más.

Repasó la lista y vio las entradas del 6 al 9. Cuatro picos de energía de dos segundos de duración se habían producido en una rápida sucesión, uno tras otro. Estaban subrayados.

Swain frunció el ceño al ver la quinta sobrecarga.

18:14:12. De seis segundos. No había nada especial en ella, tan solo otro contendiente y su guía siendo teletransportados. Pero veinticinco segundos tras ese pico se producían las cuatro sobrecargas en aquella rápida sucesión.

¡*Los hoodayas!*, cayó en la cuenta.

Eran pequeños, así que su teletransportación no debía haber llevado mucho tiempo. Solo dos segundos cada uno.

Y eso explicaba la variación en los tiempos requeridos para las demás teletransportaciones: algunos contendientes eran más grandes o pequeños que otros, por lo que se requería de mayor o menor tiempo para teletransportarlos al laberinto, en un rango de cinco a ocho segundos.

Swain sonrió. Todo parecía encajar a la perfección.

Salvo una cosa.

El último pico de energía.

Ese había tenido lugar más de veintidós minutos después de las demás sobrecargas, que a su vez se habían producido todas ellas dentro de un periodo de veinte minutos.

Y había durado treinta y cuatro segundos. El pico anterior más largo solo había durado nueve.

¿Qué era? ¿Una idea de último momento quizá? ¿Algo que los organizadores del Presidian habían olvidado meter en el laberinto?

No era el karanadon. Selexin le había dicho a Swain que el karanadon había sido teletransportado al laberinto casi un día antes de que comenzara el Presidian.

Swain no se figuraba qué podía ser, así que decidió dejarlo para otro momento. Era hora de marcharse.

Se guardó la hoja de papel en su bolsillo. Tras mirar una última vez el cuerpo inmóvil de Reese, fue hacia la puerta que conducía al depósito.

La oscura y tenebrosa sala principal de lectura de la Biblioteca Pública de Nueva York estaba en esos momentos bañada por la luz amarillenta del incendio descontrolado.

En el centro de la enorme sala, la otrora hermosa estructura de los mostradores de préstamos parecía el infierno en la Tierra, cubierta de llamas danzarinas.

Holly cerró muy fuerte los ojos cuando Selexin bordeó el cuerpo ensangrentado que pendía del techo. Los pies de la niña resbalaron en el charco de sangre, pero Selexin logró sujetarla antes de que cayera.

Podían oír a los hoodayas en la sala del catálogo, a sus espaldas, gruñendo, resoplando.

Selexin tiró de Holly con más fuerza, hacia la izquierda, por entre los escritorios divididos del lado sur de la sala de estudio.

—¡Los ascensores! —susurró Holly—. ¡Vayamos a los montacargas!

—Buena idea —dijo él mientras se abría camino por la maraña de escritorios intactos y destruidos.

Debía de haber docenas de escritorios en la sala de estudios, la mitad de los cuales seguían aún intactos. La otra mitad no habían corrido la misma suerte: habían sido aplastados o arrojados por el karanadon y en esos momentos apenas si eran reconocibles.

Los ascensores estaban cerca.

Las puertas del montacargas de la izquierda seguían abiertas, mostrando el oscuro abismo del hueco de los ascensores. El karanadon debía de haberlas abierto con tanta fuerza que se habían quedado así.

Selexin pulsó el botón de llamada a la carrera, se golpeó contra la pared y se giró.

Con el destello parpadeante de los focos de fuego, vio que el cuerpo de Hawkins giraba lentamente desde el techo, justo encima de la entrada principal de la sala de lectura.

Y, tras el cuerpo, adentrándose despacio y con cautela en la sala de estudio, había un hoodaya.

Por entre la maraña de patas de los escritorios, Selexin vio que el segundo hoodaya se unía al primero y un escalofrío le recorrió el cuerpo.

Estaban escudriñando la gigantesca sala de estudio con detenimiento, buscando bajo los escritorios.

Selexin los observó fijamente. Era como si los hoodayas tuvieran una mayor determinación en esos momentos. Había llegado la hora de matar. El juego había terminado. La caza comenzaba.

Holly se volvió para mirar el hueco de los ascensores.

Los cables que habían recorrido verticalmente el hueco ya no estaban, tras ser sesgados por el karanadon. Probablemente se hallaran en el pozo con el resto del maltrecho ascensor. En esa ocasión no iban a poder deslizarse hasta allí.

El visualizador numérico situado encima del ascensor seguía funcionando, sin embargo, y número tras número fue iluminándose conforme el ascensor ascendía.

«PB» se iluminó en amarillo. A continuación se apagó.

La planta «1» se iluminó y apagó.

El número «2» se iluminó…

Holly notó que Selexin le tiraba del hombro.

—Vamos —dijo—. No podemos quedarnos aquí.

—Pero el ascensor…

—No llegará a tiempo. —Selexin la agarró del brazo y la alejó de los ascensores en el mismo momento en que esta vio que los hoodayas se acercaban por la derecha.

Selexin tiró de ella con fuerza hacia la izquierda mientras observaba a los hoodayas por entre las patas de los escritorios.

Los animales estaban a unos seis metros de distancia y se movían con la furtividad glacial de los cazadores experimentados.

Con la iluminación estroboscópica de los fuegos, el hombrecillo pudo verlos sin problemas: sus dientes puntiagudos sobresaliendo de sus cabezas esféricas, las extremidades delanteras huesudas y negras con sus garras ensangrentadas arañando el suelo, las poderosas patas traseras y la larga cola que se movía amenazadora tras su torso oscuro, como si tuviera vida propia.

El cazador perfecto.

Despiadado. Implacable.

Selexin tragó saliva cuando saltó por encima de un escritorio volcado y se encontró en mitad de la marea de mesas.

Miró hacia atrás. En esos momentos los hoodayas se habían detenido y seguían a seis metros de distancia. Estaban allí quietos, contemplando a su diminuta presa.

Un instante después, volvieron a moverse.

En direcciones opuestas.

Separándose.

—No me gusta —dijo Selexin—. No me gusta.

Era mejor que estuvieran juntos, porque al menos así podía verlos a los dos a la vez, pero ahora…

—Rápido —le dijo a Holly—, hay que subir a los escritorios.

—¿Qué?

—Súbete —insistió Selexin—. Nos están buscando por entre las patas. Si nos subimos a los escritorios, no sabrán dónde estamos.

Holly trepó como un mono al escritorio más cercano. Selexin la siguió rápidamente.

—Vamos —susurró Holly, que parecía estar en su salsa en esos momentos, saltando sin problemas al siguiente escritorio.

—Ten cuidado —dijo Selexin, tras ella—. No vayas a caerte.

Holly saltó de escritorio en escritorio, sorteando la distancia entre uno y otro sin mayor dificultad. Tras ella, Selexin hizo lo mismo.

Bajo ellos, podían oír los gruñidos y bufidos de los hoodayas.

De repente se oyó un ¡bing! y Selexin miró por encima de su hombro y vio, al otro lado de la marea irregular de escritorios, la mitad superior de las puertas del ascensor.

Se estaban abriendo.

—Oh, no —dijo mientras seguía saltando escritorios.

Holly también lo vio.

—¿Podremos llegar?

—Tenemos que intentarlo —dijo Selexin.

Holly cambió de trayectoria y giró en un amplio semicírculo para, a continuación, seguir saltando por las mesas. Estaba a punto de sortear la amplia distancia entre dos de ellos cuando el hoodaya sano, con las garras levantadas para atacar, saltó desde el suelo y se interpuso en su camino.

Holly cayó de espaldas sobre el escritorio y el hoodaya desapareció bajo este.

Selexin fue junto a ella.

—¿Estás…?

Con un sonoro chillido, el hoodaya saltó de nuevo, al escritorio contiguo, y le soltó un zarpazo a Holly con sus garras afiladas.

Holly gritó mientras rodaba para ponerse a salvo, pero cayó al suelo. Selexin la vio desaparecer de su campo de visión.

—¡No!

La criatura atacó con ferocidad a Selexin, con el revés de la pata, dándole de lleno en la cara. El hombrecillo retrocedió y perdió el equilibrio hasta caer de espaldas sobre su escritorio.

El hoodaya le saltó encima a una velocidad aterradora, pero el guía rodó y el animal se golpeó contra la partición vertical de la mesa en forma de ele.

La fuerza del impacto zarandeó el escritorio y en un instante el horror de Selexin fue completo cuando vio que todo se inclinaba abruptamente y sintió que el escritorio sobre el que estaba caía hacia atrás.

Holly, en el suelo, vio que la mesa sobre la que el hoodaya y Selexin luchaban se inclinaba y caía hacia atrás a cámara lenta.

Selexin perdió el equilibrio y se golpeó fuertemente contra el suelo. La cáscara de huevo que era su sombrero salió disparada de su cabeza. El hombrecillo rodó hasta alejarse del escritorio volcado.

El hoodaya se deslizó sin problemas por el escritorio inclinado y aterrizó cual gato justo delante de Selexin, que estaba totalmente expuesto. La bestia se preparaba para atacar cuando, de repente, el escritorio se le vino encima.

Inmovilizado en el suelo, aullando enloquecido, el animal se revolvió fuera de sí, luchando por liberarse. Abrió las fauces y gruñó mientras intentaba, a pesar del apuro en el que se encontraba, alcanzar a Selexin.

Este estaba retrocediendo sentado cuando, tras él, Holly volcó un segundo escritorio.

En esa ocasión la mesa en forma de ele cayó hacia adelante, y el hoodaya alzó la vista horrorizado al ver que el escritorio se precipitaba hacia él.

El extremo de la mesa se incrustó con un sonoro crujido en la cabeza girada del hoodaya, haciéndole añicos los dientes al golpearle el cráneo contra el suelo.

El cuerpo de la criatura se contorsionó y convulsionó bajo los dos escritorios volcados hasta que finalmente se quedó inmóvil. Muerto.

Silencio.

Entonces Holly oyó un leve ¡bing! seguido del sonido de las puertas del ascensor al cerrarse de nuevo.

Se arrodilló junto a Selexin y miró rápidamente en todas direcciones.

—¿Dónde está el otro?

—Yo… no lo sé.—Selexin estaba aturdido—. Podría estar en cualquier parte.

Fue entonces Holly quien agarró a Selexin por el brazo y tiró de él hasta ponerlo de rodillas.

—El ascensor se ha ido —dijo con resolución—. Vamos, tenemos que salir de aquí.

—Pero… pero —murmuró Selexin, apenas sin fuerzas.

—Vamos. En marcha.

—Pero… ¡mi sombrero! —Selexin se agarró su cabeza calva—. Necesito mi sombrero.

Holly giró sobre sí y vio el sombrero. El pequeño hemisferio blanco estaba en el suelo, cerca de ella. Sobresalía tras un escritorio volcado. La pequeña fue a gatas hacia allí, rodeó las patas boca arriba y fue a coger el sombrero…

Se quedó quieta.

Junto al tocado había dos extremidades delanteras oscuras y huesudas: una con una garra ensangrentada, la otra sin garra.

Levantó la mirada y recorrió las extremidades en toda su longitud hasta encontrarse cara a cara con el segundo hoodaya.

El animal abrió las fauces de par en par, salivando ante la perspectiva de lo que iba a ocurrir, a centímetros del rostro de Holly.

Selexin observaba impotente la escena a tres metros de distancia. Estaba demasiado lejos.

La niña seguía a gatas, casi nariz con nariz con el hoodaya.

Totalmente indefensa.

El hoodaya dio un paso adelante hasta colocarse encima del sombrero.

Estaba tan cerca en esos momentos que lo único que Holly veía eran sus dientes. Sus largos, puntiagudos y ensangrentados dientes. Sintió la calidez de su aliento en el rostro; podía oler el hedor a carne podrida.

Holly cerró los ojos y apretó los puños, aguardando a que el animal atacara, esperando el final.

De repente, el hoodaya siseó con fiereza y a Holly le entraron unas ganas terribles de gritar y entonces, cuando pensaba que no podía estar más asustada, le pareció oír la voz de su padre.

—¡Inicializar!

Se produjo entonces un destello blanco que penetró los párpados cerrados de Holly.

Luego oyó al hoodaya gañir de dolor, abrió los ojos y quedó momentá-neamente cegada por la pequeña esfera de cegadora luz blanca que había cobrado vida encima del sombrero de Selexin.

Los gritos del hoodaya cesaron de repente y Holly escuchó de nuevo la voz de su padre.

—Cancelar.

La cegadora luz blanca desapareció al instante y durante un segundo Holly no vio nada salvo puntos de color caleidoscópicos.

Entonces, de repente, notó que dos brazos la rodeaban con fuerza y, como todavía no veía, su primer pensamiento fue el de zafarse de ellos.

Pero la tenían bien sujeta.

Un abrazo.

Holly parpadeó dos veces y su vista regresó poco a poco. Estaba en los brazos de su padre.

Sus músculos se relajaron aliviados y se desplomó sobre él.

Entonces empezó a llorar.

Mientras abrazaba con fuerza a su hija, Swain cerró los ojos y suspiró. Holly estaba a salvo y volvían a estar juntos. No quería soltarla.

Aún con ella en brazos, se volvió para ver los restos del hoodaya.

El cuerpo había sido seccionado en dos y solo las patas traseras y la cola seguían allí. La cabeza, extremidades delanteras y la parte superior del torso habían desaparecido, teletransportados a Dios sabe dónde. Una sangre espesa y oscura supuraba del corte transversal del torso del animal.

Selexin se dejó caer junto a Swain e hizo una mueca de asco al ver al hoodaya partido por la mitad.

—Inicializar, cancelar. —Selexin rió para sí—. Me alegra saber —dijo con ironía— que no se le ha olvidado todo lo que le he dicho.

Swain sonrió con tristeza mientras seguía abrazando a Holly.

—No todo.

La chiquilla levantó la vista para mirar a su padre.

—Sabía que volverías.

Swain dijo:

—Por supuesto que iba a volver, tonta. No pensarías que te iba a dejar aquí sola, ¿verdad?

—Eh, ejem —tosió Selexin—. Discúlpeme, pero la señorita no ha estado ni mucho menos sola.

—Oh, perdón.

Holly dijo:

—Ha sido muy valiente, papá. Me ha ayudado mucho.

—¿De veras? —Swain miró a Selexin—. Eso es muy noble por su parte. Debería estarle muy agradecido.

Selexin se inclinó con modestia.

—Gracias —le dijo el médico al hombrecillo.

Este, orgulloso de su reciente estatus de héroe, le restó importancia.

—Oh, no ha sido nada. Es parte del trabajo, ¿no?

Swain rió.

—Sí.

—Sabía que volverías. Lo sabía. —Holly se acurrucó en los brazos de su padre. A continuación alzó la vista de repente, puso cara de fingido enfado y adoptó el tono severo de los adultos—. ¿Y bien? ¿Dónde has estado todo este tiempo? ¿Cómo has dado con nosotros?

Lo cierto es que había sido pura suerte.

Desde el aparcamiento, Swain había recorrido el depósito hasta llegar a la puerta roja tras la que había caído con los hoodayas. Después de no descubrir nada allí, ni rastro alguno de Holly y Selexin, no supo qué hacer.

Y entonces, en el silencio, había oído el ping del ascensor.

Debía de encontrarse en la última planta cuando alguien en otra superior había pulsado el botón de llamada.

Swain había corrido hacia al ascensor y había llegado justo cuando las puertas estaban a punto de cerrarse. Saltó al interior y subió a la planta desde la que quiera que hubieran llamado. Era mejor que nada. Y además, ¿quién sabía? Quizá hubieran sido Holly o Selexin los que habían pulsado el botón de llamada. También podían no haber sido ellos, pero en ese momento a Swain ya le daba igual. Era un riesgo que tenía que correr.

El ascensor se había abierto en la planta tercera y Swain se había topado con la sala principal de lectura en llamas.

Se había agachado y había salido a gatas del ascensor, intentando no ser visto.

Entonces había oído voces y los gruñidos de los hoodayas y después el estrépito de un escritorio al caerse, seguido de otro.

Se puso en pie y se dirigió al punto del que procedía el ruido, rodeó un grupo de mesas y vio a su hija a gatas, cara a cara con uno de los hoodayas.

Swain estaba demasiado lejos, y no sabía cómo actuar, pero entonces vio que el hoodaya estaba encima de la cáscara de huevo que era el casquete de Selexin.

Y en ese momento, una sola palabra se le había venido a la mente.

Inicializar.

—¿Puede contactar con ellos? —preguntó Marshall al operador de radio que estaba en el interior de la furgoneta de la NSA.

—Negativo, señor. No hay respuesta ni del comandante Quaid ni del agente Martinez.

—Siga intentándolo.

—Pero señor —insistió el operador—, todo lo que recibo son interferencias. Ni siquiera podemos saber si el comandante Quaid tiene la radio encendida.

Informe de estado:
La estación 4 informa de la detección de contaminante en el interior
del laberinto.
A la espera de confirmación.

—Siga intentándolo —dijo Marshall—, y llámeme tan pronto como capte algo.

Marshall se bajó de la furgoneta a la rampa del aparcamiento. Alzó la vista en dirección a la reja electrificada y al cubo de plomo empotrado en su base, a la electricidad azulada.

¿Qué demonios le había pasado a Quaid?

En la sala de lectura, Swain se levantó con Holly aún en brazos.

—Será mejor que nos pongamos en marcha.

Selexin se encajó su casquete de nuevo. Ensuciado con sangre del hoodaya.

—Lleva razón —dijo—. Bellos no puede estar muy lejos.

—Bellos —pensó Swain en voz alta—. Tenía que ser él.

—¿De qué está hablando?

—Bellos es el otro —dijo Swain—. El otro contendiente que queda.

—¿Solo quedan dos contendientes en el Presidian? —preguntó Selexin.

—Sí. —Swain le enseñó la pulsera.

Selexin la observó minuciosamente y a continuación miró a Swain. Su gesto era triste.

—Tenemos un problema muy serio.

—¿Qué?

—Fíjese en eso. —Selexin alzó la pulsera. Rezaba:

INICIALIZADO—2
INFORME DE ESTADO: ESTACIÓN 4 INFORMA DE LA DETECCIÓN DE CONTAMINANTE EN EL LABERINTO.
A LA ESPERA DE CONFIRMACIÓN.

—¿Qué demonios significa eso? —dijo Swain.

—Significa —dijo Selexin— que han descubierto al hoodaya.

—¿Qué hoodaya? —preguntó Swain—. ¿Y quiénes?

—El que usted acaba de matar usando el teletransportador de mi casquete.

—¿Y quién?

—Los oficiales que observan al otro lado del teletransportador, que imagino que se habrán llevado un buen susto cuando medio hoodaya haya sido teletransportado a su regazo. Se encuentran en la Estación Cuatro, la estación de teletransporte asignada para la monitorización del progreso del contendiente número cuatro: usted.

—Entonces, ¿qué significa ese mensaje?

Selexin dijo:

—Esta competición solo tiene siete contendientes. Es una lucha a muerte entre siete seres inteligentes del universo. La ayuda externa está estrictamente prohibida. Los hoodayas son como perros. No son seres inteligentes. Por tanto, no compiten en el Presidian. Y no viven en la Tierra. Así que cuando los oficiales de la Estación Cuatro hayan recibido a un hoodaya teletransportado del laberinto de la Tierra, habrán sido conscientes al momento de que el Presidian se ha visto comprometido, contaminado por un agente externo.

Swain permaneció un instante en silencio. A continuación dijo:

—Entonces, ¿qué están haciendo ahora?

—Están aguardando la confirmación.

—¿Confirmación de qué?

Selexin dijo:

—Un oficial debe ir a la Estación Cuatro y confirmar visualmente la existencia del contaminante.

—¿Y qué ocurre cuando se confirma?

—No lo sé. Nunca antes había ocurrido.

—¿Puede imaginárselo?

Selexin asintió despacio.

—¿Y bien? —le urgió Swain.

El hombrecillo se mordió el labio.

—Probablemente anulen el Presidian.

—¿Se refiere a que lo suspenderán?

Selexin frunció el ceño.

—No exactamente. Lo que seguramente harán será…

—Papá… —Swain oyó la voz de Holly en su oído. Seguía teniéndola en brazos.

—Un minuto, cielo —dijo Swain. A continuación le dijo a Selexin—: ¿Qué harán?

—Creo que…

—¡Papá! —le susurró Holly con insistencia.

—¿Qué ocurre, Holly? —le preguntó Swain.

—Papá. Hay alguien aquí… —Lo dijo tan bajo que Swain tardó un par de segundos en ser consciente de lo que le había dicho.

El doctor bajó la vista. Su hija estaba mirando temerosa a su espalda.

Él miró hacia atrás muy despacio.

Al otro lado de la enorme sala, vio un cuerpo; un cuerpo ensangrentado y mutilado, que colgaba del techo, justo en el interior de la entrada principal a la sala.

Y delante del cuerpo estaba Bellos.

Swain se volvió y vio que el cuerpo que estaba junto a Bellos giraba sobre sí. Sintió una inmensa tristeza cuando reconoció el uniforme de policía.

Hawkins.

Sin articular palabra, Bellos echó a andar por entre la maraña de escritorios hacia ellos.

Hacia ellos.

—¡Vamos! —gritó Holly en su oído.

Swain se desplazó en lateral a su derecha para intentar mantener cuantas más mesas fuera posible entre Bellos y él.

Bellos imitó su movimiento y avanzó, trazando un peculiar arco de derecha a izquierda, moviéndose con calma y rapidez por entre los escritorios. Todavía tenía al guía tendido sobre su hombro.

Swain retrocedió entre tumbos hacia el montacargas con Holly en brazos y Selexin a su lado.

—¡No tienes adónde huir! —La voz de Bellos resonó por la sala de estudio—. ¡No tienes dónde esconderte!

—Te han descubierto —gritó Swain mientras caminaba hacia atrás—. Saben que has traído hoodayas a la competición. Has hecho trampa y te han pillado.

Bellos siguió avanzando en amplios arcos. Era un movimiento extraño, un movimiento que parecía hacerles retroceder. Retroceder hacia…

—Ese descubrimiento no te será de ninguna ayuda —dijo.

Swain miró por encima de su hombro y vio el agujero negro del hueco del ascensor izquierdo. Las puertas del de la derecha estaban cerradas.

Siguió avanzando hacia atrás hasta que su espalda rozó el panel del botón de llamada.

—El Presidian ha concluido, Bellos —dijo—. Ya no puedes ganar. Saben que has hecho trampa.

Tras su espalda, la mano de Swain encontró el botón de llamada y lo pulsó.

—Quizá lo sepan —dijo Bellos de manera extravagante—. Quizá no. Eso ya no importa.

—¡Tú mismo te has deshonrado! —le espetó Selexin.

—Y no me importa —dijo desafiante Bellos—. He hecho lo que tenía que hacer para vencer. E incluso si descubrieran a los hoodayas, aun así les demostraré a todos que he vencido en este Presidian.

—¿Y cómo harás eso? —dijo Selexin.

Swain hizo una mueca, ya sabía la respuesta.

—Siendo el único contendiente que quede con vida —dijo Bellos.

El doctor gimió.

Entonces oyó la voz de Holly, fuerte, pegada a su oído.

—Papá, está aquí…

—¿Qué?

—El ascensor. —Señaló al visualizador numérico situado encima de las puertas del ascensor. El número 3 estaba iluminado.

Se oyó un suave ping.

Las puertas se abrieron. El oscuro interior del ascensor los recibió.

—Adentro —dijo Swain sin un instante que perder—. Ahora.

Swain, Holly y Selexin se apresuraron a entrar en el ascensor. Selexin fue al panel de los botones y pulsó uno.

Bellos no reaccionó al momento. Más bien, no reaccionó.

Siguió avanzando. Hacia el aparato.

Las puertas empezaron a cerrarse.

Bellos se acercó con total tranquilidad hacia el ascensor.

Mientras Swain lo observaba, le dio la impresión de que el cazador no tenía prisa por atraparlos. Era como si tuviera todo el tiempo del mundo.

Como si supiera algo que ellos desconocían. Como si hubiera calculado…

Pero entonces las puertas se cerraron y fueron engullidos por la oscuridad y el ascensor inició su descenso.

Dos tubos fluorescentes alargados y cilíndricos yacían en el suelo de la cabina. Debían de haberse soltado de sus portalámparas debido a las explosiones que se habían producido con anterioridad durante la noche.

Swain colocó uno de los tubos y una tenue luz blanca bañó el ascensor.

—Bueno, ha sido fácil —dijo Selexin.

—Demasiado fácil —dijo Swain.

—¿Por qué no nos ha seguido, papá? —dijo Holly—. Antes nos persiguió por todo el edificio. Por todo.

—No lo sé, cariño.

—Bueno, ya estamos lejos —dijo Selexin—. Y eso es lo que importa.

—Eso es lo que me preocupa —dijo Swain.

Y entonces ocurrió.

De repente. Sin previo aviso.

Un fuerte golpe sordo en el techo del ascensor.

Se quedaron todos quietos. Y entonces, lenta, muy lentamente, levantaron la vista al techo.

¡Bellos había saltado al techo del ascensor!

Debía de haber saltado por las puertas abiertas del hueco de la otra cabina.

Swain supo entonces el terrible error que había cometido.

—¡Maldición!

—¿Qué? —dijo Selexin.

—Le encantará saber —dijo mordaz Swain— que acabamos de quedarnos atrapados nosotros solos.

Se maldijo a sí mismo. Debería de haberlo visto venir. Mientras estaban huyendo de Bellos, este había estado moviéndose en esos extraños arcos, prácticamente guiándolos a los ascensores. Cuando creían estar escapando, en realidad estaban yendo exactamente al lugar que él quería. *Mierda*.

De repente, la trampilla del techo se abrió.

Swain empujó a Holly y a Selexin al rincón más alejado del amplio ascensor.

La cabeza de Bellos se asomó del revés por la trampilla, con sus enormes cuernos apuntando hacia abajo.

Sonrió de manera amenazadora.

Entonces su cabeza desapareció, de nuevo fuera del ascensor. Un instante después se metió por la trampilla y aterrizó de pie.

Dentro.

Justo delante de ellos.

—Ya no tenéis escapatoria —dijo con desdén—. Por fin.

Swain empujó a Holly al rincón, tras él. Selexin se quedó a su lado. Bellos estaba en la esquina contraria del ascensor, junto al panel de los botones. Su guía ya no estaba con él.

El radiólogo vio el panel junto a Bellos y se preguntó qué botón habría pulsado Selexin. Confió en que el hombrecillo hubiera pulsado la siguiente planta. Quizá entonces podrían echar a correr.

Descubrió el botón que estaba iluminado y cerró los ojos con consternación. Planta -2.

Eso era el depósito. La última planta. Les quedaba un largo descenso.

—¿Le ha dado a la última planta? —le susurró con incredulidad a Selexin.

—Para alejarnos todo lo posible —le respondió este, también entre susurros—. ¿Cómo iba a suponer que saltaría encima de…?

—¡Silencio! —gritó Bellos.

—Oh, cállate —dijo Swain.

—Sí. Y que te jodan, también —añadió Selexin.

Bellos ladeó la cabeza, sorprendido ante semejante muestra de impertinencia. Su rostro se tensó del enfado.

Echó a andar.

Fue entonces cuando Swain fue consciente de lo alto que era Bellos. Tenía que agacharse para que los cuernos no le dieran contra el techo. Y era ancho también. Swain observó la coraza dorada que llevaba en el pecho. Era impresionante.

También comprobó que su contrincante había añadido varios trofeos más a su cinturón. Todavía tenía la máscara para respirar del konda y la placa del Departamento de Policía de Nueva York, pero en esos momentos había dos adiciones más recientes: la primera, y la más atroz, era la cabeza seccionada de una criatura similar a un insecto palo; y, la segunda, un objeto más terrenal, un espray de autodefensa, aún en su funda del cinturón.

Swain frunció el ceño al ver el espray.

Era de Hawkins.

El trofeo de Bellos por haber matado al joven policía.

Bellos advirtió que Swain estaba mirando su reciente adquisición. Tocó el aerosol que llevaba en el cinturón.

—Un arma curiosa —musitó—. Como último acto antes de morir, su compañero me roció los ojos con eso, pero no me pasó nada. Los humanos debéis de ser unos seres de lo más frágiles si algo tan patético como eso os hace daño.

—Eres un cobarde, Bellos —le espetó Selexin.

Bellos rodeó a Swain y dio un paso hacia el guía. Extendió el brazo hacia la cabeza del hombrecillo.

Selexin se pegó a la pared para alejarse de él.

Entonces, de una manera un tanto brusca, Swain le apartó el brazo al gigante.

—Aléjate de él —dijo sin emoción alguna.

Bellos retiró el brazo de Selexin, obedeciendo diligentemente la orden de Swain. A continuación lo golpeó con fuerza en el rostro.

Este cayó al suelo mientras se sujetaba la mandíbula.

—Y que te jodan a ti también —dijo Bellos con desdén—. Sea lo que sea lo que quiera decir eso.

Entonces empezó a moverse con rapidez. Agarró a Swain por el cuello de la camisa y lo arrojó a la pared más alejada del ascensor.

El doctor se golpeó con fuerza contra la pared y cayó al suelo de nuevo. Respiraba con dificultad.

Bellos fue tras él.

—Ser patético —dijo—. Cómo te atreves a tocarme. Mi bisabuelo también mató a un humano. En otro Presidian, dos mil años atrás. Y ese humano lloró, rogó, suplicó piedad.

Bellos agarró a Swain por el pelo y lo arrojó contra las puertas del ascensor.

—¿Es eso lo que vas a hacer tú, hombrecillo? ¿Rogar? ¿Pedir clemencia?

Swain yacía boca abajo en el suelo. Se incorporó lentamente y se sentó, apoyándose en las puertas. El corte del labio se le había vuelto a abrir y le sangraba profusamente.

—¿Y bien, pequeño humano? —se mofó Bellos—. ¿Rogarás por tu vida? —Paró de hablar y a continuación se giró para mirar a Holly, en el rincón—. ¿O quizá preferirás rogar por la suya?

—Ven aquí —dijo Swain sin alterar la voz.

—¿Qué? —dijo Bellos.

—He dicho que vengas aquí.

—No. —Bellos sonrió—. Creo que me presentaré primero a esta señorita. —Cruzó el ascensor en dirección a Holly.

Selexin se colocó delante, cortándole el paso.

—No —dijo con firmeza.

Resultaba una imagen de lo más extraña. Selexin, de apenas metro veinte, vestido completamente de blanco, protegiendo a Holly de Bellos, de casi dos metros quince y todo de negro.

—Adiós, hombrecillo —dijo Bellos y acto seguido golpeó con fuerza la cabeza de Selexin, enviándolo al suelo.

Bellos se cernió sobre Holly.

—Ahora…

—He dicho —dijo una voz— que vengas aquí.

Bellos se volvió y vio que un tubo fluorescente de luz blanca se precipitaba hacia su cara.

Swain, que sostenía el tubo cual bate de béisbol, le golpeó con resolución.

El tubo alcanzó su objetivo, se estrelló contra el rostro de Bellos y pequeños trozos de plástico salieron despedidos en todas direcciones, rociando el enorme rostro del gigante de un extraño polvo blanco que se hallaba en el interior del tubo fluorescente.

Bellos se tambaleó levemente por el impacto pero, a pesar de la espectacular explosión del tubo en su cara, permaneció impertérrito: ni una herida, salvo por la capa de polvo en su oscuro rostro. Miró con frialdad a Swain.

—Oh-oh —dijo este.

Bellos contraatacó.

Con contundencia.

Swain se estampó con las puertas del ascensor en el mismo momento en que este se detuvo y las puertas se abrieron. Salió de la cabina de espaldas, a trompicones, hacia el depósito. Bellos también salió del ascensor, caminó hacia él y lo cogió por la camisa.

—Sí, sí —dijo Bellos—. Suplicó piedad, eso es lo que hizo. ¿Y sabes qué fue lo que mi bisabuelo hizo cuando ese hombre le rogó?

Swain no respondió.

—Lo decapitó. —Bellos acercó su cara cubierta de polvo blanco a la de Swain—. También le arrancó los brazos. —Bellos se golpeó su coraza dorada—. Y luego se quedó con esto. Un glorioso trofeo de una criatura que no lo era tanto.

Swain observó con más detenimiento la coraza. Así, más de cerca, parecía la loriga de un centurión romano.

¿Un centurión romano?, pensó Swain. *¿En un Presidian? ¿Hace dos mil años? Dios mío…*

Bellos levantó a Swain del suelo. Lo llevó hasta las abolladas puertas exteriores del otro ascensor. Cuando el karanadon había trepado fuera de la cabina estropeada que había caído al pozo del hueco de los ascensores, debía de haberse abierto paso por entre esas puertas para salir.

Bellos arrojó a Swain por entre las puertas exteriores abiertas y este aterrizó con dureza en lo que quedaba del techo del ascensor destruido que descansaba en el pozo. El techo estaba metro y medio por debajo del suelo de la planta del depósito.

Bellos saltó al techo tras él.

—¿Y bien, humano? —dijo—. ¿Suplicarás?

Swain tosió.

—No en esta vida.

—Entonces quizá en la otra —dijo Bellos. Lo cogió de nuevo y lo arrojó al muro de hormigón del hueco de los ascensores. Swain se golpeó contra el muro y cayó de rodillas, dolorido, tosiendo.

—¿Estás pensando en ti en estos momentos, hombrecillo? —dijo Bellos mientras rodeaba a Swain—. ¿O estás pensando en lo que haré cuando estés muerto? ¿Qué es peor? ¿Tu muerte o la perspectiva de lo que le haré a tu pequeña cuando estés muerto?

Swain apretó los dientes y sintió la calidez de su propia sangre en la boca.

Tenía que hacer algo.

Alzó la vista y vio el otro ascensor, que pendía sobre ellos cual sombra cuadrangular en la oscuridad de aquella oquedad. Había un hueco debajo.

Quizá…

Bellos se acercó de nuevo… y de repente Swain volvió a la vida. Se abalanzó sobre él, placándolo por los tobillos, haciendo que Bellos perdiera el equilibrio. Los dos se precipitaron sobre el borde del techo.

Y cayeron.

Del techo del ascensor destruido, bajo el hueco del que aún funcionaba.

La caída fue de unos tres metros y Bellos aterrizó con dureza en el pozo de hormigón del hueco de los ascensores. El doctor aterrizó encima de Bellos, así que este amortiguó su caída.

Swain se puso en pie al momento y miró alrededor del pozo.

Había sólidos muros de hormigón en dos de los lados y una serie de cables de contrapeso en uno de ellos. Enfrente de los cables estaba la pared lateral destrozada de la cabina, que yacía totalmente abollado en el pozo. En el cuarto lado del hueco, sin embargo, Swain vio algo totalmente inesperado.

Dos puertas exteriores.

Hay otra planta ahí abajo.

El ascensor que funcionaba podía bajar hasta allí.

Y si puede, entonces…

—¡Holly! ¡Selexin! —gritó desesperado—. ¿Seguís arriba? Si es así, ¡mirad los botones! ¡Pulsad cualquier cosa que esté por debajo de la planta -2!

En el interior del ascensor, Selexin seguía desplomado en el suelo, ensangrentado y aturdido. Holly estaba acurrucada en un rincón.

Entonces ocurrió algo muy extraño. Le pareció oír la voz de su padre y volvió al presente.

—¡Por debajo de la planta -2!

¿Qué?

Corrió al panel y miró los botones que había allí:

3 2
1 -1
-2

La planta -2 era la última planta. ¡No había nada por debajo de esta! ¿De qué estaba hablando su padre?

Aturdido, Bellos se puso lentamente en pie. Se había lastimado con la caída.

Swain gritó de nuevo.

—¡Algo que esté por debajo de la planta del depósito! ¡Púlsalo!

La voz de Holly resonó por el hueco de los ascensores:

—¡No hay nada! ¡No hay nada debajo de esa!

Joder, pensó Swain. *Puedo ver las puertas. ¡Tiene que estar!*

Gritó de nuevo:

—¡Mira bajo los botones! ¿Hay algo más en la pared? ¡Una especie de panel con una tapa! ¡Algo así!

Transcurrieron unos segundos.

La voz de Holly.

—Sí, ¡lo veo! ¡Veo un panel pequeño!

Junto a Swain, Bellos avanzó a tientas hasta la pared lateral del ascensor destruido. Al otro lado del hueco de los ascensores, Swain vio los cerca de cinco cables de contrapeso que recorrían verticalmente el muro de hormigón. Estaban tensados y cubiertos de grasa y parecían recorrer el largo del hueco, más allá del ascensor que había sobre ellos.

—¡Holly! —gritó con apremio—. ¡Abre el panel! Si hay otro botón, ¡apriétalo!

Holly abrió la pequeña tapa blanca dispuesta en la pared bajo el panel. En su interior vio varios interruptores que eran como los de la luz.

Bajo ellos, sin embargo, había un botón verde y sucio, junto al que habían escrito con tiza blanca las palabras: «Acceso al sótano de almacenamiento».

—¡He encontrado uno! —gritó.

—¡Púlsalo!

Holly pulsó el botón verde y al instante sintió una sensación rara en el estómago.

El ascensor estaba bajando de nuevo.

Los cables que recorrían verticalmente la pared del hueco cobraron vida; unos subieron, otros bajaron, todos ellos a una velocidad frenética, cuando el complejo sistema de poleas de los contrapesos se puso en funcionamiento.

Swain alzó la vista cuando el ascensor, a algo más de cuatro metros por encima de él, empezó a moverse.

Hacia abajo.

Hacia ellos.

Eso era bueno. Tenía que hacer algo, lograr cierto…

Y entonces, de pronto, lo estamparon contra el piso de hormigón. Bellos se había abalanzado sobre él y los dos habían ido a parar al suelo.

Swain acusó el impacto y rodó rápidamente en el mismo momento en que un enorme puño negro chocaba con el suelo de hormigón, justo al lado de su cabeza.

Bellos rugió de dolor mientras se agarraba el puño.

Swain se puso en pie. Miró al ascensor en su lento descenso. Estaba cerca. No quedaba mucho tiempo.

No puedes luchar contra Bellos. Tienes que encontrar una manera de salir…

Entonces, de repente, su contrincante estaba en pie de nuevo y se lanzó una vez más a por Swain, arrojándolo contra una pared del ascensor destruido.

El ascensor en movimiento seguía descendiendo.

Tres metros sesenta del suelo.

Bellos golpeó en el estómago a Swain, que se encorvó del puñetazo.

Tres metros treinta.

Lo atacó de nuevo. Swain empezó a sentir náuseas. El guerrero era demasiado grande como para luchar contra él.

Tres metros.

Bellos alzó la vista rápidamente hacia el ascensor en descenso y a continuación buscó con la mirada una salida. Vio los cables de contrapeso que se movían a gran velocidad junto a la pared. Parecía haber suficiente espacio como para…

Dos metros setenta.

La parte inferior del ascensor rozó los cuernos de Bellos y este se agachó.

Dos metros cuarenta.

Y Swain también vio los cables en funcionamiento. A su lado, Bellos estaba en cuclillas, totalmente combado, mirando al otro lado, a los cables.

Era una oportunidad.

Swain decidió aprovecharla.

Se colocó tras él y le soltó una patada en la corva. Bellos cayó de rodillas.

Dos metros diez.

Swain se lanzó al suelo e intentó avanzar hasta los cables de contrapeso.

He de salir.

Tengo que salir.

Voy a morir.

Estaba ya casi junto a los cables cuando súbita, violentamente, una enorme mano negra aferró su tobillo. Bellos le tenía el pie atenazado y estaba tirando de él, ¡alejándolo de los cables!

Metro ochenta.

Swain rompió a sudar. Un sudor frío.

El cazador lo estaba sujetando con fuerza y tiraba de él hacia atrás, de manera tal que era Bellos en esos momentos quien estaba más cerca de los cables de contrapeso.

¡No había nada que pudiera hacer! Era obvio que su oponente iba a retenerlo hasta el último momento para, a continuación, rodar y ponerse a salvo junto a los cables, dejando que Swain muriera aplastado bajo el ascensor. No había escapatoria, no era capaz de zafarse de él. El ascensor seguía bajando lentamente.

Fue entonces cuando Swain vio el cinturón de trofeos de Bellos pegado a sus ojos y el espray de autodefensa de Hawkins pendiendo de él.

El espray…

Pero a Hawkins no le había servido de nada…

Metro y medio.

Y entonces Swain vio el polvo blanco en el rostro de Bellos. El polvo blanco del tubo fluorescente que Swain le había estrellado en la cara.

Era polvo fluorescente.

Y en combinación con los componentes químicos del espray…

¡No pienses! No hay tiempo. ¡Simplemente hazlo!

Swain tiró del bote y lo soltó del cinturón, y a continuación apuntó con él al rostro de Bellos.

Pero este vio lo que iba a hacer y, en respuesta, le soltó un manotazo al aerosol y su boquilla salió disparada.

¡No!, gritó mentalmente Swain. ¡Ahora no podía rociarlo con él!

Y entonces vio otra opción.

Apretó con determinación los dientes y se deslizó hasta situarse más cerca de la cabeza de Bellos y seguidamente, con un movimiento fluido y sosteniendo con fuerza el aerosol, clavó la base del envase en uno de los cuernos de Bellos, perforándolo al instante.

El contenido químico del espray comenzó a salir del agujero en la base. Swain le dio la vuelta para que rociara directamente el rostro manchado de polvo de su contrincante.

La reacción química fue instantánea.

Los ingredientes activos del bote (ácido sulfúrico diluido y cloroaceto-fenona), combinados con el polvo fluorescente, crearon al instante ácido fluorhídrico, uno de los ácidos más corrosivos que existen.

Bellos gritó de dolor cuando el abrasador ácido empezó a burbujear en su rostro. Cerró los ojos y soltó inmediatamente el tobillo de Swain.

Metro veinte.

¡Estaba libre!

Pero aún no había terminado.

Mientras Bellos retrocedía, Swain rodó hasta ponerse boca arriba y le propinó una patada.

La patada alcanzó su objetivo, la parte inferior de la mandíbula de Bellos, haciendo que el cuello del enorme hombre se inclinara hacia arriba.

La cabeza de Bellos se irguió y sus cuernos afilados penetraron en el suelo del ascensor en descenso. Fue entonces consciente de lo que había pasado.

¡Estaba atrapado!

Tenía los cuernos incrustados en el suelo del ascensor y no disponía de espacio suficiente para maniobrar y salir de ahí.

Noventa centímetros.

En esos momentos, Swain estaba boca abajo reptando, lejos de Bellos, por el pozo del hueco de los ascensores.

Sesenta centímetros.

Notó que la parte inferior de la cabina le rozaba la espalda. Era como arrastrarse bajo un coche.

Extendió el brazo hacia uno de los cables de contrapeso que subían por el muro de hormigón. Lo cogió.

Tras él, Bellos yacía en el suelo, con el cuello doblado en un ángulo invero-símil, intentando sacar los cuernos del ascensor. Soltó un alarido estridente.

Treinta centímetros.

Y Swain sintió cómo el cable tiraba de su brazo y lo levantaba. Sus pies salieron de debajo del ascensor en el mismo y preciso instante en que este alcanzaba el pozo con un estruendoso ¡bum! Los terribles alaridos de Bellos cesaron abruptamente. Swain voló en la oscuridad.

Swain se frenó de repente.

El cable de contrapeso paró cuando el ascensor se detuvo en el pozo.

Todo estaba en silencio.

No había luz, salvo por la débil neblina amarillenta que provenía de las puertas exteriores abolladas que daban al depósito.

Balanceándose contra la pared, el doctor pendía a un metro ochenta del techo del ascensor en funcionamiento. Miró a los ascensores.

Conformaban una imagen de lo más peculiar: las dos cabinas, una junto a la otra, en el pozo; una totalmente destrozada; la otra allí, quieta, en silencio.

De repente, la trampilla del ascensor que aún funcionaba se abrió y el corazón de Swain se desbocó. Bellos no podía...

La cabeza de Holly apareció por entre la trampilla y Swain suspiró aliviado. Giró sobre sí con angustia; estaba buscándolo. Finalmente lo vio, colgando encima de ella de uno de los cables de contrapeso de un lateral del hueco de los ascensores.

—¡Papá! —Trepó al techo del ascensor.

Swain soltó el cable y cayó al techo junto a ella. Holly saltó hacia él y lo abrazó con fuerza.

—Papá, tenía mucho miedo.

—Yo también. Créeme, yo también.

—¿Le ganaste, papá?

—Sí, vencí, cariño. He sido más listo que él.

Holly lo abrazó con más fuerza.

Selexin asomó la cabeza por la trampilla. Vio a Swain y a Holly y a continuación miró a su alrededor.

—Tranquilo —dijo Swain—. Bellos está muerto.

—Eh, sí, lo sé —dijo Selexin.

Swain frunció el ceño.

—¿Cómo lo sabe...? —Selexin señaló a la trampilla del ascensor. Swain miró por ella.

—Oh, vaya...

Dos cuernos puntiagudos sobresalían del suelo del ascensor, los cuernos de Bellos. Al haber perforado la parte inferior del habitáculo, en esos momentos los cuernos estaban en el interior de este, inmóviles, como el emblema en el capó de un Cadillac. Era lo único que quedaba de Bellos.

—¿Qué ha ocurrido? —preguntó Selexin.

—Aplastado —dijo Swain.

—¿Aplastado?

—Sí, con un poco de ácido corrosivo en la cara por si las moscas.

Selexin se estremeció.

—No es una manera muy agradable de morir.

Holly dijo:

—Tampoco era una persona muy agradable.

—Eso es cierto.

En ese momento, la pulsera de Swain emitió un leve bip.

Swain la miró y vio que el visualizador rectangular estaba en esos momentos lleno de líneas que iban desplazándose:

PRESENCIA DE CONTAMINANTE CONFIRMADA EN ESTACIÓN 4.
EL PRESIDIAN SE HA VISTO COMPROMETIDO
REPETIMOS:
EL PRESIDIAN SE HA VISTO COMPROMETIDO
DECISIÓN DE SUSPENDER: PENDIENTE.

La pantalla parpadeó y una nueva línea apareció.

INICIALIZADO—1
OFICIALES EN TELETRANSPORTADOR DE SALIDA INFORMAN DE QUE QUEDA UN CONTENDIENTE EN EL LABERINTO.
A LA ESPERA DE INSTRUCCIONES.

Se produjo una pausa.

—¿Qué significa esto? —preguntó Swain.

—Cuando solo queda un contendiente —dijo Selexin—, se despierta al karanadon, si es que no lo está ya, y entonces…

—Y entonces se abre el teletransportador de salida —dijo Swain. Lo recordaba—. Y si el contendiente puede evitar al karanadon y llegar al teletransportador, vencerá en el Presidian.

—Eso es —dijo Selexin—. Solo que ahora que Bellos ha comprometido el Presidian, los oficiales están decidiendo si deberían o no abandonar la competición por completo. Porque si deciden renunciar, no abrirán el tele-transportador de salida. Y nos quedaremos aquí, con el karanadon. Y, como quería decirle antes, probablemente también…

La pulsera emitió otro bip, esta vez más fuerte, y Selexin enmudeció.

SE INFORMA A LOS OFICIALES DEL TELETRANSPORTADOR DE SALIDA QUE SE HA DECIDIDO SUSPENDER EL PRESIDIAN. *NO INICIALIZAR EL TELETRANSPORTADOR DE SALIDA* REPETIMOS: *NO INICIALIZAR EL TELETRANSPORTADOR DE SALIDA*

—Lo suspenden —dijo Swain con un tono desprovisto de emoción alguna.

Selexin no respondió. Se quedó mirando con incredulidad la pulsera.

Swain lo zarandeó sin fuerza.

—¿Ha visto eso? Suspenden el Presidian.

Selexin dijo en voz baja:

—Sí, ya veo. —Miró a Swain—. Y sé qué significa. Significa que usted y yo vamos a morir.

—¿Qué? —dijo Swain.

—¿Morir? —dijo Holly.

—Usted va a morir —dijo Selexin a Swain—, y sin el teletransportador de salida, yo no puedo salir de este planeta. ¿Y cuáles cree que son mis posibilidades de sobrevivir en la Tierra?

Swain conocía la respuesta. La NSA estaba en el exterior de la biblioteca en esos momentos y no habían ido allí para coger prestados unos libros. Selexin no tenía ninguna posibilidad fuera de aquel edificio. Y ahora no tenía forma de marcharse.

Swain dijo:

—¿Y yo por qué tengo que morir? ¿Por qué es una certeza? Nadie puede garantizar que el karanadon vaya a encontrarnos. —Ese sí que era un extraterrestre que Swain entregaría gustoso a la NSA.

—El karanadon no es su mayor amenaza —dijo Selexin.

—Entonces, ¿qué? —preguntó Swain cuando su pulsera volvió a sonar de nuevo, anunciando otro mensaje.

AVISO A LOS OFICIALES DEBIDO A UNA INTERFERENCIA EXTRÍNSECA, SE HA DECIDIDO SUSPENDER EL SÉPTIMO PRESIDIAN. GRACIAS A LOS OFICIALES DE TODOS LOS SISTEMAS POR SU AYUDA DURANTE LA COM-

PETICIÓN. SE HA ABIERTO UNA INVESTIGACIÓN PARA DETER-
MINAR LA CAUSA DE LA CONTAMINACIÓN DEL LABERINTO.
FIN DEL AVISO A LOS OFICIALES
PRESIDIAN COMPLETADO.
A LA ESPERA DE LA DESELECTRIFICACIÓN.

Swain dijo:

—¿Deselectrificación? ¿Es eso lo que creo que significa?

—Sí —asintió Selexin—. Anularán el campo eléctrico que rodea el laberinto.

—¿Cuándo?

—Tan pronto como sea posible, supongo.

—¿Qué hay del karanadon?

—Me imagino que lo dejarán aquí.

—¿Que lo dejarán aquí? —dijo Swain con incredulidad—. ¿Tiene idea de lo que algo así podría hacer en esta ciudad? Cuando corten la electricidad que rodea al edificio, esa cosa andará suelta, y no habrá forma de detenerla.

—No es decisión mía —dijo Selexin ausente, triste.

Swain sabía que Selexin tenía otras cosas en la cabeza. Sin el teletransportador de salida, no podía marcharse. Habían sobrevivido al Presidian y aun así estaba atrapado en la Tierra.

—Bueno —dijo Swain mientras alzaba la vista al oscuro hueco de los ascensores—. No va a sernos de ninguna ayuda quedarnos aquí sin hacer nada. Si van a cortar la electricidad, sugiero que encontremos un lugar por el cual podamos salir cuando lo hagan.

Cogió a Holly en brazos y Swain saltó del techo del ascensor que todavía funcionaba al techo del ascensor destrozado. Selexin no se movió. Siguió allí triste, inmerso en sus pensamientos.

Swain y Holly treparon por las puertas exteriores combadas del depósito y miraron al hombrecillo.

—Selexin —le dijo Swain con tono amable—. Aún no estamos muertos. Vamos. Venga conmigo.

Encima del ascensor, en la oscuridad del hueco, el guía lo miró, pero no dijo nada.

—Tenemos que encontrar una salida —dijo Swain—, para poder escapar en cuanto la electricidad se corte.

—Bellos —dijo Selexin, pensativo.

—¿Qué?

—Bellos conocía una manera.

—¿De qué está hablando? —dijo Swain mientras escudriñaba el depósito a sus espaldas—. Vamos, tenemos que irnos.

—Tenía que sacar a los hoodayas —dijo el hombrecillo de blanco—. Eso dijo.

—Selexin, ¿de qué está hablando?

Se explicó:

—Estábamos en otra planta, en una sala llena de exhibidores y vitrinas. Bellos estaba allí, y habló con nosotros antes de que el Racnid llegara y empezaran a luchar y nosotros escapáramos. Le pregunté a Bellos qué tenía pensado hacer con los hoodayas si vencía en el Presidian, porque sabía que si los dejaba aquí, serían descubiertos. Lo que dijo me pareció de lo más extraño. Afirmó que, para cuando él utilizara el teletransportador de salida, los hoodayas ya llevarían tiempo fuera del laberinto.

Swain observó fijamente a Selexin, lo observó mientras este seguía sumido en sus meditaciones.

—Pero la única manera de hacerlo —dijo Selexin, casi para sí— es con un teletransportador.

—¿Un teletransportador?

—Una cámara de gran tamaño en la que se crea un campo de teletransportación. Y, como sin duda sabrá, no hay teletransportadores en la Tierra.

Swain reflexionó unos instantes y una imagen borrosa empezó a formarse en su cabeza. La imagen de un rompecabezas que aún no se había solucionado.

—¿Cómo son de grandes esos teletransportadores? —le preguntó a Selexin.

—Por lo general son muy grandes y muy pesados —dijo este—. Y, tecnológicamente hablando, extremadamente complejos.

Fue entonces Swain quien se quedó inmerso en sus propios pensamientos. La imagen en su cabeza iba tornándose más clara.

Y entonces cayó en la cuenta.

—Bellos trajo consigo un teletransportador —dijo como si nada.

—Eso no lo sabemos —dijo Selexin.

—Sí que lo sabemos. —Swain se metió la mano en el bolsillo y sacó una hoja de papel, la lista de Harold Quaid con los picos de energía que habían tenido lugar en la biblioteca esa noche.

—¿Qué es eso, papá?

—Es una lista.

—¿De dónde la has sacado?

Swain se volvió hacia el hombrecillo.

—Del bolsillo de otro invitado misterioso que encontró la manera de entrar al Presidian.

—¿Qué hay en ella? —preguntó Selexin.

—Eche un vistazo. —Swain sostuvo en alto la hoja de papel.

Selexin saltó de un ascensor a otro y a continuación trepó hasta el depósito. Cogió la hoja y la examinó.

—Algo de la Tierra. —Selexin escudriñó la lista—. Algo que detecta sobrecargas de energía de origen desconocido. ¿Qué son esos números de la izquierda?

—Horas —dijo Swain.

Selexin no habló inmediatamente.

—Entonces, ¿qué es?

—Es una lista de las teletransportaciones que han tenido lugar en este edificio desde que yo fuera teletransportado hasta aquí desde mi casa en Long Island a las 6:03 de la tarde.

—¿Y...?

—Y ahora ya sé lo que es —dijo Swain—. Trece teletransportaciones detectadas. Doce en la biblioteca, y una desde Long Island. Antes solo logré identificar once de las doce sobrecargas que se produjeron en el interior de la biblioteca: esto es, los siete contendientes con sus guías, más los cuatro hoodayas, hacen un total de once picos de tensión.

—Ajá.

—Pero no pude averiguar nada del último pico. —Swain señaló a la última línea de la hoja.

13.   18:46:00 N. Y.   Sobrecarga energía aislada/origen: DESCONOCIDO
                                            Tipo energía: DESCONOCIDA / Duración: 0:00:34

—Mírelo bien. Tiene una duración de treinta y cuatro segundos, tres veces más que cualquier otro pico de energía. Y fíjese en cuándo ocurre: a las 6:46 p. m. Casi veintitrés minutos después de la última sobrecarga. Todas las demás tuvieron lugar dentro de un periodo de veinte minutos.

Swain miró a Selexin.

—La última sobrecarga fue un pico de energía aislado. Y grande. Muy grande. Algo que llevara bastante tiempo teletransportar: treinta y cuatro segundos concretamente.

—¿Qué es lo que me quiere decir?

—Creo que Bellos hizo que alguien teletransportara un teletransportador a la biblioteca para poder sacar a los hoodayas antes de que saliera él.

Selexin asimiló todo aquello en silencio. Volvió a mirar la lista. Finalmente alzó la vista y miró a Swain.

—Entonces eso significa…

—Significa —le dijo el doctor— que en algún lugar de este edificio hay un teletransportador. Un teletransportador que podemos usar para llevarlo a casa.

Selexin se quedó un rato en silencio mientras lo asimilaba todo.

—Entonces, ¿a qué estamos esperando? —dijo Holly.

—Ya a nada —dijo Swain mientras agarraba a Selexin del hombro y echaban a correr—. Encontrémoslo mientras estemos a tiempo.

James Marshall aguardaba al inicio de la rampa que daba al aparcamiento. Estaba observando la rejilla de electricidad azul que se extendía por la reja metálica cuando se le acercó el operador de radio.

—¿Señor?

—¿Qué ocurre? —Marshall no se volvió.

Comprobación de estado: 0:01:00 para la deselectrificación. A la espera.

—Señor, en estos momentos no se recibe ya ni señal. La radio del comandante Quaid está apagada.

Marshall se mordió el labio. La noche, que había comenzado de la forma más prometedora, no estaba cumpliendo sus espectativas. Ya habían perdido a dos hombres en la biblioteca, destruido una unidad de almacenaje radioactivo, perdido la pista a un vagabundo al que habían visto junto al muro posterior de la biblioteca, y a cambio tenían un edificio en llamas que estaba a punto de venirse abajo. *¿Y para qué?*, pensó Marshall.

Para nada, joder. Para nada.

No había sacado nada en claro de aquella noche de trabajo. Ni una puta cosa.

Y Marshall sería el responsable. Había mucho en juego en esa operación. A la división Sigma le habían dado plenas facultades y necesitaban algo que enseñar.

Santo Dios, si no hacía mucho los bomberos se habían personado en el edificio por las explosiones y la NSA los había contenido. El edificio era objeto de una investigación de la Agencia Nacional de Seguridad, les habían dicho. Que se queme. Pero es un edificio del Registro Nacional. Dejen que se queme. Eso no les iba a gustar a los de arriba.

Así que en esos momentos la situación era clara: si Marshall no conseguía nada de esa mole, se convertiría en el chivo expiatorio. Su carrera dependía de lo que encontraran en el interior de esa biblioteca.

Tenían que dar con algo.

Swain, Holly y Selexin no tuvieron que correr mucho para encontrar el teletransportador. De hecho, ni siquiera tuvieron que buscar más allá del depósito. Pero a punto estuvo de que se les pasara por alto. Fue Selexin y su agudo sentido de la vista quien se percató de una desviación en uno de los largos pasillos por los que habían ido avanzando en zigzag hacia la caja de escaleras del personal de la planta.

Comprobación de estado: 0:00:51 para la deselectrificación.

—Es enorme —dijo Holly sobrecogida.
Huelga decirlo, pensó Swain cuando contempló tan colosal máquina.
Era como una cabina de teléfono enorme, de tecnología puntera y lados de acero, con una puerta de cristal en el centro y gruesas paredes grises que casi tocaban el techo. Todos sus extremos habían sido redondeados de manera tal que le conferían una forma elíptica y en el suelo, junto a la cabina, había una enorme caja gris conectada al teletransportador mediante un grueso cable negro.
Rodeando al gigantesco teletransportador había una perfecta esfera de vacío que se había abierto paso entre las librerías y el techo que rodeaban a la máquina. El agujero esférico en el aire por el que esa máquina había viajado simplemente había vaporizado lo que quiera que hubiera estado allí cuando había llegado.
—Es un generador portátil —dijo Selexin mientras señalaba a la caja gris—. Bellos tuvo que traerlo para que el teletransportador funcionara en la Tierra.
Swain contempló el teletransportador y las librerías a su alrededor. Estaba justo en medio del depósito, al menos a casi treinta metros de cualquier acceso a la planta y rodeado por librerías que llegaban hasta el techo. Era muy poco probable que alguien lo hubiera visto durante el Presidian.
—Bien escondido —observó Swain.
—No creo que Bellos tuviera muchas opciones —dijo Selexin.
—¿Qué quiere decir?
—Bueno, he estado pensando en ello, en cómo Bellos teletransportó a sus hoodayas al laberinto. ¿Recuerda que cada vez que lo veíamos, Bellos siempre tenía a su guía tendido sobre el hombro?
—Sí.

—Bueno, yo no dejaba de preguntarme, ¿por qué tiene que inmovilizar a su guía? Lo que creo que ocurrió fue esto —dijo Selexin—. En su planeta natal, Bellos entra en el teletransportador oficial con su guía. Una vez dentro, el guía recibe las coordenadas del laberinto en la pulsera, pulsera que aún no le ha entregado a Bellos. Este entonces ataca al guía y le roba las coordenadas para, a continuación, reabrir el teletransportador y darle las coordenadas a alguien.

»Después, él y su guía son teletransportados al laberintos solos, mientras que al mismo tiempo, en otro teletransportador cercano, los hoodayas son enviados.

»Mucho después, teletransportan este teletransportador, pero solo disponen de unas coordenadas bastante generales. El teletransportador podía haber ido a parar a cualquier parte de la biblioteca. Era imposible que lo teletransportaran intencionadamente a un rincón apartado y oscuro. Pero bueno, cuando se teletransporta algo a un laberinto, las probabilidades de que sea teletransportado a un rincón apartado y oscuro son mayores. Un riesgo calculado, sin duda, pero obviamente uno que Bellos estaba dispuesto a correr.

Comprobación de estado: 0:00:30 para la deselectrificación.

Holly estaba mirando la enorme máquina gris.

—Entonces, ¿qué hacemos ahora, papá?

Swain frunció el ceño y miró de nuevo el pasillo que tenía a sus espaldas. Desde allí vio que algunas de las estanterías estaban en esos momentos en llamas.

—Enviamos a Selexin a casa, cariño —dijo—. Para que pueda decirles a los demás lo que ha ocurrido realmente y así podamos salir de aquí.

—Oh —dijo Holly, decepcionada.

—Así es. —Selexin asintió lentamente.

—¿No puede quedarse, papá? —dijo Holly—. Podría vivir con nosotros. Como E. T.

Selexin sonrió con tristeza y cogió el pomo de la puerta de cristal del teletransportador. Le dijo a Swain:

—Cuando llegué a este laberinto, pensé en lo que conllevaba que hubiera sido asignado para guiar al contendiente humano por el Presidian. Y no estaba para nada contento. Creí que usted no duraría un segundo, y si no lo hacía, yo por ende tampoco. Pero, tras haberlo visto en acción, y ver la manera en que ha defendido su vida y la de su hija, ahora sé lo equivocado que estaba.

Swain asintió.

Selexin se volvió hacia Holly.

—No puedo quedarme aquí. Vuestro mundo no está preparado para mí, ni yo para él. Si ni siquiera el Presidian estaba preparado para vuestro mundo.

—Gracias —dijo Holly, llorando—. Gracias por cuidar de mí.

Dio un salto y abrazó a Selexin con fuerza. Este se quedó momentáneamente sorprendido por tan repentina demostración de afecto. Levantó lentamente los brazos y abrazó a Holly.

—Cuídate —dijo, cerrando los ojos—. Y cuida de tu padre de la misma manera en que él cuida de ti. Adiós, Holly.

La niña lo soltó y Selexin se volvió hacia Swain y le tendió la mano.

—Es demasiado alto para que lo abrace —dijo Selexin con una sonrisa.

Comprobación de estado: 0:00:15 para la deselectrificación.

Swain cogió la mano del hombrecillo y se la estrechó.

—Gracias de nuevo —dijo con seriedad.

Selexin hizo una reverencia.

—No hice nada que usted no hubiera hecho por ella. O por mí. Solo estuve ahí en su ausencia. Y además, gracias, por hacerme cambiar de opinión sobre usted.

Fue a la puerta del teletransportador. Esta se abrió con un silbido neumático.

Swain rodeó a Holly con sus brazos.

—Adiós, Selexin —dijo—. Será muy difícil de olvidar.

—Eso es todo un mérito, señor Swain, considerando que prácticamente se le ha olvidado todo lo que le he dicho esta noche.

Swain sonrió con tristeza mientras Selexin se metía en el teletransportador.

—No se olvide de teletransportar esta cosa de nuevo una vez llegue allí —dijo mientras señalaba la máquina.

—No se preocupe. No me olvidaré —dijo Selexin mientras cerraba la puerta de cristal tras de sí.

Swain se alejó del aparato y miró su pulsera.

COMPROBACIÓN DE ESTADO: 0:00:04 PARA LA DESELECTRIFICACIÓN

—Oh, maldita sea… —dijo al caer en la cuenta—. ¡Maldita sea!

En el interior del teletransportador, Selexin pulsó algunos botones en la pared y a continuación se acercó a la puerta de cristal.

Una brillante luz blanca cobró vida tras él mientras el hombrecillo levantaba el dedo pulgar contra el cristal.

—Adiós —dijo para que le leyeran los labios.

La cegadora luz blanca del interior del teletransportador consumió a Selexin y entonces, abruptamente, se produjo un destello instantáneo y el interior del teletransportador volvió a quedar de nuevo a oscuras.

Y Selexin desapareció.

Holly se estaba enjugando las lágrimas de los ojos cuando Swain miró de nuevo la pulsera.

COMPROBACIÓN DE ESTADO: 0:00:01 PARA LA DESELECTRIFICACIÓN.
A LA ESPERA.
DESELECTRIFICACIÓN INICIALIZADA.

Agarró a Holly de la mano y empezó a correr desesperadamente por el estrecho pasillo en dirección a la caja de la escalera para uso del personal. Holly no sabía lo que estaba ocurriendo, tan solo lo seguía.

Un sonoro bip llenó el aire.

Swain sabía exactamente qué iba a pasar, era lo que Selexin le había estado intentando decir antes. Ni siquiera tenía que mirar la pulsera para confirmarlo.

Aquella maldita cosa estaba sonando de manera insistente de nuevo y mientras retumbaba una y otra vez en sus oídos, Swain fue consciente de lo que significaba que hubieran abortado el Presidian.

El campo electrificado había sido anulado.

Su pulsera ya no estaba rodeada por el campo eléctrico.

Había activado la detonación.

Y nada podría detenerla. No había otro campo eléctrico en la Tierra para rodearla.

Swain miró la pulsera mientras llegaba a las escaleras a la carrera. Leyó:

PRESIDIAN ABORTADO.
SECUENCIA DE DETONACIÓN INICIALIZADA.
14:54
Y CONTANDO.

Sexto movimiento
Domingo, 1 de diciembre, 10:47 p. m.

En el exterior de la biblioteca, Marshall bramaba órdenes.

—¡Muévanse! ¡Muévanse! ¡Muévanse! ¡Entren! —gritó, ajeno a la lluvia que caía.

Instantes antes, la rejilla de chisporroteante electricidad azulada se había desvanecido, dejando únicamente el agujero de la explosión en la reja metálica del aparcamiento. En esos momentos el equipo de SWAT estaba corriendo en dirección al aparcamiento de coches.

—¡Higgs! —gritó.

—¡Sí, señor!

—Quiero una censura total en los medios sobre este tema a partir de ahora. Vaya junto a Levine y dígale que llame a las cadenas y que tire de algunos hilos. Quiero esas cámaras fuera de aquí. Y consígame una zona de exclusión aérea sobre toda la isla. No quiero ningún helicóptero en un radio de quince kilómetros de este edificio. ¡Vaya ahora!

Higgs subió la rampa a la carrera.

Marshall se llevó las manos a las caderas y sonrió bajo la lluvia.

Estaban dentro.

Swain y su hija subieron las escaleras de dos en dos con la respiración entrecortada.

Llegaron a la primera planta. El doctor condujo a Holly por una amplia sala antes de salir de repente al vestíbulo.

El elevado vestíbulo de mármol se extendía ante ellos: amplio y oscuro y enorme, con la exposición de librerías del depósito.

Y vacío.

Desde allí podía verse la balconada de la segunda planta que tenían encima. No había nadie. Ni tampoco focos de fuego. Aún.

La pulsera.

14:23

14:22

Había luz en el mostrador de información. Swain se acercó con cautela por entre las librerías de pega de la exposición. Holly lo siguió, muerta de miedo.

Estaba a pocos metros del mostrador de información cuando le dijo a su hija:

—Quédate ahí.

Swain se acercó. Miró por encima de este y se apartó al momento con una mueca de repulsión.

—¿Qué pasa? —susurró Holly.

—Nada —dijo y a continuación añadió rápidamente—. No te acerques.

Miró por encima de la mesa elevada de nuevo y contempló una vez más aquella horripilante imagen. Era el cuerpo retorcido y ensangrentado de una policía.

La compañera de Hawkins.

Le habían arrancado extremidad tras extremidad, literalmente. Sus brazos acababan a la altura del bíceps con una protuberancia ósea irregular. Tenía el uniforme cubierto de sangre. Swain apenas si pudo entrever el rasgón en su camisa, allí donde Bellos le había arrancado la placa.

Pero entonces vio la Glock de la policía en el suelo, a centímetros de su brazo desesperadamente extendido.

Swain pensó: *Quizá pueda disparar a la pulsera.*

No, la bala le atravesaría la muñeca. Mala idea.

Se agachó y cogió de todas maneras la pistola de la policía. Protección.

Y entonces, sin previo aviso, se oyó un golpe sordo a sus espaldas.

Holly gritó y Swain se volvió al instante y vio…

… Al karanadon, sobre una rodilla, levantándose lentamente.

¡Justo detrás de Holly!

¡Debía de encontrarse en la segunda planta y había saltado desde allí!

Sin pensárselo dos veces, Swain lo apuntó con su recién encontrada Glock y disparó dos veces. Erró los dos disparos por casi tres metros. Qué demonios, si jamás había disparado antes un arma.

Holly gritó y echó a correr hacia su padre.

Bum.

El karanadon dio un paso al frente.

Swain levantó el arma de nuevo. Disparó. Falló. Dos metros en esa ocasión. Estaba acercándose.

Bum. Bum.

—¡Corre! —gritó Holly—. ¡Corre!

—¡Aún no! ¡Puedo darle! —le respondió a gritos Swain. Su voz resonó por encima de las estruendosas pisadas de la bestia.

El karanadon empezó la carga.

Bum. Bum. Bum.

—¡Vale, vámonos! —gritó Swain.

Swain y Holly corrieron hacia las librerías de la exposición. El karanadon estaba ganando velocidad. Doblaron una esquina y accedieron a un estrecho pasillo. Las librerías se sucedían cual masa borrosa a su paso. Mientras corría con todas sus fuerzas, Swain miró hacia atrás.

Entonces sus pies chocaron con algo, tropezó y cayó de morros al suelo. Se golpeó con fuerza contra el suelo y la pistola salió disparada por el resbaladizo suelo de mármol.

Bum. Bum. Bum.

El suelo a su alrededor tembló con violencia y Swain rodó hasta colocarse boca arriba para ver qué era lo que lo había hecho caer.

Era un cuerpo. El cuerpo mutilado del konda, el extraterrestre similar a un saltamontes al que los hoodayas habían matado antes, mientras Swain y los demás habían estado observándolo todo desde el balcón de la segunda planta.

Bum.

El suelo retumbó una última vez.

Silencio. Salvo por los bips de la pulsera de Swain.

Alzó la vista y vio a Holly al otro lado del cadáver.

Y tras ella, justo detrás, cerniéndose sobre su hija, la enorme forma oscura del karanadon silueteada en la oscuridad.

Holly no movió un músculo.

El karanadon estaba tan cerca que podía sentir su aliento cálido en la nuca.

—No te muevas —le susurró su padre—. Hagas lo que hagas, no te muevas.

Holly no respondió. Notaba cómo le temblaban las rodillas. Sabía que no se iba a mover. Aunque quisiera, no podría. Empezaron a formársele gotas de sudor en la frente conforme sentía que el karanadon se iba acercando más y más.

La respiración de la bestia era entrecortada, como si estuviera respirando muy, muy rápido. Como si estuviera…

Olisqueando. La estaba olisqueando. Oliendo a Holly.

Lentamente, el morro de la enorme bestia se levantó hacia su cuerpo.

Holly estaba aterrorizada. Quería gritar. Apretó con fuerza los puños y cerró los ojos.

De repente, notó que algo húmedo y frío le tocaba la oreja izquierda. Era la nariz del karanadon, la punta de su morro oscuro y arrugado. Tenía la nariz fría y húmeda, como la de un perro.

Casi se desmaya.

Swain, mientras, observaba horrorizado cómo el karanadon rozaba el lado izquierdo de la cara de su hija.

Se estaba tomando su tiempo. Se movía lenta, metódicamente, intensificando su miedo.

Los tenía.

Swain podía oír los pitidos constantes de su pulsera. ¿Cuánto tiempo le quedaba? No se atrevía a mirar, no se atrevía a apartar la vista del karanadon. *Mierda.*

Cambió de postura y, de repente, sintió un bulto en el bolsillo. Era el auricular del teléfono. No le sería de mucha ayuda en esos momentos. Un momento…

Tenía algo más en el bolsillo…

El mechero.

Muy despacio, Swain se metió la mano en el bolsillo y sacó el mechero de Jim Wilson.

El karanadon estaba olisqueando los tobillos de Holly.

Ella seguía muy quieta, con los ojos y los puños bien cerrados.

Swain sostuvo el mechero en su mano. Si pudiera encender algo con él, las llamas distraerían momentáneamente al karanadon.

Pero entonces recordó que el mechero no le había funcionado antes en la caja de la escalera.

Ahora tenía que funcionar.

Acercó el mechero a la librería más cercana, a un libro de tapa dura lleno de polvo.

Por favor, funciona. Solo una vez. Por favor, funciona.

El Zippo se abrió con un clic metálico.

El karanadon levantó entonces la cabeza y miró con gesto acusador a Swain como si estuviera diciéndole «¿Y tú qué te crees que estás haciendo?».

Swain acercó más el mechero al libro polvoriento, pero el karanadon empezó a avanzar hacia él y en un segundo Swain se vio contra el suelo, boca abajo, con el peso de un enorme pie negro presionándole la espalda.

Holly gritó.

Swain estaba contra el suelo, las manos extendidas ante él y la cabeza ladeada, con una de las mejillas pegadas contra el frío suelo de mármol. Forcejeó en vano contra el peso del karanadon.

La bestia rugió con fuerza y Swain alzó la vista; todavía tenía el mechero en la mano izquierda. En su muñeca izquierda vio la pulsera, que sonaba sin cesar. Se preguntó cuánto tiempo quedaría antes de que explotara.

El karanadon vio el mechero.

Y Swain observó horrorizado cómo una enorme garra negra le aprisionaba todo el antebrazo izquierdo. Le agarró el brazo con fuerza, cortándole el flujo sanguíneo. Swain vio que empezaban a marcársele las venas. Su brazo estaba a punto de partirse en dos...

Entonces la criatura le golpeó la muñeca con rabia contra el suelo.

Swain gritó de dolor cuando su brazo se estampó contra el mármol. Se oyó un fuerte impacto, seguido de un agudo dolor que le recorrió todo el antebrazo.

Con el topetazo, la mano que sostenía el mechero se abrió por acto reflejo y el Zippo cayó al suelo.

Swain no se percató.

Se olvidó al instante del abrasador dolor de su extremidad.

En esos momentos estaba mirándose con total incredulidad la muñeca izquierda: la pulsera también se había golpeado contra el suelo.

Y la fuerza del impacto había sido tal que se había abierto. En esos momentos pendía de la muñeca de Swain, aún sonando.

Pero suelta.

Swain vio la cuenta atrás.

12:20

12:19

12:18

Y de repente sintió que una garra lo atrapaba por la nuca y lo inmovilizaba con fuerza contra el suelo. El peso sobre su espalda se incrementó.

Hora de matar.

Swain vio el Zippo. Estaba en el suelo. A poca distancia.

El karanadon bajó la cabeza.

El doctor cogió a toda prisa el mechero y lo acercó al estante inferior de la librería y después cerró los ojos y rogó a Dios que, solo por una vez, el estúpido mechero de Jim Wilson funcionara.

Apretó la rueda.

———

El mechero se encendió durante medio segundo, pero eso era todo lo que necesitaba Swain.

Un libro lleno de polvo que estaba junto al Zippo prendió al momento, justo delante del karanadon.

La enorme bestia rugió cuando el fuego refulgió en su cara y el pelaje de su frente se prendió. Retrocedió al instante, soltando a Swain y agarrando desesperado su frente en llamas.

Swain rodó al momento y, en un ágil movimiento, se quitó la pulsera de la muñeca y la colocó alrededor de una de las enormes garras del karanadon.

La pulsera hizo clic al cerrarse.

Y Swain se puso en pie y echó a correr. Alzó en brazos a Holly, cogió la Glock del suelo y emprendió una carrera hacia la entrada principal de la biblioteca. Tras él se oían los quejidos y rugidos del karanadon.

Llegó a las puertas, les quitó el cierre y las abrió.

Y vio cerca de una docena de coches con luces giratorias aparcados en la Quinta Avenida. Y hombres con fusiles. Corriendo hacia él bajo la lluvia.

La Agencia de Seguridad Nacional.

—Es la policía, papá. ¡Están aquí para salvarnos!

Swain la cogió de la mano y la apartó de las puertas, en dirección a la caja de la escalera.

—No creo que esos policías estén aquí para ayudarnos, cielo —dijo Swain mientras corría—. ¿Recuerdas lo que pasó en la casa de Elliott en E. T.? ¿Recuerdas que los malos le pusieron una bolsa de plástico?

Corrían con todas sus fuerzas. Ya casi habían alcanzado la caja de la escalera.

—Sí.

Swain dijo:

—Bueno, la gente que hizo eso son los mismos que están fuera de la biblioteca en estos momentos.

—Oh.

Llegaron a la caja de la escalera y empezaron a bajar los peldaños.

Swain se detuvo.

Voces… y gritos… y pisadas provenientes de abajo.

La NSA ya estaba dentro.

Debían de haber entrado por el aparcamiento.

—Rápido. Hay que subir. Ahora. —Swain tiró de Holly y comenzaron a subir de nuevo por las escaleras.

Y, mientras las subían, oyeron el estrépito de cristales rotos, seguidos de voces y gritos. La NSA estaba en el vestíbulo.

Swain cerró la puerta tras de sí.

Se encontraban en la sala más al fondo de la segunda planta.

Fue directamente a la única ventana de la habitación.

Esta se abrió sin problemas y Swain se asomó por ella.

Abajo, pudo ver el parque Bryant. Era una caída de cuatro metros y medio desde la ventana al suelo.

Se volvió para buscar algo que le sirviera de cuerda.

—Papá —dijo Holly—, ¿qué estamos haciendo?

—Vamos a salir —dijo Swain mientras arrancaba los cables de unas lámparas de la habitación.

—¿Cómo?

—Por la ventana.

—¿Por esa ventana?

—Sí. —Swain tiró de más cables de la pared. Empezó a atarlos, extremo con extremo.

Cuando hubo terminado, fue junto a la ventana abierta y, con la culata del arma, rompió el cristal. A continuación ató el extremo de su «cuerda» de cables alrededor de la ahora expuesta barandilla que había bajo la ventana y le hizo un nudo.

Se volvió hacia Holly.

—Vamos —le dijo mientras se guardaba en la cinturilla del pantalón el arma.

Holly dio un paso adelante a tientas.

—Súbete a mi espalda y agárrate con fuerza. Bajaremos por la cuerda.

Justo entonces oyeron gritos procedentes del pasillo exterior a su habitación. Parecían instrucciones, órdenes. Alguien le estaba gritando a otra persona qué hacer. La NSA seguía buscando. Se preguntó qué le habría ocurrido al karanadon. No debían de haberlo encontrado aún.

—Muy bien, vamos allá —dijo mientras se ponía a Holly a la espalda. Ella se agarró con fuerza.

A continuación echó la cuerda por la ventana y comenzó a descender por fuera.

—Señor —dijo una voz cargada de interferencias.

James Marshall cogió su radio. En esos momentos se encontraba en el exterior de la entrada lateral a la biblioteca por la calle Cuarenta y Dos. Las puertas de hierro que tenía ante sí estaban combadas y rotas, totalmente destrozadas por la entrada de la NSA minutos antes.

—¿Qué ocurre? —dijo Marshall.

—Señor, tenemos confirmación visual. Repito, confirmación visual de contacto en dos plantas. Una en la planta inferior del aparcamiento y otra en el vestíbulo de la primera planta.

—Excelente —dijo Marshall—. Dígales a todos que no toquen nada hasta que yo lo diga. Los procedimientos de esterilización están activados. Cualquiera que se acerque en un radio de dos metros a alguno de esos organismos sin la protección adecuada será considerado contaminado y, por tanto, puesto en cuarentena de manera indefinida.

—Recibido, señor.

—Manténgame informado.

Marshall apagó la radio.

Se frotó las manos y alzó la vista a la biblioteca en llamas. Era el edificio que lanzaría su carrera.

—Excelente —dijo de nuevo.

Swain cayó en la hierba y dejó a Holly en el suelo junto a él.

Estaban fuera.

Por fin.

En esos momentos llovía con más fuerza. Buscó una salida. Se encontraban en la parte posterior del edificio. Recordó cuando había salido del metro antes. En la parte más alejada del parque Bryant.

El metro.

Nadie le prestaría atención si lo vieran en el metro con la ropa rota y sucia. La de Holly no estaba mucho mejor. Serían otro vagabundo y otra cría más de los que vivían en el metro.

Era la salida, la manera de volver a casa.

Si es que podían dejar atrás a la NSA.

Swain tiró de Holly en dirección oeste, hacia el cobijo de los árboles, mientras la lluvia caía incesantemente sobre ellos. Valiéndose de la protección de la lluvia y de las sombras de los árboles, Swain confiaba en poder pasar junto a la NSA sin ser detectado.

Llegaron a la fila de árboles.

Swain vio el enorme quiosco blanco en el centro del parque. Justo detrás se encontraba la estación de metro.

El precinto amarillo de la policía seguía colocado en los árboles que rodeaban la biblioteca, formando un amplio perímetro. Swain vio a unos cuantos agentes de la NSA armados con M-16 en la calle Cuarenta y Dos, de espaldas a la biblioteca, manteniendo a raya a una pequeña multitud de bomberos impotentes, policías locales y trasnochadores curiosos. No había muchos agentes de la NSA, solo los suficientes para asegurar la zona. Swain se imaginó que la mayoría estaría en esos momentos en el interior del edificio.

—Muy bien —le dijo a Holly—. ¿Estás lista? Es hora de ir a casa.

—Vale —dijo ella.

—Prepárate para echar a correr.

Swain esperó un segundo. Se asomó tras el tronco de uno de los árboles. Señaló al quiosco.

—Ahí es donde vamos a ir primero. Luego al metro. ¿Quieres que te lleve en brazos?

—No, estoy bien.

—Vale. ¿Preparada?

—Sí.

—Entonces vamos.

Echaron a correr de nuevo. Salieron de la línea de árboles al espacio abierto.

Bum.

Marshall sintió que el suelo bajo sus pies se estremecía.

Seguía en la entrada a la biblioteca de la calle Cuarenta y Dos. Miró al interior, por entre la entrada forzada, para ver qué había causado la vibración.

Nada. Oscuridad.

Bum.

Marshall frunció el ceño.

Bum. Bum. Bum.

Algo se acercaba. Algo grande.

Y entonces lo vio.

Por Dios…

Marshall no esperó a mirar de nuevo. Se dio la vuelta y echó a correr, lejos de la entrada, apenas dos segundos antes de que las sólidas puertas laterales de la biblioteca salieran despedidas de sus bisagras como si de dos palillos se tratara.

Swain y Holly estaban a medio camino del quiosco cuando ocurrió.

Un rugido estruendoso resonó por todo el parque a sus espaldas.

Él se detuvo y se giró. La lluvia lo golpeaba en la cara.

—Oh, no —dijo—. Otra vez no.

El karanadon estaba en la calle Cuarenta y Dos, a menos de diez metros de la entrada lateral de la biblioteca. Las gruesas puertas de hierro de esa entrada, en esos momentos totalmente destrozadas, yacían en pedazos junto a la enorme bestia. Los agentes de la NSA corrían en todas direcciones para alejarse de ella.

El karanadon no prestó atención a la gente que huía de él. Es más, ni siquiera se percató de su presencia. Se quedó quieto en mitad de la calle mientras su cabeza giraba en un lento y amplio arco.

Escudriñando la zona.

Buscando.

Buscándolos.

Y entonces los vio. En el parque, en el espacio abierto entre la línea de árboles y el gran quiosco blanco, bajo la lluvia incesante.

La enorme bestia rugió con fuerza.

A continuación echó a correr y, con una velocidad aterradora, cubrió la distancia entre la biblioteca y la línea de árboles en segundos. Cargó bajo la lluvia, sacudiendo a cada paso la tierra embarrada bajo sus pies.

Bum. Bum. Bum.

Swain y Holly salieron disparados hacia el quiosco. Llegaron a él y subieron los escalones hasta el escenario de hormigón circular.

El karanadon llegó a la línea de árboles y pasó por entre las ramas de uno de ellos, en dirección a sus presas.

Entonces se detuvo. A menos de diez metros. Y los observó durante varios segundos.

Estaban atrapados en el escenario.

Marshall estaba hablando por la radio.

—¡Le daré una puta confirmación! ¡Esa maldita cosa acaba de echar abajo las puertas laterales! ¡Que venga alguien aquí ya mismo!

La radio volvió a la vida entre interferencias.

—¡Me importa una puta mierda lo que estén buscando! ¡Que venga alguien ya mismo y que traigan el arma más grande que tengan!

Swain llevó a Holly a la parte más alejada del escenario. La cogió en brazos cuando el karanadon empezó a acercarse. La lluvia repiqueteaba con fuerza sobre el techo del quiosco.

—Agáchate —le dijo Swain mientras pasaba a Holly al otro lado de la barandilla del escenario. Holly aterrizó en el suelo sin problemas.

El karanadon llegó a la base de la edificación circular. La lluvia incesante le había empapado el pelaje y lo tenía pegado, cual perro. Un hilo de agua le recorría el morro hasta caer por uno de sus enormes dientes caninos.

La bestia subió uno de los peldaños.

Swain se desplazó en un arco alrededor de la circunferencia del escenario, lejos de Holly.

El karanadon subió al escenario.

Miró a Swain.

Hubo un tenso e interminable silencio.

Swain sacó la Glock.

El karanadon gruñó en respuesta. Un gruñido grave, furioso.

Ninguno de los dos se movió.

Entonces, de repente, Swain fue hacia la barandilla y el karanadon lo siguió. Se disponía a saltarla cuando una garra gigante y negra lo agarró por el cuello de la camisa y tiró de él hacia atrás. Aterrizó en el centro del escenario de hormigón con un fuerte golpe.

El karanadon se colocó a horcajadas sobre Swain y bajó el morro hasta quedar cara a cara con él. Le tenía inmovilizada la mano con la que sujetaba la pistola con una de sus enormes y peludas garras.

Swain intentó en vano apartarse de sus terribles fauces, de su hediondo aliento, de su morro negro y arrugado con gesto de perpetuo desdén.

El karanadon ladeó la cabeza ligeramente, como si estuviera retándolo a escapar.

Fue entonces cuando Swain giró la cabeza y vio que la pata trasera de la bestia se adelantaba un paso.

Una ola de terror le recorrió el cuerpo cuando vio la pulsera que él mismo había llevado durante el Presidian justo delante de sus ojos.

—Oh, Dios… —dijo en voz alta.

La cuenta atrás seguía su curso.

1:01

1:00

0:59

Solo quedaba un minuto para la detonación.

Dios mío.

Empezó a retorcerse y forcejear, pero el karanadon lo sostuvo con fuerza. Parecía totalmente ajeno a la bomba que llevaba en el pie.

Swain miró a su alrededor en busca de una salida: a la barandilla con celosía blanca que rodeaba el escenario, a las seis columnas que sostenían el techo abovedado. Había una pequeña caja de madera en la barandilla, pero su tapa estaba cerrada con candado. En un rincón recóndito de su mente, Swain se preguntó para qué sería la caja.

No hay nada. Absolutamente nada que pudiera usar.

Se había quedado sin opciones.

Entonces, de repente, oyó una voz.

—¿Hola…?

El karanadon levantó al momento la cabeza y la giró.

Swain aún podía ver los números de la pulsera contando hacia atrás a centímetros de su cara.

0:48

0:47

0:46

—¿Hola? Sí. Aquí.

Swain reconoció la voz.

Era Holly.

Alzó la vista. Holly estaba cerca del extremo del escenario, con la lluvia cayendo como si formase una cortina a sus espaldas. El karanadon se movió para mirarla…

Y de repente algo le golpeó el morro. Cayó al suelo, al lado de la cabeza de Swain. Era un zapato de uniforme de colegio. Un zapato de niña. ¡Holly se lo había tirado al karanadon!

La bestia rugió. Un rugido profundo de pura ira animal.

0:37

0:36

0:35

Levantó el pie despacio, en dirección a Holly.

—¡Holly! —gritó Swain—. ¡Sal de aquí! ¡Todavía tiene la pulsera y va a explotar en treinta segundos!

Holly se quedó momentáneamente perpleja. Entonces lo entendió y echó a correr, bajando al vuelo los escalones y adentrándose en el parque, lejos del campo de visión del karanadon.

El monstruo dio un paso adelante, pero entonces frenó en seco.

Y se dio la vuelta.

0:30

0:29

0:28

Todavía no había soltado la mano de Swain que blandía el arma, aún la mantenía inmovilizada contra el escenario.

Swain forcejeó para librarse del agarre de la gigantesca criatura, pero era inútil. El karanadon era demasiado fuerte.

0:23

0:22

0:21

Y entonces, justo entonces, mientras se retorcía, notó que algo le rozaba la espalda.

Swain frunció el ceño y vio que allí había una parte del escenario que no encajaba del todo en el suelo.

Un pequeño cuadrado de madera, mínimamente hundido en el suelo del escenario.

Era un escotillón.

El mismo que había visto usar en las pantomimas que se habían representado allí el pasado otoño.

Swain estaba justo encima de él.

Y entonces, giró la cabeza y sus ojos se posaron en la caja de madera cerrada con candado que había visto pegada a la barandilla instantes antes.

Ahora ya sabía para qué era.

Contiene los controles de la trampilla.

0:18

0:17

El karanadon seguía encima de él, gruñendo.

0:16

0:15

A pesar de que la mano que sostenía el arma seguía atrapada por la bestia, Swain apuntó con la pistola a la caja de controles de la trampilla.

0:14

0:13

Disparó. Alcanzó la esquina superior de la caja. El karanadon rugió.

0:12

0:11

Ajustó el agarre. Disparó de nuevo. En esa ocasión la bala impactó más cerca del candado.

0:10

A la tercera va la vencida…, pensó mientras entrecerraba los ojos.

¡Blam!

Swain disparó y… el candado se abrió, partido por la bala.

0:09

La tapa de la caja de los controles se abrió, revelando una palanca roja en su interior. El funcionamiento era sencillo: se tiraba de la palanca y la trampilla del escenario se abría.

0:08

Swain disparó de nuevo, en esa ocasión a la palanca.

Falló. Miró de reojo al karanadon, ¡en el mismo instante en que uno de sus poderosos puños se acercaba a su cara! Swain ladeó la cabeza al tiempo que el puño aterrizaba en el suelo, justo al lado de su oreja, abriendo un agujero por entre la trampilla.

El karanadon levantó su garra libre una vez más, en lo que sin duda sería el golpe final.

0:07

Swain vio levantarse la enorme garra. Erró varios disparos dirigidos a la palanca en una rápida sucesión.

¡Blam! ¡Blam! ¡Blam! ¡Blam!

Fallo. Fallo. Fallo. Fallo.

0:06

—¡Maldita sea! —se gritó Swain a sí mismo—. ¡Céntrate!

La garra del karanadon se acercaba a gran velocidad…

Swain miró el cañón de su arma…

Y de repente vio perfectamente la palanca.

—Te tengo —dijo.

Blam.

El arma disparó y la bala silbó por el aire y en esa ocasión…

¡Crac!

Impactó en la palanca, en la bisagra, haciendo que todo el mecanismo de la palanca se inclinara hacia delante y…

0:05

Sin aviso, la trampilla se abrió bajo Swain.

0:04

El puño del karanadon no golpeó nada salvo aire, sin alcanzar la nariz de Swain por escasos centímetros, pues este cayó de manera totalmente inesperada bajo la enorme bestia, como una piedra, al vientre del escenario.

Aterrizó con un polvoriento golpe sordo en la oscuridad.

0:03

Vio al karanadon en el escenario, por encima de él, en un cuadrado de luz, contemplándolo a través del agujero que instantes antes había sido la trampilla.

¡En marcha!

Miró a la derecha y vio una pequeña línea vertical de luz en la oscuridad, una hendidura en la pequeña puerta de madera por la que se salía de debajo del escenario.

0:02

Swain gateó hacia la pequeña puerta de madera y disparó, agujereándola, confiando en dar al cerrojo que había al otro lado.

0:01

A continuación, embistió la puerta con el hombro, la abrió y salió a la lluvia, aterrizando torpemente en la hierba húmeda que rodeaba el escenario.

0:00

Cataclismo.

La explosión de la pulsera, cegadora, fulgente, detonó en horizontal, cual onda a mil por hora en un estanque.

Swain gateó hasta pegarse a los pies del escenario cuando la espectacular bola candente de fuego se expandió lateralmente sobre su cabeza. Vio a Holly, en el suelo, junto a los árboles, cubriéndose las orejas con las manos.

El karanadon simplemente desapareció cuando la brillante explosión blanca emergió de su cuerpo, haciendo pedazos las seis columnas que sujetaban el techo abovedado del quiosco, reduciéndolas a polvo al instante. La enorme cúpula, ya sin sus sujeciones, se derrumbó encima del escenario.

Tras la espalda de Swain, la gruesa base del escenario se resquebrajó a causa de la energía liberada por la explosión, pero resistió.

Polvo blanco y miles de millones de laminillas de pintura volaron por el aire antes de que la lluvia los disolviera y dispersara.

Swain se levantó despacio y contempló lo que quedaba del quiosco. Su enorme techo abovedado yacía achaparrado sobre el escenario mientras la lluvia lo golpeaba con fuerza.

No podía haber quedado nada del karanadon, la explosión había sido demasiado grande. Había desaparecido.

Swain corrió junto a Holly y la cogió en brazos.

Vio que varios agentes de la NSA se dirigían hacia ellos por entre la lluvia, y estaba a punto de emprender otra carrera cuando algo ocurrió.

De repente.

De manera totalmente inesperada.

Seis explosiones simultáneas, seis bolas candentes de luz, estallaron en distintas secciones de la biblioteca.

La mayor explosión provino de la tercera planta, en las cercanías de la sala de lectura. Parecía una combinación de dos explosiones separadas, del doble del tamaño de otras bolas de fuego blancas que explosionaron en la primera y tercera planta de la biblioteca.

Los cristales de todas las ventanas de la Biblioteca Pública de Nueva York estallaron hacia fuera. La gente alrededor del edificio se precipitó a ponerse a cubierto cuando, de pronto, una explosión subterránea (curiosamente, justo donde se encontraba el aparcamiento) sacudió los cimientos del edificio.

Cubierto por un velo de lluvia, todo el edificio de la biblioteca estaba ardiendo en esos momentos. Las llamas asomaban por todas las ventanas y mientras Stephen Swain alejaba discretamente a su hija de aquel caos, vio que la tercera planta cedía y se derrumbaba, aplastando las plantas inferiores.

El techo del edificio seguía intacto cuando la sexta y última explosión estremeció la biblioteca y algo de lo más extraño sucedió.

Un ascensor vacío salió disparado hacia arriba cual bola de un cañón. Atravesó el techo del edificio y voló por los aires. Cuando hubo alcanzado el punto máximo de su arco parabólico, cayó hasta precipitarse contra el techo.

Fue entonces cuando también el techo cedió y la Biblioteca Pública de Nueva York (entre el ruido del crujido de las vigas, las explosiones y los incendios) se vino abajo y, a pesar de la lluvia incesante, empezó a arder y a consumirse en el olvido.

James Marshall contemplaba estupefacto el fiero deceso del edificio que tanto había prometido en un primer momento. Unos treinta agentes se encontraban en su interior cuando las explosiones comenzaron. Ninguno podía haber sobrevivido.

Marshall siguió allí, observándolo arder. No sacarían nada de la biblioteca. Al igual que tampoco sacarían nada del quiosco del parque. Había visto con sus propios ojos cómo la enorme criatura negra salía de la biblioteca. Y también la había visto estallar.

Una explosión candente (¿micronuclear?) como esa no podía haber dejado mucho tras de sí. Qué demonios, no habría dejado nada tras de sí.

Marshall se metió las manos en los bolsillos y echó a andar hacia su coche. Había llamadas que hacer. Explicaciones que dar.

Esa noche había sido la que más cerca habían estado de establecer contacto con ellos. Quizá lo más cerca que estarían nunca.

¿Y ahora? ¿Ahora qué tenían?

Nada.

Stephen Swain estaba sentado en el vagón del metro con su hija dormida en el regazo.

A cada sacudida del tren los dos se ladeaban y balanceaban junto con los otros cuatro pasajeros del vagón. Era tarde y ese tren prácticamente vacío los llevaría de regreso a Long Island.

A casa.

Holly dormía plácidamente en su regazo, moviéndose de vez en cuando hasta dar con una postura más cómoda.

Swain sonrió con tristeza.

Se había olvidado de las pulseras que todos los contendientes del Presidian tenían que llevar. Cuando los muros electrificados habían desaparecido, sus pulseras (como la que había llevado él) habrían activado la detonación. Así que cuando el karanadon había estallado con la pulsera de Swain, las demás también habían explotado, dondequiera que estuvieran: la de Reese en el aparcamiento subterráneo, la de Balthazar en la tercera planta e incluso la de Bellos, en el pozo del hueco del ascensor.

Swain se miró la ropa: llena de grasa, mugre y, en algunas partes, sangre. A nadie en el vagón parecía importarle.

Rió en voz baja para sí. A continuación cerró los ojos y se recostó mientras el tren recorría el túnel que los conduciría de vuelta a casa.

Epílogo

Ciudad de Nueva York
2 de diciembre, 4:52 a. m.

Los trabajadores del metro de Nueva York lo llamaban el Topo: el motor eléctrico de un tren suburbano que habían convertido en una barredera sobre rieles.

De madrugada, cuando los servicios del metro se hallaban en sus mínimos, el Topo deambulaba por los túneles y sus cepillos delanteros rotatorios limpiaban cualquier tipo de restos que hubieran podido caer a las vías el día anterior. Al final de su turno, todos los desperdicios recogidos por el Topo eran llevados a un horno y destruidos.

A última hora de esa noche, el Topo hizo su habitual trayecto por el túnel de metro adyacente a la Biblioteca Pública. Y, cuando pasó junto a la válvula amplificadora de Ed Con, el conductor empezó a quedarse transpuesto.

No se percató de la entrada abierta, ni del interior destrozado, ni de los ladrillos y los fragmentos de hormigón en el suelo.

No llegó a percatarse del leve ruido de metal contra metal que repiqueteó bajo el Topo cuando pasó junto a la válvula amplificadora.

El Topo siguió recorriendo el túnel, y lo único que dejó tras de sí fue un par de esposas en la vía.

Bestsellers

1. La ecuación Dante — Jane Jensen
2. Signum — José Guadalajara
3. El resugir de la Atlántida — Thomas Greanias
4. Testamentvm — José Guadalajara
5. Imajica: el Quinto Dominio — Clive Barker
6. Imajica: la Reconciliación — Clive Barker
7. El puzzle de Jesús — Earl Doherty
8. El secreto de María Magdalena — Ki Longfellow
9. El ángel más tonto del mundo — Christopher Moore
10. En presencia de mis enemigos — Harry Turtledove
11. Tiempo de matar — Lisa Gardner
12. La habitación de Ámbar — Steve Berry
13. El traficante de bebés — Kit Reed
14. La buena muerte — Nick Brooks
15. Desaparecido — Jonathan Kellerman
16. El códice de la Atlántida — Stel Pavlou
17. Un trabajo muy sucio — Christopher Moore
18. El Club de los Patriotas — Chistopher Reich
19. El clan Inugami — Seishi Yokomizo
20. Pánico — Jeff Abbott
21. El templo — Matthew Reilly
22. El protocolo griego — Kendall Maison
23. Alibi Club — Francine Mathews
24. Obsesión — Jonathan Kellerman
25. La profecía de la Atlántida — Thomas Greanias
26. ¡Chúpate esa! — Christopher Moore
27. Corsario — Tim Severin
28. El último secreto — Sholes y Moore
29. La caja del mal — Martin Langfield
30. Los leones de Al-Rassan — Guy Gavriel Kay
31. El secreto de Cristo — Ronald Cutler
32. Antártida: Estación polar — Matthew Reilly
33. La siete pruebas — Stel Pavlou
34. La sanguijuela de mi niña — Christopher Moore

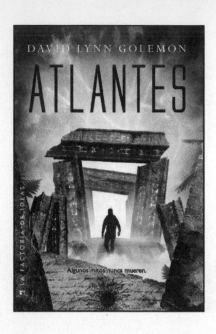

Atlantes
David Lynn Golemon

19,95 € — LFL20062
ISBN - 978-84-9018-171-3 · BIC: FA
9 788490 181713
www.lafactoriadeideas.es

El arma que acabó con la avanzada sociedad de la Atlántida hace milenios ha sido encontrada en el mar Mediterráneo. Un hombre, guiado por el odio y la ideología nazi, cree que sabrá descifrar los códigos del ingenio más destructivo que este mundo ha visto jamás.

El Grupo Evento, encabezado por el coronel Jack Collins, debe enfrentarse a una misión inusitadamente peligrosa: dar con el rastro perdido de los atlantes antes de que se proclame un nuevo reich. ¿Podrá el secreto departamento del gobierno estadounidense hallar la guarida de este letal poder? ¿O explotará el mundo en una reacción en cadena que comenzó hace más de once mil años? El Grupo Evento es la única esperanza de nuestro planeta.

•

«El Grupo Evento es una de las mejores agencias de ficción que han surgido en la literatura sobre conspiraciones gubernamentales.»
—*The New York Times*

•

El secreto de Excálibur
Andy McDermott

19,96 € LFL20060
ISBN - 978-84-9018-096-9 FA
9 788490 180969
www.lafactoriadeideas.es

La espada Excálibur, codiciada por todos a lo largo de la historia, se creyó perdida durante siglos, pero el historiador Bernd Rust piensa que puede localizar la mítica arma… y que es la clave para aprovechar una increíble fuente de energía. Nina se muestra escéptica… hasta que Rust y ella son atacados por mercenarios decididos a adueñarse de sus investigaciones.

Nina y su novio, el exsoldado del SAS Eddie Chase, se ven pronto inmersos en una carrera mortal para encontrar a Excálibur. Desde el desierto de Siria a las inmensidades árticas de Rusia, Nina y Chase deben combatir a un enemigo despiadado que planea utilizar los poderes de la espada para sumergir al mundo en una nueva era de guerra…

•

«Donde las escenas de acción de otros autores cojean, las de McDermott saltan de la página en tecnicolor, a tamaño IMAX y con sonido Dolby. Los diálogos son chispeantes.»
—*Daily Express*

•